Une simple histoire d'amour

——◆——

TOME 1 • L'INCENDIE

DU MÊME AUTEUR CHEZ LE MÊME ÉDITEUR :

L'amour au temps d'une guerre, tome 1 : *1939-1942*, 2015
L'amour au temps d'une guerre, tome 2 : *1942-1945*, 2016
L'amour au temps d'une guerre, tome 3 : *1945-1948*, 2016
Les héritiers du fleuve, tome 1 : *1887–1893*, 2013
Les héritiers du fleuve, tome 2 : *1898–1914*, 2013
Les héritiers du fleuve, tome 3 : *1918-1929*, 2014
Les héritiers du fleuve, tome 4 : *1931-1939*, 2014
Les années du silence 1 : La tourmente (1995) et *La délivrance* (1995), réédition 2014
Les années du silence 2 : La sérénité (1998) et *La destinée* (2000), réédition 2014
Les années du silence 3 : Les bourrasques (2001) et *L'oasis* (2002), réédition 2014
Mémoires d'un quartier, tome 1 : *Laura*, 2008
Mémoires d'un quartier, tome 2 : *Antoine*, 2008
Mémoires d'un quartier, tome 3 : *Évangéline*, 2009
Mémoires d'un quartier, tome 4 : *Bernadette*, 2009
Mémoires d'un quartier, tome 5 : *Adrien*, 2010
Mémoires d'un quartier, tome 6 : *Francine*, 2010
Mémoires d'un quartier, tome 7 : *Marcel*, 2010
Mémoires d'un quartier, tome 8 : *Laura, la suite*, 2011
Mémoires d'un quartier, tome 9 : *Antoine, la suite*, 2011
Mémoires d'un quartier, tome 10 : *Évangéline, la suite*, 2011
Mémoires d'un quartier, tome 11 : *Bernadette, la suite*, 2012
Mémoires d'un quartier, tome 12 : *Adrien, la suite*, 2012
La dernière saison, tome 1 : *Jeanne*, 2006
La dernière saison, tome 2 : *Thomas*, 2007
La dernière saison, tome 3 : *Les enfants de Jeanne*, 2012
Les sœurs Deblois, tome 1 : *Charlotte*, 2003
Les sœurs Deblois, tome 2 : *Émilie*, 2004
Les sœurs Deblois, tome 3 : *Anne*, 2005
Les sœurs Deblois, tome 4 : *Le demi-frère*, 2005
Les demoiselles du quartier, nouvelles, 2003, réédition 2015
De l'autre côté du mur, récit-témoignage, 2001
Au-delà des mots, roman autobiographique, 1999
Boomerang, roman en collaboration avec Loui Sansfaçon, 1998, réédition 2015
«Queen Size», 1997
L'infiltrateur, roman basé sur des faits vécus, 1996, réédition 2015
La fille de Joseph, roman, 1994, 2006, 2014 (réédition du *Tournesol*, 1984)
Entre l'eau douce et la mer, 1994

Visitez le site Web de l'auteur : www.louisetremblaydessiambre.com

LOUISE TREMBLAY D'ESSIAMBRE

Une simple histoire d'amour

TOME 1 • L'INCENDIE

Guy Saint-Jean
ÉDITEUR

Guy Saint-Jean Éditeur
4490, rue Garand
Laval (Québec) Canada H7L 5Z6
450 663-1777
info@saint-jeanediteur.com
www.saint-jeanediteur.com

• • • • • • • • • • • • • • • •

Données de catalogage avant publication disponibles à Bibliothèque et Archives nationales du Québec et à Bibliothèque et Archives Canada

• • • • • • • • • • • • • • • •

Nous reconnaissons l'aide financière du gouvernement du Canada par l'entremise du Fonds du livre du Canada (FLC) ainsi que celle de la SODEC pour nos activités d'édition. Nous remercions le Conseil des Arts de l'aide accordée à notre programme de publication.

Gouvernement du Québec – Programme de crédit d'impôt pour l'édition de livres – Gestion SODEC

Édition : Isabelle Longpré
Révision : Isabelle Pauzé
Correction d'épreuves : Johanne Hamel
Infographie : Christiane Séguin
Page couverture : Toile peinte par Louise Tremblay d'Essiambre «Sainte-Adèle-de-la-Merci», inspirée de «Poudrerie sur Charlevoix» de Chantal Julien

Dépôt légal – Bibliothèque et Archives nationales du Québec, Bibliothèque et Archives Canada, 2017
ISBN : 978-2-89758-352-1
ISBN EPUB : 978-2-89758-353-8
ISBN PDF : 978-2-89758-354-5

Imprimé et relié au Canada
2e impression, août 2017

Guy Saint-Jean Éditeur est membre de
l'Association nationale des éditeurs de livres (ANEL).

Chers lecteurs,

Ce livre, il est à vous, juste à vous ! Après toutes ces années de fidélité, je vous l'offre, avec tous mes plus sincères remerciements pour cette amitié qui va de vous à moi et de moi à vous. Ça me fait chaud au cœur. Ça me donne envie de continuer, encore et encore.

J'offre aussi ce livre à Sylvain. Un ami et beau-frère que j'aimais beaucoup et qui nous a quittés un peu trop vite. Merci pour ces livres que tu avais lus avant moi et que tu m'as recommandés...

« L'amour d'une famille, le centre autour duquel tout gravite et tout brille. »

Victor Hugo

NOTE DE L'AUTEUR

Ça y est ! Sur mon calendrier, j'avais dessiné une petite étoile dans l'espace réservé au 6 septembre 2016. Une sorte de pense-bête pour me rappeler que les vacances ne sont pas éternelles ! Cependant, quand j'avais choisi la date, au mois de juillet précédent, septembre me paraissait bien loin de ma réalité estivale, faite de soleil et de repos au quotidien... Voilà que j'y suis déjà !

Comme le temps passe vite, éminemment plus vite, au fur et à mesure que l'on vieillit...

C'est donc ce matin que je vais plonger dans un nouvel univers et j'ai vraiment l'impression de me tenir sur la plateforme du dix mètres ! Depuis hier, j'ai le vertige. La nuit n'a pas été très bonne, je vous l'avoue, à cause de ce trac fou qui m'envahit, chaque fois que je m'installe devant l'ordinateur... Encore une fois, je n'y échapperai pas. Malgré tous les bons mots d'encouragement que vous m'avez fait parvenir, et je vous en remercie, il n'en reste pas moins que j'ai peur et que je doute. De moi, des mots, des personnages...

Dehors, c'est encore l'été et la tentation de repousser l'échéance que je m'étais fixée pour me remettre à l'écriture est passablement forte. Pourquoi pas ? Après tout, je n'ai ni patron ni horaire, n'est-ce pas ? C'est la beauté de mon travail, cette liberté totale devant les obligations! Mais n'ayez crainte, je vais résister à cette envie de paresse prolongée, car le désir de connaître enfin tous ces nouveaux personnages est aussi très vif et très réel. Toutefois, ce faisant, je me piège moi-même! En effet, je sais pertinemment que dès l'instant où nous aurons échangé un premier regard entre nous, ces mêmes personnages deviendront un patron intransigeant. Ce seront eux qui planifieront mes horaires, qui présideront à mes réveils de plus en plus matinaux, qui dicteront mes heures prolongées devant l'écran ou la feuille, et ils peuvent être impitoyables, croyez-moi!

Je sais tout cela.

N'empêche que l'écriture m'a manqué. D'un livre à l'autre, cela me semble de plus en plus évident: j'ai le plus beau métier du monde! Il me fait voyager dans le temps et l'espace. Il me fait rencontrer ces êtres d'exception que sont mes personnages; il me permet de rencontrer des hommes et des femmes attachants, et ici, c'est à vous, chers lecteurs, que je fais référence.

Je vous aime, j'espère que vous le savez!

Je vais donc oublier que dans ma cour, c'est encore l'été, et que j'aimerais bien m'y installer pour lire au soleil. Non, je vais plutôt me tourner vers cet homme que je croise en rêve depuis quelque temps. Je vous en ai déjà parlé sur ma page « Face de Bouc » ! Il ne sait pas encore que je suis à quelques pas de lui, en train de l'observer, puisqu'il ne s'est pas tourné vers moi. Il a autre chose en tête, c'est évident!

En ce moment, il a les épaules voûtées et ses

deux mains réunies dans son dos sont secouées de spasmes nerveux. L'homme vêtu d'une simple chemise blanche en tissu grossier et d'un pantalon avachi les croise et les décroise sans arrêt. De là où je me tiens, j'entends même ses jointures qui craquent, par moments, tellement il est crispé. Nul besoin de la moindre explication, car le paysage que j'ai devant les yeux parle de lui-même : dans la nuit mourante, la lueur des dernières braises d'une maison calcinée se joint aux premières clartés du jour. Un fatras de poutres noircies, des meubles à moitié brûlés, des cendres fumantes, voilà tout ce qu'il reste de cette maison, que l'étranger fixe intensément. À le voir aussi nerveux, j'en déduis que c'était sa maison. Il n'en reste vraiment plus rien, sauf une cheminée qui se dresse inutilement vers le ciel.

L'image est pathétique, grotesque, désespérante.

À cause d'un écriteau de bois arraché aux flammes et jeté un peu n'importe comment sur la terre gorgée d'eau, je sais aussi que cette maison était son lieu de travail.

« Jaquelin Lafrance, cordonnier »

C'est ce que je peux lire, de là où je me tiens. Devant l'attitude de cet inconnu, je devine que ce Jaquelin Lafrance, c'est lui. Pauvre homme. Ce qu'il est en train de vivre doit être terrible, ce qu'il a vécu durant la nuit encore pire. La peur, la fumée, la chaleur… J'aurais envie de m'approcher, de glisser un bras autour de ses épaules, juste pour qu'il sache que je suis là. Mais comme pour l'instant, il n'y a personne près de lui, je vais donc me faire discrète et respecter sa solitude. À voir le vide autour de ce Jaquelin, après un tel désastre, je comprends que c'est lui qui a demandé à être seul.

Je suis présentement dans un village tout droit sorti de mon imagination, mais combien semblable à des centaines d'autres qui existent vraiment : une église et son presbytère, un couvent et son clocher, ce qui me fait penser que ce gros bâtiment gris doit probablement servir d'école pour les jeunes de la paroisse. La petite cloche de bronze doit donc tinter régulièrement durant les jours de semaine, parfois en écho à celle de l'église. Si je me retourne, je vois un magasin général. Ce commerce est facile à reconnaître avec sa porte grillagée, sa longue galerie abritée, et son affiche colorée qui se balance tout doucement dans la brise du petit matin. De l'autre côté de la rue, il y a une grosse maison blanche avec une plaque à côté de la porte. Peut-être est-ce le bureau d'un médecin, d'un notaire ? Nous serions donc dans un village d'importance. Je ne sais pas encore. Quand le soleil sera levé, j'irai me promener pour pouvoir me faire une opinion.

Si je tourne la tête, j'aperçois un bâtiment imposant, un peu à l'écart. Il doit bien faire plus de deux étages. Il est en planches teintes de ce rouge qu'on appelle communément « sang-de-bœuf ». Cette bâtisse me semble en très bon état. C'est un moulin à bois. Je le sais, car lors d'une balade en campagne, j'ai eu la chance d'en visiter un, vestige d'une autre époque. Curieux, cependant, de voir un tel bâtiment ici, alors que nous sommes entourés de champs. Ça aussi, je le sais, car je crois entendre des vaches meugler au loin.

Je tends l'oreille…

Oui, ce sont bien des vaches, mais quand on prête attention, on entend aussi les remous d'une rivière. Voilà pourquoi il y a un moulin et tout ce que ça laisse supposer d'activités et de possibilités d'emploi. C'est donc évident que nous sommes dans un village de plusieurs centaines d'habitants, une sorte de petite ville comme il y en avait à l'époque, prospère et agréable. Je regarde autour de moi tandis que je prends conscience que le bruit de l'eau domine peu à peu le crépitement des braises en train de refroidir lentement. Ce gargouillis uniforme sert donc de bruit de fond à tout le village. C'est plutôt agréable. Peut-être que Jaquelin Lafrance pourrait trouver un emploi au moulin en attendant de reconstruire sa maison ? S'il se tourne vers moi, je vais lui en parler.

C'est donc ici, au petit matin, que je vous avais donné rendez-vous. Dans un village que j'aurais envie d'appeler Sainte-Adèle-de-la-Merci, allez donc savoir pourquoi ! Il y a certaines choses comme celle-ci qui s'imposent à moi sans que je l'aie décidé. Le nom des villages et l'époque où se déroulent mes histoires en font partie.

Je ne sais rien et, brusquement, la suggestion est là, immuable, venue je ne sais trop d'où !

Maintenant, si vous me suivez bien et que vous prêtez attention aux détails, vous verrez qu'il y a un cimetière, à l'ombre de grands arbres probablement centenaires. Puis, si on se retourne complètement, au croisement d'une rue secondaire, on voit une sorte de grange, doublée d'une écurie. Les portes sont grandes ouvertes et je peux y voir une poignée d'hommes en train de s'activer autour d'une imposante charrette surmontée d'un tonneau de bois, plutôt impressionnant. À sa base, il y a une espèce de robinet, ou plutôt un bras de métal qui ressemble à une pompe à eau, comme on en voit parfois dans les très vieilles maisons. Ça doit être ce que les pompiers volontaires du village utilisent en cas d'incendie, je ne vois rien d'autre. Pas surprenant, dans de telles conditions, que toutes ces maisons construites en bois y passent au grand complet quand un feu se déclare! En fait, je crois que l'on tente de préserver les maisons avoisinantes beaucoup plus que l'on essaie de sauver celle qui est en flammes. Quelques longues échelles sont appuyées contre le mur extérieur et les deux chevaux aux grosses pattes poilues ont regagné leur stalle. Ils ont présentement le museau plongé dans leur auge d'avoine.

Je ne saurais dire avec précision en quelle année nous sommes, mais à première vue, le vingtième siècle n'est pas très avancé. Les rues du village sont de terre battue et les seuls trottoirs visibles sont ceux qui longent l'artère principale, de part et d'autre. Ils sont construits en planches de bois, grisonné par les intempéries. Pour éclairer l'ensemble, le soir venu, il n'y a que trois becs de gaz: un devant l'église, un autre devant le presbytère, et un dernier, devant le couvent. J'en conclus que nous sommes donc à cette époque où les curés avaient le bras long et jouaient un rôle important dans l'administration, tant municipale que provinciale !

C'est donc ici que je vais vivre durant les prochains mois, pour ne pas dire les deux prochaines années : un pied dans le vingt et unième siècle avec ma famille, sur le bord de ma rivière, et le second posé dans le passé, en compagnie de ce Jaquelin Lafrance et de tous ceux qui voudront bien se joindre à lui.

Voilà, je suis prête. Le trac se dissipe peu à peu. Ouf ! C'est donc ici, maintenant, que je vais vous inviter à entrer dans le village avec moi. Dans un instant, nous allons nous approcher tout doucement de l'étranger ; ou peut-être allons-nous marcher vers cette petite maison un peu plus loin, là où j'aperçois un trait de lumière à la fenêtre. J'hésite encore…

Le soleil se lève lentement, là-bas, sur ce village, tout comme il se lève ici aussi, au-dessus de ma rivière. Mes amies les outardes sont devant chez moi et elles glissent paresseusement sur l'eau. La journée sera belle, c'est à n'en pas douter, mais sera-t-elle heureuse ?

PREMIÈRE PARTIE

—◆—

Automne 1922

CHAPITRE 1

À Sainte-Adèle-de-la-Merci, village
de bonne dimension, situé quelque part
entre Québec et Trois-Rivières

———◆———

Le mardi 31 octobre 1922, sur la rue principale du village, dans une petite maison de planches blanchies à la chaux, au toit de tôle noire, à tout juste un jet de pierre de la maison en ruines.

Maintenant que les enfants s'étaient rendormis, Marie-Thérèse se donna la permission de trembler un bon coup, le temps d'évacuer la panique vécue au cours des dernières heures. Jamais, de toute sa vie, elle n'avait eu aussi peur que cette nuit et elle priait le Ciel que cela ne se reproduise jamais.

Avec mille et une précautions pour ne rien renverser, elle porta la tasse de thé à ses lèvres et elle en aspira une longue gorgée réconfortante, tandis que, de l'autre côté de la table, toujours en robe de nuit, avec un châle jeté négligemment sur ses épaules pointues, une dame aux cheveux gris tout ébouriffés prenait place à son tour en bousculant une chaise. Le temps d'avaler, elle aussi, une bonne lampée bien chaude, puis elle poussa un long soupir de soulagement, ou peut-être bien de découragement, difficile à dire, avant de demander, d'une voix étouffée pour ne pas réveiller les enfants :

— Ça va, Thérèse ?

La femme ainsi interpellée sursauta. Elle était encore jeune et particulièrement jolie, malgré la grande fatigue qui dessinait de larges cernes sous ses yeux. Elle leva la tête, secoua sa longue chevelure mordorée, et fixa sa tante Félicité durant un bon moment, avant de laisser tomber, dans une longue expiration :

— Que c'est que vous voulez que je vous réponde, matante ? Ça va pas pantoute, c'est ben certain, pis j'espère que vous le comprenez. Mais j'vas quand même vous dire que ça va. Ouais... J'vas dire que ça va pas trop pire, rapport que les enfants sont toutes vivants. Mais pour tout le reste...

Ce furent ces derniers mots, « tout le reste », lourds d'incertitude et de tourments, qui firent déborder le vase. Sillonné de larmes venues d'une sensation d'épouvante encore bien présente, mais aussi de larmes d'anéantissement devant ce revers du destin aux allures de tragédie, le visage de la jeune femme fut vite inondé.

— Mais que c'est qu'on va faire, astheure ? demanda-t-elle en inspirant difficilement entre deux sanglots. Qu'est-ce qu'on va ben pouvoir faire, matante ? Avez-vous juste une petite idée de ce qui nous attend ? On a pus rien, Jaquelin pis moi, pus rien pantoute ! Pas même une guenille !

— De la guenille, ça se remplace ! rétorqua vivement la vieille dame, sans la moindre complaisance, ni dans le ton ni dans le propos. Avec des enfants, par exemple, c'est pas mal plus dur à faire. Ça fait que compte-toi chanceuse, ma pauvre fille, vu que c'est rien que du bien matériel que vous avez perdu, ton mari pis toi. Remercie plutôt le Ciel d'avoir ben voulu protéger toute ta famille. Savoir que tout le monde est vivant pis en santé, c'est le principal, dans votre grand malheur.

— Je le sais ben, c'est justement pour ça que je viens de vous dire que ça va pas trop pire.

Marie-Thérèse parlait tout en reniflant. Confrontée au fait de devoir envisager l'avenir sans le moindre délai, après tout, six enfants dépendaient d'elle, la jeune femme n'avait pas le loisir de s'apitoyer sur son sort ni celui de se laisser abattre. La compassion envers elle-même ne faisait pas partie des possibilités qui s'offraient à elle. Le temps de boire une tasse de thé bien chaud et bien fort, et Marie-Thérèse Gagnon, dite maintenant Lafrance, devrait avoir retrouvé tous ses esprits.

La jeune mère tourna nerveusement la tasse entre ses doigts, durant un long moment, songeuse et lointaine, puis elle secoua encore une fois vigoureusement la tête, comme si elle se gourmandait devant ce qui ressemblait à une perte de temps. Un dernier soupir rempli de ses derniers sanglots, le tout suivi d'une longue inspiration, puis elle posa un regard déterminé sur sa tante, avant d'ajouter, avec tout de même un certain défaitisme dans la voix :

— C'est ben beau de savoir qu'on est toutes en vie, pis d'en être reconnaissante au Bon Dieu, j'en conviens, mais ça change rien au fait que nous v'là ben démunis, mon homme, les petits, pis moi.

Cette constatation lucide avait été faite sur un ton accablé, certes, mais en même temps détaché, car telle était la réalité de Marie-Thérèse, en ce matin du 31 octobre : à l'exception des siens, elle n'avait plus rien, et se lamenter sur son sort ne changerait pas la donne. Félicité tendit alors la main pour venir la poser sur celle de sa nièce.

— C'est ben certain, ma belle ! Ce que tu viens de dire là, c'est un fait indéniable, approuva-t-elle sans ambages. Vous avez pus grand-chose, ton mari pis toi, c'est le cas de le dire.

— Vous voyez ben... Comment c'est que j'vas habiller les enfants, t'à l'heure, pour les envoyer à l'école ? On a été réveillés en catastrophe, en plein milieu de la nuit. C'est pas mêlant, y avait de la boucane jusque dans nos chambres. Une boucane à pas voir où mettre les pieds, par-dessus le marché. Pas besoin de vous dire qu'on a pas cherché à s'habiller. La seule chose qu'on voulait, c'était sortir de là au plus vite...

Marie-Thérèse fit une pause, tout son être encore imprégné de la peur incroyable qui lui avait tordu les entrailles au moment où Jaquelin l'avait réveillée.

— Grouille, Marie ! avait-il ordonné en la secouant sans ménagement. Debout pis vite, le feu est pris en bas dans la cuisine! Ça brûle de partout… Les armoires, les murs… Faut qu'on sorte d'ici, avant que l'escalier se mette à flamber lui avec. Ça presse! Prends la petite Angèle, pis sors par la porte d'en avant. Pendant ce temps-là, j'vas aller chercher les plus grands dans la chambre d'à côté.

Au même instant, les cloches du couvent s'étaient mises à sonner à toute volée pour alerter les pompiers volontaires. Ça voulait donc dire que les flammes étaient déjà visibles depuis le couvent. Ce fut comme un coup au ventre et Marie-Thérèse avait sauté en bas du lit. Un bras replié contre sa figure pour arriver à respirer, elle avait retrouvé ses pantoufles du bout des orteils et avait aussitôt franchi les quelques pas la séparant du berceau de la petite Angèle.

C'est en sortant de sa chambre que Marie-Thérèse avait entendu un formidable grondement, comme si la maison se révoltait et rugissait sa colère d'être ainsi agressée. Sur le mur, au bas de l'escalier, les flammes dessinaient des formes cauchemardesques. Rabattant sur le visage d'Angèle un pan de sa couverture de bébé, Marie-Thérèse avait descendu l'escalier à tâtons, une main sur la rampe et l'autre tenant fermement son enfant. Larmoyante et la gorge déjà irritée, elle avait retenu son souffle, tant il y avait de fumée autour d'elle. Elle aurait voulu courir, mais elle n'y voyait rien.

Marie-Thérèse ne s'était arrêtée qu'une fois rendue sur le trottoir, à bonne distance du danger. Au même instant, Jaquelin sortait avec les cinq autres enfants, les plus jeunes titubant d'avoir été arrachés à leur sommeil, et, pour une première fois depuis de longues minutes, la jeune mère avait inspiré longuement, tout en toussotant quelques relents de fumée. Puis elle avait tendu son bras libre pour accueillir le petit Ignace tout contre elle. Le bambin n'avait pas encore quatre ans et il tremblait comme une feuille, de froid comme de peur.

— Ça fait qu'on est toutes en jaquettes! compléta Marie-Thérèse en levant les yeux vers sa tante. Y a ben juste mon Jaquelin qui a eu le temps de sauter dans ses culottes avant de toutes nous réveiller.

À ces mots chargés de découragement, Félicité tapota la main de Marie-Thérèse dans une marque d'affection un peu surprenante compte tenu du ton employé depuis le début de cette conversation.

— Arrête de t'en faire avec les vêtements perdus pour l'instant, bougonna-t-elle. Comme la moitié de la paroisse est venue aux nouvelles durant la nuit, pis que l'autre moitié doit déjà être au courant de votre malheur, y a pas personne qui s'attend à vous voir endimanchés à matin! Pis je pense pas que les bonnes sœurs vont espérer tes enfants pour les cours d'aujourd'hui. En plus, demain, c'est la Toussaint, c'est donc congé. C'est une bonne affaire, ça là! Tes enfants vont avoir le temps de se remettre un peu, avant d'affronter leurs amis à l'école. Pis nous autres, ben coudonc, ça va nous donner le loisir de nous organiser pour voir convenablement au plus pressant.

Devant ce constat rempli de bon sens, Marie-Thérèse esquissa un petit sourire contrit.

— Vous avez ben raison, matante… Faut-tu que je soye fatiguée pour dire des âneries pareilles!

Marie-Thérèse déposa sa tasse et se frotta longuement les paupières avec le bout de ses doigts. Elle était épuisée et elle aurait bien voulu avoir le droit de se recoucher pour dormir un peu, elle aussi, comme les enfants. S'endormir profondément pour finalement se réveiller, quelques heures plus tard, en s'apercevant que tout cela n'avait été qu'un vilain cauchemar.

Malheureusement, il n'en était rien, n'est-ce pas?

D'une part, Marie-Thérèse n'avait pas vraiment le temps de se reposer et, d'autre part, il ne servirait pas à grand-chose d'espérer que tout se règle en deux coups de cuillère à pot; les pertes étaient trop grandes.

Quoi qu'en dise sa tante, Marie-Thérèse n'avait vraiment plus rien! Ni sa belle robe blanche pour les dimanches d'été ni ses bottines en cuir d'agneau qu'elle affectionnait particulièrement et qu'elle portait quand elle voulait se faire belle pour son Jaquelin.

À cette pensée, même si elle était bien superficielle, une grande lassitude s'abattit sur les épaules de Marie-Thérèse.

Pour contrer un peu toute cette tristesse qu'elle ressentait, pour l'obliger à s'éloigner pendant un bref moment, la jeune femme se concentra sur la pièce autour d'elle, qu'elle se mit à examiner minutieusement. Comme un réflexe en elle pour ne pas sombrer dans le découragement le plus total.

Le décor lui était familier et elle pouvait y retrouver

de nombreux souvenirs, des souvenirs plutôt agréables. En ce moment, Marie-Thérèse admettait qu'ils étaient particulièrement les bienvenus.

Tout au long de son enfance, et à maintes reprises, d'ailleurs, Marie-Thérèse avait fait de longs séjours chez sa tante, la sœur de son père, pour le simple plaisir d'être avec elle, ou pour l'envie, moins avouable, de fuir trois frères aînés plutôt embêtants. Alors oui, cette cuisine chaleureuse dégageait à ses yeux un réconfort qu'elle savait apprécier, en ces heures de grand désarroi. Néanmoins, ce n'était pas dans cette cuisine qu'elle aurait dû être, à cette heure matinale, c'était dans la sienne, à préparer le repas des enfants, tout en planifiant la journée qui commençait.

Pour aujourd'hui, Marie-Thérèse avait prévu faire des conserves de légumes, puisqu'il fallait à tout prix finir de vider le jardin avant les premières grandes gelées.

D'y penser fit soupirer Marie-Thérèse de déception.

Si les légumes avaient probablement été épargnés parce que le potager était dans le fond de la cour, loin de la maison, elle n'avait ni chaudron pour les préparer, ni endroit pour les entreposer, ni le cœur d'entreprendre la corvée et encore moins le temps de s'y mettre.

À cette pensée, Marie-Thérèse s'obligea à retenir les quelques larmes de découragement qui lui picotaient déjà le nez.

Trop de choses à prévoir à court et à long termes, à organiser pour le quotidien, à remplacer rapidement...

La jeune femme en avait le tournis et elle détestait se sentir bousculée comme elle l'était présentement. Femme pratique et consciencieuse, elle était agacée de ne pouvoir faire ce qu'elle avait prévu.

Les légumes devraient donc attendre un peu en espérant que tout ne serait pas perdu, parce que maison ou pas, il allait falloir manger durant un long hiver, n'est-ce pas?

Marie-Thérèse se dit qu'elle en parlerait plus tard avec sa tante, car celle-ci venait souvent lui donner un coup de main, quand arrivait le temps des conserves. Tout comme Marie-Thérèse, Félicité Gagnon aimait bien faire des provisions. Elle disait en riant que c'était son petit côté écureuil qui l'amenait à se joindre à sa nièce, quand venait l'automne. Ensemble, toutes les deux, elles aimaient bien préparer l'hiver.

Cependant, cette année, le rituel ne serait pas respecté, car le destin en avait voulu autrement, et cette dure réalité n'était pas qu'un mauvais rêve.

Une boule de tristesse encombra la gorge de Marie-Thérèse, et, cette fois-ci, elle ne put retenir quelques larmes supplémentaires, qu'elle ravala aussitôt, en s'essuyant promptement les yeux.

Par la fenêtre au-dessus de l'évier, elle constata que le jour était levé, même si le soleil, lui, n'avait toujours pas passé la barre de l'horizon.

— J'ai l'impression d'être juste un gros paquet de nerfs, confia-t-elle enfin à sa tante, en tournant la tête vers elle. Si Jaquelin me voyait comme ça, il serait pas ben fier de moi…

La vieille dame leva les yeux au plafond, dans un geste d'impatience.

— C'est maintenant que tu dis n'importe quoi, ma pauvre enfant! Jaquelin a toujours été ben fier de toi, c'est clair comme de l'eau de roche. Pis dis-toi ben, ma fille, que ton mari doit pas en mener tellement plus large que toi, à l'heure où on se parle. Ce que tu vis en dedans de toi, ta tristesse pis ton découragement, ça doit ressembler pas mal à ce que lui aussi ressent.

— Peut-être, oui...

Curieusement, sur ce point, Marie-Thérèse avait l'air nettement moins certaine que sa tante semblait l'être.

— Comment voulez-vous qu'on sache vraiment ce que Jaquelin peut éprouver dans le fond de son cœur? demanda-t-elle en soupirant. Avec lui, c'est jamais facile de savoir les choses, rapport qu'il parle pas tant que ça, mon mari...

À ces mots, il y eut un silence, que Félicité ne chercha pas à briser, puisque sa nièce avait raison. Dans le village, il n'y avait pas plus silencieux et effacé que Jaquelin Lafrance.

— Quant aux enfants, poursuivit alors Marie-Thérèse avec un regain d'énergie dans la voix, c'est vous qui avez raison, matante. C'est ben certain qu'ils voudront pas aller à l'école, t'à l'heure. Il y a pas personne qui aime ça, être montré du doigt par tout un chacun, pis il y a une bonne chance que c'est ce qui se passerait à la seconde où ils rentreraient dans leur classe... On rit pus, leur maison a passé au feu! Ça fait que toutes les têtes se tourneraient vers eux autres, pis ça, c'est pas le diable agréable. De toute façon, pour l'instant, les enfants ont surtout besoin de dormir. C'est des grosses émotions, des ben grosses émotions, qu'ils ont vécues la nuit passée...

Bref moment d'intériorité où, dans son esprit, les flammes de l'incendie retrouvèrent toute leur intensité pour un instant, puis Marie-Thérèse précisa, la gorge serrée:

— Vous auriez dû entendre les cris d'Agnès, matante! C'était juste avant que vous arriviez. Ma fille était devenue comme folle. Elle arrêtait pas de dire qu'elle voulait retourner dans la maison pour chercher sa poupée Rosette. Vous savez, la belle catin avec des vrais cheveux que son oncle Ovila lui a donnée pour sa fête? C'est elle qu'Agnès voulait retrouver, ça pis rien d'autre. Une vraie crise de délire, son affaire! Pourtant son père venait tout juste de la sauver des flammes, elle aurait dû être calme, rassurée... Ben non! Les braillages d'Agnès étaient tellement exagérés que ça m'a donné froid dans le dos. Pourtant, Dieu sait qu'il faisait chaud, à côté de la maison qui s'était mise à brûler comme une torche... Pis Agnès qui toussait comme une malade à cause de toute la fumée qu'elle avait déjà respirée. Elle s'écorchait la gorge, tellement elle hurlait après sa catin, pis moi, ben, ça me faisait mal pour elle... Un vrai cauchemar, matante. C'était un vrai cauchemar d'enfer que de l'entendre crier pis tousser comme ça...

À ce souvenir, Marie-Thérèse se remit à trembler.

— Comme si de voir partir ma maison en fumée suffisait pas, il a fallu qu'Agnès en rajoute une épaisseur, murmura-t-elle tristement... J'ai ben peur, matante, que les enfants vont avoir de la misère à s'endormir à soir, pis demain soir, pis...

— Pis pour un boutte, coupa la tante Félicité, toujours sur ce ton rauque peu avenant qui était le sien. Ça va probablement causer des mauvais rêves pour plus qu'une semaine, ça c'est ben certain. Pis on peut rien y faire, ma pauvre fille, sinon essayer de les rassurer au besoin. C'est faite de même, la vie : il y a des hauts, pis il y a des bas. Même que des fois, on a vraiment l'impression que toute vient de s'arrêter pour de bon, qu'on finira jamais par s'en sortir, que des images d'enfer, justement, vont nous poursuivre de même jusqu'à la fin des temps... Mais au bout du compte, toute finit toujours par se tasser, crois-moi... Savais-tu ça, toi, qu'on avait passé au feu chez ton grand-père Gagnon, du temps que toute la famille demeurait encore dans le troisième rang Ouest ? Ça avait pas été un aussi gros feu que le tien, c'est sûr, mais quand même, les pompiers s'étaient déplacés... La cuisine y avait passé au complet, ma grand-foi du Bon Dieu ! Heureusement que c'était le printemps pis que l'étang débordait. On a pu pomper de l'eau en masse, pis sauver le reste de la maison. N'empêche... On a eu peur de toute perdre, c'est le moins que je peux dire. Pis avec le temps, une fois les dégâts réparés, pis avec la vie, aussi, qui s'est mis à ressembler à celle d'avant parce qu'on avait pas le choix de continuer d'avancer, ben, on a fini par pus y penser, à notre feu. Ça va être pareil pour toi pis tes enfants, ma Thérèse. Ce que t'as vécu cette nuit va se retrouver toute ben mélangé, pêle-mêle avec tes autres souvenirs. Les bons comme les mauvais. Pis inquiète-toi donc pas pour demain : on va se donner le temps de voir à toute pour que tes enfants manquent de rien. Ils se promèneront pas en jaquette dans la rue, crains pas ! Jaquelin pis toi, vous avez ben du monde pour vous aider... Ouais, ben du monde... Il y a tes frères pis ta sœur, pis des voisins en masse... Dis-toi aussi que des enfants de l'âge des tiens, il y en a plein la paroisse. Ça fait que des chemises pis des culottes, des robes pis des manteaux, tu devrais en recevoir plus que tu vas en avoir de besoin. Ça va être pareil pour toute l'ordinaire de ta maison... Je te le dis, moi ! Tu vas finir par te retrouver aussi ben greyée qu'avant.

— Vous êtes sûre de ça, matante ?

— Bonne sainte Anne, Thérèse ! M'as-tu déjà entendue mentir ? C'est ben certain que je suis sûre de ça. Rappelle-toi les grands vents qui ont arraché la grange de Paul Turcotte, il y a pas cinq ans. Pis l'inondation chez les cousins de ton mari, sur le chemin du Bas-de-la-Rivière, y a deux printemps de ça... Tout le monde a trouvé du temps pour les aider à radouer leur maison ou ben à remonter leur grange. Pis à droite comme à gauche, on a fini par trouver assez de cossins en bon état pour remplacer ceux qu'ils avaient perdus. Quand le malheur frappe, on sait se tenir, à Sainte-Adèle-de-la-Merci... De toute façon, quand ben même la paroisse au grand complet décidait de vous bouder, je suis là, moi. Penses-tu vraiment, ma pauvre enfant, que j'vas vous laisser comme ça, ton mari pis toi, sans même un toit sur la tête pis un peu de manger dans l'assiette ? Ma maison est peut-être pas la plus grande de la paroisse, je t'ostinerai pas là-dessus, mais on va se tasser, c'est toute. Ça va nous garder au chaud pendant l'hiver, si jamais votre maison était pas encore finie de rebâtir avant les grands froids.

Toute cette longue tirade avait été déclamée sur le ton habituel employé par Félicité Gagnon : maussade et distant. Mais la dernière phrase, par contre, avait été enveloppée d'une pointe de légèreté, qui s'emmêlait joliment aux mots bruts détaillant durement une réalité difficile. « Après tout, pensait la vieille dame, depuis un moment déjà, ça ne serait pas désagréable de tous vivre ensemble sous le même toit durant quelque temps. »

C'était ce qu'elle avait voulu laisser entendre par ses derniers mots et Marie-Thérèse l'entendit en ce sens. Elle répondit à la générosité de sa tante Félicité par un pâle sourire.

Elle était ainsi faite, la Félicité, encline à prendre la vie et ses impondérables avec un grain de sel, en toutes circonstances, dénichant solution sur solution, et trouvant toujours le côté positif des choses, ce qu'elle ne manquait jamais de souligner, sur ce ton bourru qu'elle affectionnait. La vie était ce qu'elle était, disait-elle, avec toutes sortes de surprises, bonnes et mauvaises, et personne n'était à l'abri des aléas du quotidien. Fallait juste apprendre à s'en accommoder et à en tirer le meilleur parti possible. Néanmoins, elle n'était pas insensible aux malheurs des autres, et, malgré des apparences d'indifférence, elle était une femme de cœur, toujours prête à aider son prochain, comme elle le déclarait parfois.

— Si on est pas capables de venir au secours de nos semblables, aussi ben mourir tout de suite, disait-elle en rougissant, quand on cherchait à la féliciter pour sa belle générosité. Voyons donc! Gardez vos boniments pour les autres parce que moi, j'en ai pas besoin. Il y a surtout pas de quoi faire une montagne avec ce que j'ai faite. J'ai pour mon dire que c'est juste normal d'épauler ses voisins. Vous pensez pas, vous?

Tout le monde le savait dans la paroisse, car en cas de catastrophe, Félicité Gagnon était toujours la première à accourir pour offrir son aide. Raison de plus, quand « ce prochain » était sa nièce préférée, celle qu'elle avait toujours un peu considérée comme étant la fille que le Ciel lui avait refusée.

— Bon! Pour l'instant, ma pauvre enfant, la seule chose que t'as à faire, c'est d'aller rejoindre ton mari, conseilla-t-elle finalement, tout en repoussant sa chaise pour se relever. C'est avec lui que tu vas pouvoir gérer ça au mieux. Tu peux pas prendre de décisions importantes sans lui demander son avis. C'est quand même lui le chef de famille, non?

— Je le sais ben… C'est sûr que Jaquelin a son mot à dire pour toute. Pis peut-être qu'il va avoir besoin de moi, aussi, pour essayer de trouver une manière de dire les choses pour annoncer la mauvaise nouvelle à son père… Le pauvre vieux va ben en faire une syncope ! La maison pis la cordonnerie, c'étaient son patrimoine, comme il disait, son héritage donné en avance. Il était tellement fier d'avoir pu faire ça pour son fils…

— Ben que c'est que t'attends, d'abord ? Finis-moi ce thé-là au plus vite, ma grande, prends ma veste de laine accrochée au clou, pis mes godasses à côté de la porte d'en avant, parce que les tiennes sont encore toutes mouillées de l'eau des pompiers. Ensuite, grouille-toi, pis file retrouver ton homme. Si les petits se réveillent, m'en vas m'en occuper, crains pas. En espérant ton retour, j'vas mettre une couple de bûches dans le poêle pour le ranimer. Il est temps de se mettre en train. Que c'est que tu dirais d'un bon bouilli, avec du p'tit lard salé ? Ça nourrit son homme, pis ça fait du bien en dedans !

Quand Marie-Thérèse sortit de la maison de sa tante, elle aperçut aussitôt son mari, un peu plus loin, de l'autre côté de la rue, à mi-chemin entre le trottoir et les vestiges de leur ancienne maison. En apparence, le pauvre homme n'avait pas bougé d'un poil.

Le cœur de Marie-Thérèse se serra.

Depuis toutes ces heures, Jaquelin était donc resté là, immobile, les mains dans le dos, à regarder le vide, là où se dressait sa maison. Autour de lui, le village commençait à s'activer tranquillement, comme si de rien n'était, mais ça ne semblait pas le rejoindre.

Jambes écartées, droit comme un piquet, Jaquelin Lafrance semblait fixer intensément les derniers filets de fumée qui montaient insolemment vers le ciel d'un bleu intense, ce qui laissait présager une belle journée d'automne.

Mais en fait, perdu dans ses pensées, Jaquelin ne voyait rien du tout.

La nuit qu'il venait de vivre n'arrêtait pas de tourner en boucle dans son esprit, jusqu'à lui donner la nausée, un mal de cœur bien réel, intensifié par l'odeur âcre qui se dégageait des ruines fumantes.

Un poing pressé contre sa bouche, Jaquelin réprima un haut-le-cœur.

Oublierait-il un jour le bruit, la chaleur, la peur ? Oublierait-il ce sentiment d'inquiétude qui accélère instantanément les battements du cœur quand l'odeur de la fumée l'avait éveillé, et cette sensation d'avoir été plongé vivant dans les flammes de Lucifer ?

Oublierait-il surtout l'horreur ressentie quand il s'était aperçu qu'Agnès avait échappé à leur attention ? Il n'avait eu que le temps de voir une petite forme blanche qui entrait furtivement dans la maison. Puis un cri, comme une plainte assourdie.

— Rosette ! Rosette !

Alors son cœur s'était littéralement arrêté de battre, remplacé par un affolement, une épouvante si intenses qu'ils en coupent le souffle. Sans comprendre le danger, Agnès était retournée dans la maison pour chercher sa poupée.

La maison crépitait déjà comme un fétu de paille quand Jaquelin, sans se poser la moindre question et sans dire un mot, s'était précipité vers la porte pour retourner en enfer. La chaleur lui avait aussitôt tailladé la peau, la fumée lui avait tiré des larmes, tandis qu'il étouffait à la recherche d'un filet d'air.

Ça avait été un véritable miracle d'avoir pu apercevoir sa fille, figée au bas de l'escalier en proie aux flammes. Avalé par le grondement du brasier, son cri ressemblait à un murmure.

Oui, ça avait été un véritable miracle que Jaquelin l'ait entendue et qu'ils aient pu sortir vivants de ce monstrueux feu de forge qui dévorait leur maison à toute allure.

Alors non, Jaquelin Lafrance ne voyait pas la belle journée qui commençait et, dans un long bâillement involontaire, signe que la tension commençait tout juste à baisser, il se demanda, un peu bêtement, ce qu'il allait faire de sa journée, lui qui n'arrêtait jamais, sauf le dimanche, parce que ce jour-là, le travail rémunéré était interdit par l'Église et qu'il était un fervent catholique.

C'était depuis l'âge de douze ans que Jaquelin Lafrance travaillait à la cordonnerie, jour après jour, sauf le dimanche. D'abord aux côtés de son père, de qui il avait tout appris, puis tout seul, quand Irénée Lafrance avait décidé qu'il en avait assez de travailler. Du jour au lendemain, sans le moindre préavis, le vieil homme était parti s'établir à Montréal, chez sa fille Lauréanne, confiant à son fils la maison et l'atelier.

— À toi de gérer tout ça, astheure, avait-il déclaré à Jaquelin. Je pense t'avoir toute ben montré, ça fait que tu devrais être capable de te débrouiller sans moi. J'ai envie de me reposer, me semble que je l'ai mérité. Comme je te l'ai dit, t'à l'heure, à part le petit loyer que t'auras à me payer jusqu'à ma mort, une fois par mois, tu peux considérer que la maison pis l'atelier t'appartiennent en partie. Ça, mon gars, ça veut dire que tu dois ben l'entretenir, parce que j'vas demander des comptes. Je te confie un bien en bon état, t'as pas le droit de pas t'en occuper. Du moins de mon vivant. Après, t'en feras ben ce que tu voudras parce que ça sera à toi pour de bon. Le notaire a un papier important qui explique tout ça. Au besoin, tu pourras t'en servir pour fermer le clapet à ceux qui pourraient avoir des objections.

C'était il y a dix ans, et Jaquelin, jusqu'à hier, avait fait de son mieux pour que la maison reste en parfait état. De toute façon, au-delà des exigences de son père, c'était dans la nature du jeune homme de voir à ce que les choses soient bien faites. Toutefois, en vérité, il fallait plutôt calculer dans les vingt ans et plus toutes ces années où Jaquelin avait réparé des souliers.

Ça en faisait, ça, des bottines et des galoches !

Jaquelin pensa alors au loyer qui serait dû dès le lendemain et à toutes ces commandes laissées en plan qui ne rapporteraient rien. Un frisson désagréable lui chatouilla le bas du dos.

Lui demanderait-on un remboursement pour les chaussures qui avaient disparu dans l'incendie, elles aussi ?

Avait-on le droit de l'exiger ? Après tout, il n'y avait pas grand-monde dans la paroisse qui avait les moyens de s'offrir une paire de chaussures neuves. Allait-il être obligé de tout payer à leur place ?

Jaquelin l'ignorait. Son père ne lui avait jamais expliqué ce qu'il faudrait faire, dans une telle situation, parce qu'un feu, ce n'est pas une situation qu'on aime prévoir.

Et qu'adviendrait-il du loyer qu'il envoyait par lettre, rigoureusement, tous les premiers du mois ? Fallait-il vraiment le payer demain ? Avait-il encore l'obligation de s'acquitter de cette dette, puisqu'il n'y avait plus ni maison ni atelier ?

Jaquelin songea alors qu'avec les pièces de monnaie qu'il rangeait dans le petit coffre en fer-blanc caché dans le cagibi, sous l'escalier, il pourrait peut-être faire face aux clients les plus capricieux et satisfaire aux règles établies par son père, si jamais celui-ci continuait d'exiger sa part, bien entendu.

Il soupesa l'idée, puis il poussa un long soupir quand il se demanda si ça fondait, dans un incendie, les sous et les quarts de piastre ? De cela non plus, il n'avait pas la moindre idée. Et si, par le plus grand des hasards, il lui restait quelques pièces éparpillées sous les cendres, nul doute qu'il en aurait besoin pour tout ce qu'il allait devoir remplacer.

À commencer par la maison elle-même et quelques meubles essentiels...

Devant une telle réalité, Jaquelin, philosophe, se dit alors qu'il valait peut-être mieux se taire, et ne pas se vanter de ce qu'il pourrait éventuellement sauver du désastre qui venait de le frapper cruellement. Quant à son père, il s'entendrait avec lui pour payer les arrérages plus tard. Le vieux, comme Jaquelin surnommait son père au plus profond de ses pensées, devrait comprendre et accepter un tel arrangement parce que lui, Jaquelin, il n'avait pas d'autre solution à proposer.

Une fois ce constat bien établi et sa décision prise, les yeux de Jaquelin se portèrent vers la droite, là où était la cordonnerie.

Combien d'heures y avait-il passées, au fil des décennies? L'essentiel de sa vie s'y était déroulé, et l'image de la pièce s'imposa machinalement à son souvenir. La table, les bobines de gros fil ciré, les lanières de cuir, les peaux bien tannées et bien tendues, l'étau, les outils, proprement alignés sur le mur...

Jaquelin tressaillit. Certains outils avaient peut-être résisté aux flammes, pourquoi pas?

Les poinçons, surtout, en gros fer solide, les ciseaux et les marteaux, les crochets et les alènes. Si les manches avaient sans doute brûlé, les têtes, elles, devaient être encore en bon état. Puis, à la cuisine, il y avait peut-être quelques casseroles, un peu de vaisselle, des chaudières... Même le gros chaudron en fonte, tiens! Cet ustensile lourd et difficile à soulever quand il était plein avait probablement résisté à la chaleur du brasier.

Peut-être...

Jaquelin se sentit brusquement fébrile. Il lui tardait d'aller vérifier. Plus tard, dans la journée, quand la fumée aurait fini de se dégager des décombres, il s'aventurerait à travers les débris pour constater par lui-même ce qui avait échappé à l'incendie et qu'il pourrait récupérer.

— Ouais, c'est ça que j'vas faire de ma journée, grommela-t-il pour lui-même, soulagé tout de même d'avoir trouvé quelque chose d'utile à faire. Faute de mieux, m'en vas aller fouiller dans les ruines pour essayer de trouver quelque chose d'encore utilisable.

Ensuite, le soir venu, une fois son opinion faite sur ce qu'il y avait à faire dans l'immédiat et ce qui pouvait attendre un peu, quand il saurait ce qu'il avait pu récupérer et ce qui était une perte totale, Jaquelin écrirait une lettre à son père pour lui annoncer la mauvaise nouvelle et lui dire qu'il aimerait bien lui parler d'avenir. Face à face, tous les deux.

Irénée Lafrance pourrait-il venir, s'il vous plaît, faire un tour à Sainte-Adèle-de-la-Merci?

Ouais, voilà ce qu'il écrirait et comment il le dirait. Jaquelin demanderait poliment conseil à son père et cette délicate attention aiderait sans doute à faire accepter l'annonce du désastre. Il rédigerait cette lettre avec Marie-Thérèse, bien sûr, parce que lui, il n'était pas très habile à dire les choses d'importance, et encore moins à les écrire. Sa femme, par contre, trouvait toujours les bons mots et elle savait les employer joliment.

Un profond soupir souleva les épaules de Jaquelin.

En fait, tout ce qu'il connaissait dans la vie, Jaquelin Lafrance, c'étaient le cuir et les souliers. Ça, oui, il le connaissait très bien, mais pour le reste, malgré des apparences d'homme sûr de lui, le pauvre Jaquelin se sentait bien souvent démuni quand Marie-Thérèse n'était pas là. Elle était son phare dans la nuit et sa bouée d'ancrage.

Jamais, de toute sa vie d'homme, Jaquelin n'aurait pu imaginer qu'un jour, il aimerait à ce point.

Qu'allaient-ils devenir tous les deux, maintenant que la cordonnerie n'existait plus ? Et lui, avec quoi allait-il nourrir sa famille ?

Si Jaquelin était passé maître dans l'art de raccommoder les vieilles bottines, et on s'accordait à dire qu'il avait un grand talent en la matière, son expertise s'arrêtait là. Mais qui aurait pu lui en vouloir ? Il n'avait jamais rien fait d'autre dans la vie, le pauvre Jaquelin, car son père y avait vu, exigeant sa présence à l'atelier dès son plus jeune âge.

— Comme ça, m'en vas t'avoir à l'œil, mon gars. J'ai pas le choix. J'suis seul pour vous élever, ta sœur pis toi.

Ainsi, Jaquelin n'avait jamais rien fait d'autre dans une maison, pas même semer un jardin ou repeindre un mur. Irénée Lafrance se targuait d'avoir les moyens financiers d'engager des journaliers pour faire tout ce que lui n'avait pas le temps de faire, et ce fut pour cette raison que Jaquelin n'avait rien appris de tout ce que les garçons de son âge apprenaient habituellement.

— Astheure que tu sais lire, écrire, pis compter, t'as même pus besoin d'aller à l'école. À partir de demain matin, m'en vas te montrer le métier, Jaquelin. Pour toi, il y a rien d'autre de plus important.

Irénée Lafrance n'avait jamais songé à demander si la chose plaisait à Jaquelin. Quand il décidait quelque chose, il s'attendait à ce que ses volontés soient respectées et c'était ce que Jaquelin avait fait. Émettre le moindre commentaire, le jour où Irénée lui avait montré la porte de la cordonnerie de son index noueux, n'aurait rien donné d'utile. Le gamin qu'il était savait pertinemment qu'il ne lui restait plus qu'à obéir.

Ce fut ainsi qu'une grande partie de son enfance et de sa jeunesse avait passé, le jeune garçon restant confiné à la cordonnerie, six jours par semaine, alors que le dimanche était consacré à la messe et aux vêpres. Dans les premiers temps, même le fait d'être marié à Marie-Thérèse n'avait pas changé grand-chose aux habitudes de la famille Lafrance. Il avait fallu que son père parte définitivement pour la ville pour que Jaquelin ait enfin l'impression de pouvoir respirer un peu plus librement. Un peu…

C'était il y a dix ans.

Comme il semblait bien que dorénavant il serait seul maître à bord, quelques mois sans nouvelles de son père le confirmant, Jaquelin avait pris l'habitude de s'en remettre aux frères de Marie-Thérèse pour venir donner un coup de main afin de voir à l'entretien de la maison, puisque lui n'y connaissait rien. En retour, cependant, Jaquelin s'occupait de leurs souliers gratuitement et il leur faisait un prix d'ami pour ceux des enfants.

Si la maison n'avait pas brûlé, la vie aurait très bien pu continuer ainsi, sur sa lancée! Même si, après tant d'années de vie routinière, Jaquelin avait l'impression de n'apprécier que modérément le travail qu'il faisait du matin au soir, au moins, il tirait honorablement son épingle du jeu et sa famille ne manquait de rien.

Sur ce point, Jaquelin était tout de même très fier de lui !

Il se disait que le jour où son père décéderait et qu'il n'aurait plus de loyer à payer, à son tour, il aurait enfin les moyens d'engager des journaliers. Sa fierté d'homme n'aurait plus à souffrir régulièrement de devoir s'en remettre aux beaux-frères pour l'aider.

Mais voilà ! Tout était parti en fumée, en deux petites heures à peine.

Devant un tel constat, un long frisson secoua les épaules de Jaquelin. En cette fin d'octobre, malgré la présence du soleil levant, il ne faisait pas très chaud. Toutefois, ce n'était pas à cause de l'humidité du petit jour que Jaquelin Lafrance avait frissonné. Trop de pensées dans sa tête, probablement, trop d'impondérables, d'incertitudes et d'inquiétudes. Il y avait surtout toute une vie qui venait de défiler en accéléré dans sa tête, sa propre vie, et il en ressortait tout étourdi.

S'il fallait que son père lui en veuille, le tienne responsable, exige un remboursement...

Jaquelin secoua vigoureusement la tête, comme pour abrutir toutes ces réflexions malsaines qui l'assaillaient depuis tout à l'heure, sans véritable suite logique. Le pire était derrière lui, il devait se le répéter. Le cauchemar était fini. Le feu était éteint et les enfants n'avaient rien. C'était là l'essentiel.

Les enfants, leurs enfants, à Marie-Thérèse et lui. Il les aimait tant...

Brusquement, Jaquelin prit conscience que les ruines de la maison dégageaient encore une certaine chaleur et, curieusement, il la trouva réconfortante. Cette sensation de n'avoir rien à faire malgré l'urgence de toutes ces décisions à prendre lui apparut tout à coup comme une sorte de délivrance.

Depuis le temps qu'il rêvait d'avoir sous le nez autre chose que l'odeur du vieux cuir et celle, insoutenable, des pieds mal lavés…

Ce feu était-il une réponse à toutes ses prières, à toutes ses impatiences, à tous ses rêves restés en jachère?

À cette pensée, une sensation d'épouvante coupa le souffle à Jaquelin, parce qu'en même temps, il constatait que la senteur tenace et âcre des poutres calcinées lui semblait tout à coup bien douce. Même la nausée s'était éloignée.

Pas de bottines, ce matin… Ni demain ni après… Et il en irait ainsi, pour un bon moment, du moins. Cette perspective lui fut soudainement très séduisante.

— En attendant de reprendre le collier, murmura-t-il précipitamment pour lui-même, essayant ainsi de calmer la sensation déroutante de se sentir en quelque sorte responsable de l'incendie, m'en vas finir par trouver une solution pour voir aux miens… Ouais, faut que je trouve quelque chose à faire en attendant que la cordonnerie retrouve sa place dans le village, pis toute va ben aller… C'est sûr que j'vas trouver une solution, pis c'est sûr que j'suis cordonnier pour le rester. Ouais… J'suis pas trop vieux pour tout rebâtir pis tout recommencer, mais j'suis quand même trop vieux pour changer de vie. N'empêche que je peux trouver un autre métier en attendant... C'est juste pour passer le temps, pis voir à ma famille pendant la construction, que j'vas essayer de trouver un autre métier.

Cela aussi, il allait l'écrire dans la lettre qu'il enverrait à son père. «Le vieux» verrait bien que son fils n'était pas un lâche, puisqu'il n'avait pas l'intention de rester inutile durant des mois.

Qu'est-ce que son père pouvait demander de plus?

La seule chose qu'il n'écrirait pas, cependant, c'était que cette perspective de changement temporaire prenait l'allure d'une courte récréation dans le déroulement routinier de sa vie.

«Ça va me changer les idées, pis en même temps, ça va être utile, pensa Jaquelin en soupirant... Ouais, c'est de même que je dois voir ça, sinon, le père me le pardonnerait jamais.»

Pendant ce temps de réflexion, un peu plus loin dans la rue, Marie-Thérèse avançait à pas lents, indécise et gênée, les pans du chandail de sa tante Félicité étroitement croisés sur sa poitrine.

Elle avait toujours été un peu intimidée par Jaquelin Lafrance, qu'elle percevait, encore aujourd'hui, comme étant d'une autre génération. Jaquelin n'ayant pas fréquenté l'école très longtemps, Marie-Thérèse n'avait pas eu l'occasion de le côtoyer vraiment, durant leurs jeunes années et, quand il lui avait été présenté, elle l'avait vu comme un étranger.

En effet, une première rencontre avait été organisée par leurs pères respectifs, amis de longue date.

Quoi de mieux, n'est-ce pas, que de souder une longue amitié sincère par les liens sacrés du mariage qui uniraient deux de leurs enfants ? On ne formerait désormais qu'une seule et même famille, et cette éventualité réjouissait tant Irénée Lafrance que Victor Gagnon.

Comme Marie-Thérèse avait eu dix-sept ans au printemps, les deux hommes jugèrent que le temps des présentations était venu.

À cette époque, on disait de Marie-Thérèse qu'elle était une très jolie fille. Assez grande, sa longue chevelure aux reflets dorés vaguait librement sur ses épaules et, malgré une certaine retenue naturelle, elle esquissait volontiers de petits sourires taquins qui illuminaient aussitôt son regard noisette. Comme elle jouissait d'une excellente santé, elle était donc une candidate parfaite pour le mariage.

Quant à Jaquelin, jeune homme tout en jambes, au visage anguleux et au regard opaque, il avait fêté ses vingt-deux ans au mois de juin. Unique successeur à la cordonnerie de son père, il pouvait se vanter d'avoir un avenir plutôt prometteur, puisque tout le monde avait, un jour ou l'autre, une paire de savates à faire réparer. De toute façon, il fallait voir ce que son père avait accumulé au fil des ans pour s'en convaincre. Il était donc, lui aussi, un excellent candidat pour le mariage, malgré cette grande réserve qui le caractérisait, venue de cette vie de solitaire, imposée par Irénée Lafrance.

On fit donc comme les pères avaient décidé, et les choses étant ce qu'elles sont, l'assiduité de l'un avait séduit la candeur de l'autre, et une certaine timidité commune avait fait le reste.

Après neuf mois de fréquentations régulières, depuis l'automne jusqu'au printemps, dans le salon des Gagnon, comme le voulaient les convenances de l'époque, les deux jeunes gens unirent leurs destinées devant le curé de Sainte-Adèle-de-la-Merci, par un sombre matin de juin 1909.

«Pour le meilleur et pour le pire», avait spécifié le curé, l'une promettant alors d'obéir à son mari, et l'autre s'engageant à protéger son épouse. Bien entendu, les deux époux s'étaient juré fidélité jusqu'à ce que la mort les sépare.

Cela avait fait treize ans au printemps dernier que Marie-Thérèse et Jaquelin étaient mariés.

Les années avaient passé, plutôt vite; six enfants étaient nés, c'était prévisible; et au bout du compte, les habitudes s'étaient créées d'elles-mêmes.

Pourtant...

Pourtant, Marie-Thérèse avait trop souvent, hélas! la vague impression de vivre avec cet étranger qu'un jour on lui avait présenté. Taciturne, travailleur acharné, la plupart du temps, Jaquelin ne faisait que traverser la maison en coup de vent.

— Passe une bonne journée, Marie!

— Toi aussi, mon mari.

Oh! Ils échangeaient bien quelques politesses supplémentaires, le matin au réveil; et, sur le coup de midi, sans jamais surseoir à son devoir d'épouse, Marie-Thérèse portait un bol de soupane à son mari.

— C'est soutenant pis pas trop lourd. J'veux rien

d'autre, Marie, avait déclaré Jaquelin d'une voix catégorique, au lendemain des noces.

En ces premiers temps de leur vie commune, la jeune femme n'avait pas voulu le contredire, alors elle n'avait pas insisté, même si elle n'était pas tout à fait d'accord avec ce point de vue. Une bonne soupe aux légumes, celle qui embaumait justement la maison depuis qu'elle s'y était installée, peu après le repas du mariage, avait, elle aussi, de belles vertus. Mais si la soupane était ce que son mari désirait comme dîner, eh bien, c'est ce qu'il aurait, n'est-ce pas ? Après tout, Marie-Thérèse avait promis obéissance !

Ainsi, au son de l'angélus, la jeune femme entrait dans l'atelier, six jours par semaine, un bol fumant à la main. Les époux se contentaient alors d'un bonjour et d'un merci, fort occupés qu'ils étaient de part et d'autre. Ils ne se revoyaient qu'en fin de journée, lorsque Jaquelin quittait enfin son atelier, épuisé, les yeux rougis, et les épaules endolories. C'était à ce moment de la journée qu'ils se parlaient le plus, tandis qu'ils échangeaient quelques banalités du quotidien.

— Cyrille a eu 100 % dans sa dictée d'à matin, tu sais. Il me l'a montrée sur l'heure du dîner. J'suis pas mal fière de notre garçon.

— Tant mieux pour lui. T'as ben raison : c'est vrai que Cyrille est un bon garçon. On peut peut-être envisager de belles études pour lui ! De mon côté, j'ai eu la visite de madame Lacroix. Elle s'est enfin décidée à faire réparer ses vieilles bottes en loup marin. Il était temps !

Pour faire ce potinage quotidien, Jaquelin s'installait toujours confortablement dans la chaise berçante, et, entre deux réparties, il tirait de longues bouffées gourmandes sur sa pipe en écume. Pendant ce temps, devoir oblige, Marie-Thérèse voyait aux derniers préparatifs du souper.

« Comme dans toutes les familles », se disait alors la jeune femme, qui trottinait sans relâche de la table à l'évier et de l'armoire au gros poêle à bois, soit pour dresser les couverts ou pour saupoudrer les derniers assaisonnements.

Marie-Thérèse était surtout rassurée par cette routine qui était la leur.

Jamais elle n'aurait eu l'idée de se plaindre d'avoir à tout faire seule, en cette fin de journée, tout comme elle jugeait normal que son homme se repose après ses longues heures d'ouvrage. La jeune femme pouvait très bien le comprendre, parce que, de son côté, elle était aussi affairée que lui. En effet, du matin au soir, elle voyait seule aux repas, au lavage, à la couture, au potager, aux conserves, aux enfants et même à certaines réparations de la maison, celles qui étaient à sa portée. C'est pourquoi, un peu plus tard, elle aurait droit, à son tour, à quelques minutes de repos, alors qu'elle s'installerait seule au bout de la table pour manger rapidement son repas, après avoir servi toute la famille.

Comme le disait si bien sa tante Félicité, la vie était ainsi faite, n'est-ce pas ? de labeur et de repos, d'étés et d'hivers, de hauts et de bas, de routine sur semaine et de messe le dimanche. Alors, Marie-Thérèse ne s'était jamais posé de questions sur sa vie de femme mariée. Jaquelin travaillait fort de l'aube au crépuscule et au matin des noces, elle s'était engagée à le seconder du mieux qu'elle le pouvait. Si, avant le souper, son mari voulait se détendre un peu, il en avait le droit le plus légitime. À elle de voir à ce que les enfants soient calmes afin de respecter le repos du chef de famille. Toutefois, Marie-Thérèse reconnaissait que son mari était un bon père, capable de s'intéresser aux faits et gestes de ses fils et de ses filles, même s'il le faisait de loin, sans jamais intervenir directement, mais aussi et surtout sans jamais lever la main sur eux, ce qui était déjà pas mal mieux que dans la plupart des familles.

— Pas question que je soye comme mon père, disait Jaquelin quand il se retrouvait dans l'intimité avec sa femme. Si mes fils veulent pas suivre mes traces, eh ben, ils seront jamais obligés de le faire. Dieu m'en est témoin! Pis laisse-moi te dire aussi, Marie, qu'à leur âge, ils ont encore le droit de jouer. Les obligations viendront ben assez vite. Ça veut pas dire pour autant qu'ils vont échapper aux corvées. Ça non! J'ai pour mon dire que c'est juste normal de s'entraider dans une famille... Même ta tante Félicité le dit! À toi de gérer tout ça, ma femme... Ouais, c'est à toi de décider pour les enfants, en tenant compte, ben entendu, de ce que je viens de te dire. Moi, j'ai ben assez de mon travail à la cordonnerie sans être obligé de voir aux enfants pis à l'ordinaire de la maison en plus. Tout ça, ça me regarde pas vraiment.

C'était à peu près le seul discours que Jaquelin n'eût

jamais fait de toute sa vie d'homme marié. De temps en temps, il le répétait, pour être bien certain que Marie-Thérèse ne l'oublie jamais. Le reste du temps, il se contentait d'échapper quelques mots d'une banalité parfois un peu désespérante. Néanmoins, sous ce couvert d'apparente indifférence devant la vie quotidienne, Jaquelin Lafrance devait bien tenir à sa famille et à son épouse, puisqu'il honorait celle-ci régulièrement.

C'était donc qu'il devait aimer Marie-Thérèse, n'est-ce pas?

Comme cette dernière éprouvait un plaisir intense dans les bras de son mari, elle se disait que leur amour était sincère et partagé. Si les enfants étaient la conséquence de ces moments d'intimité, ceux qu'elle choyait entre tous, eh bien, tant pis, il y aurait des enfants!

D'autant plus que Jaquelin n'avait rien contre!

Voilà pourquoi, en ce petit matin d'octobre, malgré une certaine indécision dans le pas et une appréhension devant les mots à dire, la jeune femme approchait de son mari en se répétant qu'ils devraient être capables, tous les deux, de se soutenir mutuellement pour traverser cette terrible épreuve.

Sans dire un mot, Marie-Thérèse s'arrêta tout contre son homme et elle se contenta de glisser une main dans la sienne. Spontanément, leurs doigts s'entremêlèrent, le temps d'une étreinte, vive, presque douloureuse, puis Jaquelin retira sa main pour l'enfouir dans une poche de son pantalon. Après tout, ils étaient sur la place publique, ils n'avaient pas à s'afficher ainsi. Par contre, il voulait tout savoir sur leurs enfants, alors il demanda:

— Pis, Marie? Les enfants vont bien?

— Oui, Jaquelin, crains pas, les enfants vont bien. Agnès aussi.

En entendant ce nom, Jaquelin frissonna encore au souvenir qu'il gardait de la nuit d'épouvante qu'ils venaient tous de vivre. Puis l'ombre d'un sourire soulagé traversa le visage émacié et fatigué de Jaquelin Lafrance. Il tourna la tête vers Marie-Thérèse et le regard qu'ils échangèrent à cet instant bien précis eut la même intensité que celui qui les avait unis tous les deux quand il était ressorti de la maison avec la jeune Agnès dans ses bras. Un regard qui disait la gratitude, le soulagement et la confiance mutuelle.

— C'est tant mieux si les enfants sont toutes corrects, soupira-t-il. Pour ça, ma femme, m'en vas dire merci au Bon Dieu. Dans notre malheur, Il s'est montré généreux. Tu le sais comme moi que les enfants, c'est ce qu'il y a de plus important, dans notre vie à tous les deux. S'il avait fallu qu'on en perde un...

— Tais-toi, oiseau de malheur! Parle surtout pas comme ça, tu vas tenter le diable. On a toute perdu, c'est sûr, mais comme tu viens de le dire, on a gardé l'essentiel... J'ai dit la même chose, ou presque, à matante Félicité... Ouais, heureusement, les enfants vont bien. Je vois ben qu'on pense pareil toi pis moi, pis c'est comme une petite chaleur dans ma tristesse. Pour l'instant, ils dorment toutes à poings fermés.

Même Agnès... Merci, Jaquelin, d'avoir sauvé notre fille en risquant ta vie pour elle.

— J'aurais jamais pu faire autrement, Marie. Comment un père pourrait entendre crier sa fille sans rien faire ? Moi, j'étais pas capable. Tant mieux si pour astheure, Agnès dort comme les autres... Dans ce cas-là, je m'en ferai pas pour les enfants. M'en vas plutôt prendre la journée pour fouiller dans les ruines. Des fois que je pourrais retrouver quelques affaires.

À ces mots, Marie-Thérèse jeta un regard en coin vers son mari. Quelle drôle d'idée que de vouloir fouiller les ruines !

Néanmoins, elle hocha la tête en guise d'assentiment. Elle-même n'y aurait pas souscrit, jugeant l'entreprise dangereuse, mais si Jaquelin voyait la chose possible, pourquoi pas ? Après tout, le moindre prétexte pour voir un peu de positif dans ce grand malheur était le bienvenu. Alors, elle déclara l'idée excellente.

— J'y aurais pas pensé, mais je trouve que c'est une bonne idée que t'as eue là, approuva-t-elle sans trop hésiter.

— Probable qu'il y aura pas grand-chose de bon, atténua Jaquelin. Mais on sait jamais.

— Ça vaut quand même la peine d'essayer, renchérit Marie-Thérèse. Juste une couple d'affaires, ça vaut mieux que rien pantoute.

— C'est ce que je me dis, moi avec.

Les deux époux échangèrent alors un second regard qui en disait long. Entre eux, c'était parfois suffisant pour comprendre que, de part et d'autre, on pensait la même chose.

— Ouais, j'suis ben d'accord avec toi, réitéra Marie-Thérèse, tout en ramenant les yeux sur les restes de la maison… Comme ça, si toute est sous contrôle de ton bord, m'en vas te laisser à tes affaires, Jaquelin… Ah oui! Je voulais te dire aussi que matante Félicité est prête à toutes nous garder chez elle, du moins, le temps qu'on se revire de bord.

— C'est ben d'adon de sa part. Tu lui diras merci pour moi en attendant que je le fasse plus tard. C'est quelqu'un de bien, la tante Félicité.

— T'as raison de dire ça: matante est pas mal dépareillée quand vient le temps d'aider quelqu'un… On est chanceux de l'avoir dans notre parenté. M'en vas y transmettre tes remerciements, crains pas.

Sur ce, Marie-Thérèse tourna les talons pour se diriger vers la maison de sa tante. Pourtant, il lui semblait, devant la gravité de la situation, que tout n'avait pas été dit.

Hésitante, la jeune femme ralentit le pas avant de s'arrêter complètement. Si les enfants s'éveillaient, la tante Félicité y verrait. Pourquoi, alors, tant se presser? Marie-Thérèse hésita encore un peu pour la forme, puis elle se demanda ce qu'elle pourrait bien dire et surtout comment le dire pour faire savoir à Jaquelin qu'à travers l'épreuve vécue en ce moment, elle continuait de l'aimer inconditionnellement.

Son regard se heurta à la nuque de Jaquelin et une bouffée de tendresse étreignit le cœur de Marie-Thérèse.

N'écoutant alors que l'émotion qui s'imposait si fort en elle, Marie-Thérèse ajouta précipitamment :

— Ça a été toute une nuit, hein, Jaquelin ? lança-t-elle par-dessus son épaule. Une vraie nuit d'épouvante. Ben contente, tu sauras, que ça soye fini tout ça, même si le futur est pas le diable encourageant.

— On va finir par s'en sortir, Marie.

La voix de Jaquelin se voulait réconfortante.

— Compte sur moi, ajouta-t-il, sur le même ton.

— Oh ! J'ai pas de doute là-dessus. Je le sais, va, que je peux compter sur toi.

En prononçant ces quelques mots, un fragile sourire effleura les lèvres de Marie-Thérèse.

— Ouais, je le sais depuis longtemps, Jaquelin, que je peux compter sur toi, répéta-t-elle avec conviction. T'es quelqu'un de fiable, tu l'as toujours été. Pis matante Félicité aussi, c'est quelqu'un sur qui on peut compter, toi pis moi... Ouais... Pis ça, c'est juste en attendant que mes frères pis ma sœur rappliquent... Ça devrait pas tarder pour qu'on les voye apparaître dans le décor. Eux autres avec, ils vont pouvoir nous aider, j'en suis certaine... Comme tu vois, on sera pas tout seuls pour voir à l'avenir.

Le regard perdu sur l'horizon, où le soleil se levait lentement, Jaquelin hochait doucement la tête, à chaque nom que Marie-Thérèse prononçait, et au timbre de sa voix, de plus en plus fort, il devina qu'elle était en train de revenir vers lui.

— C'est vrai qu'on est chanceux que t'ayes une grosse famille, Marie, déclara-t-il solennellement quand il sentit la présence de sa femme à ses côtés. Parce que c'est pas de mon bord qu'on peut espérer de l'aide, avec ma sœur qui vit à Montréal, pis mon père avec. De toute façon, le vieux m'a déjà donné toute ce qu'il avait à me donner. Il se gêne surtout pas pour me le répéter, chaque fois qu'on se voit, lui pis moi. Ça fait qu'il lèvera pas le petit doigt pour nous aider, ça, je le sais… Oh oui que je le sais !

Puis, dans un élan de confiance, par besoin de se sentir épaulé, réconforté, il murmura :

— Tu vois, Marie, mon père, en partant, m'avait confié sa maison pis son travail… Regarde ! Regarde-moi donc ce qu'il en reste.

Que d'amertume, que de déception dans ces quelques paroles criantes de désespoir !

Marie-Thérèse le ressentit jusqu'au fond de son cœur et, sans hésitation, elle s'approcha de Jaquelin jusqu'à le toucher. D'une main tremblante tendue devant lui, le pauvre homme mesurait l'ampleur du désastre.

— Te rends-tu compte, Marie ? La vie de deux générations de Lafrance a été réduite en cendres, pis c'était moi qui en avais la responsabilité.

Jaquelin baissa la tête, bourrelé de remords comme s'il y était pour quelque chose dans tout ce gâchis. Il sentait la lourdeur de Marie contre son bras et l'envie de se blottir tout contre elle se fit presque violente.

C'était au creux des bras de sa femme que Jaquelin Lafrance avait appris que la vie pouvait être belle.

Toutefois, cette émotion, ce désir de rapprochement ne dura pas. Un homme se devait d'être fort dans l'adversité, n'est-ce pas ? C'était là ce que son père lui avait toujours enseigné, à force de taloches parfois, parce qu'il fut une époque où le petit Jaquelin avait facilement la larme à l'œil. Trop facilement, comme le lui reprochait durement Irénée Lafrance.

Le Jaquelin d'aujourd'hui se redressa alors aussitôt. Il renifla pour retenir les larmes qu'il n'avait pas le droit de verser, et il annonça, d'une voix raffermie :

— Astheure que ça fume presque pus, m'en vas essayer de m'approcher de la maison. Pis, toi, pendant ce temps-là, va rejoindre les enfants, Marie.

Marie…

Il n'y avait que de la part de Jaquelin que Marie-Thérèse acceptait d'être ainsi interpellée.

C'était la seule marque de tendresse entre eux, car autrement, Jaquelin restait plutôt distant, même dans l'intimité avec elle. « C'est dans son tempérament », se disait parfois Marie-Thérèse, quand il lui arrivait d'être un peu déçue ou peinée, alors qu'elle aurait bien aimé une accolade amoureuse ou un geste de réconfort. Mais que voulez-vous ? Son homme était réservé de nature. Tout le monde le savait dans le village, elle comme tous les autres. Pourquoi, alors, aurait-il été différent avec elle ? Juste parce qu'elle était sa femme ? Allons donc !

Cela faisait bien des saisons, maintenant, qu'elle avait accepté cet état de choses et si, avec tout le monde, la jeune femme exigeait que le « Thérèse » soit bien présent quand on s'adressait à elle, cette obligation ne concernait pas Jaquelin Lafrance.

Pourtant, Marie-Thérèse avait toujours aimé son

prénom. Elle disait qu'il faisait moins ancien que bien d'autres appellations à la mode, comme les Carmen et les Marthe, que l'on entendait si souvent.

Avec Jaquelin, ça avait été différent dès les premiers temps, et pour cause !

En effet, la jeune femme savait depuis toujours que Thérèse avait été le prénom de la mère de Jaquelin, morte en couches lors de sa naissance. Après tout, cette femme-là avait été l'épouse du cordonnier du village et tout le monde, parmi les anciens, l'avait bien connue. Il arrivait même, encore aujourd'hui, que l'on parle d'elle, et toujours avec respect, car Thérèse Lafrance avait été une femme appréciée partout où elle était allée.

Ainsi, quand Marie-Thérèse avait été présentée à Jaquelin, elle s'était dit que le destin avait peut-être voulu cette coïncidence et que le jeune homme serait peut-être heureux d'avoir enfin la chance de prononcer ce prénom qu'il devait bien chérir dans le secret de son cœur. Cependant, la première fois où Jaquelin avait osé l'appeler par son prénom, après des mois de fréquentations, il avait buté sur le mot, des trémolos plein la voix. Marie-Thérèse n'avait alors rien dit, rien exigé. Si Jaquelin voulait l'appeler tout simplement « Marie », eh bien soit, il en irait ainsi avec lui.

Uniquement avec lui !

Ce matin, devant les vestiges de leur maison, Marie-Thérèse se rappelait fort bien cet instant précis de leur vie commune, celui où elle avait compris que, pour Jaquelin Lafrance, bien des choses seraient différentes, et qu'elle acceptait cette perspective avec des frissons dans le cœur.

Ce jour-là, Marie-Thérèse s'était dit que ça devait être ça, ce qu'on appelait l'amour, et elle ne s'était pas trompée.

À ce souvenir, la jeune femme se permit donc de passer une main furtive sur les épaules de son mari, puis elle recula de quelques pas et se mit à détailler à haute voix ce qu'elle ferait de sa journée. Comme l'avait si bien souligné sa tante, c'était Jaquelin, le chef de famille, il avait donc son mot à dire sur tout.

— Je sais pas ce que t'en penses, commença-t-elle, mais je me suis dit que pour l'ordinaire de la maison, il y a pas de presse, rapport que je saurais pas où mettre toute ce qu'on pourrait nous donner. C'est pas grand, chez matante, pis son hangar sert d'écurie pour sa jument... Pour les vêtements, par exemple, ça urge un peu plus. Matante a dit qu'elle va m'aider, pis on va voir à ça un peu plus tard dans la journée. Avec la parenté pis les voisins, qui vont sûrement venir aux nouvelles, c'est comme rien qu'on devrait arriver à s'en sortir.

— Je te fais confiance, Marie. La maison pis toute ce qui va avec, c'est toi qui connais ça. Je te l'ai déjà dit. Pour le reste, m'en vas prendre la journée pour penser ben comme faut à mon affaire, pis m'en vas te revenir avec mes décisions à soir.

— Merci pour ta confiance, Jaquelin... J'vas faire tout ce qui est dans mon pouvoir pour qu'on puisse se raplomber le plus vite possible. Ça serait pas pire si demain, notre vie reprenait un peu plus le bon

chemin. Crains pas, m'en vas toute faire pour ça...
Il reste juste une affaire, je pense... Je le sais ben,
va, que pour les enfants, j'ai pris l'habitude de toute
décider par moi-même, mais à matin, me semble que
c'est pas pareil... J'aimerais ça savoir si t'es d'accord
pour qu'on les laisse tranquilles pour la journée. Pas
d'école pis pas de devoirs non plus. Que c'est t'en
penses, Jaquelin ?

À ces mots, Jaquelin haussa les épaules, dans ce qui
aurait pu paraître une marque d'indifférence, alors
qu'en fait, c'était une preuve de confiance absolue à
l'égard de Marie-Thérèse.

— Si c'est ce que tu penses qu'on doit faire, on
fait comme tu dis, approuva-t-il d'un ton grave. Les
enfants, c'est ton domaine, Marie. Tu connais ça pas
mal plus que moi, même si je tiens à eux autres ben
gros.

— Ben, si c'est toujours ce que tu penses, c'est
correct de même... Bon... Astheure, j'ai l'impression
d'avoir toute dit... Quand t'auras faim, tu vien-
dras nous voir, matante pis moi. Normalement, on
bougera pas de chez elle.

Marie-Thérèse essayait de mettre de l'enthousiasme
dans sa voix, comme si de parler avec une certaine
légèreté allait ramener une forme de normalité dans
leur vie. Une vie qui n'avait plus grand-chose de
normal depuis la veille au soir.

— Quand j'ai quitté la maison, poursuivit-elle sur
ce même ton un peu exalté, matante Félicité était en
train de préparer tout ce qu'il faut pour faire un bon
bouilli de légumes. Avec une poule, pis un peu de

lard salé, comme t'aimes. Me semble que ça te ferait du bien de te nourrir un peu. Pis faudrait que tu penses à te reposer un brin, aussi. Ça a été de ben grosses émotions, tout ça. Même pour un homme solide comme toi.

Malgré l'évidente sagesse de ces propos, Jaquelin resta impassible. Quand Marie-Thérèse se mettait à parler comme un moulin, ça l'agaçait un peu. Même si, la plupart du temps, ils voyaient les choses d'un même œil, la façon de l'exprimer était parfois aux antipodes.

Jaquelin poussa un léger soupir d'impatience.

Comment sa femme pouvait-elle penser à se reposer, après une telle catastrophe ? À l'entendre, c'était comme si tout allait reprendre sa place en un claquement de doigts ! Le village en entier serait là pour eux. La nourriture et les vêtements allaient apparaître comme par magie et le gîte, en attendant la reconstruction, serait fourni par la tante Félicité...

« Tout le monde va nous aider » avait dit Marie-Thérèse.

Allons donc !

Jaquelin ne voyait pas la situation avec une même insouciance. Leur maison n'allait tout de même pas renaître de ses cendres en criant « lapin »...

À cette pensée, Jaquelin poussa un second soupir, plus long et plus bruyant. Marie-Thérèse allait devoir accepter que leur vie ne serait plus la même pour un bon moment, et c'était peut-être à lui, Jaquelin Lafrance, que revenait le devoir de le lui faire comprendre. Voilà pourquoi il s'empressa de rétorquer, d'une voix un peu cassante :

— Je me reposerai ben quand je l'aurai décidé, quand j'aurai une petite idée de ce qu'on va faire à partir de demain...

Si les mots et la manière de le dire avaient quelque chose de froid, d'impersonnel, il n'en restait pas moins que le message était pertinent. Quelqu'un devait penser à l'avenir, au-delà du linge et des repas, et c'était son rôle à lui d'y voir. Après tout, il était le père, le soutien de famille.

Intimidée par le ton employé, Marie-Thérèse recula d'un second pas, aucune réplique ne lui venant spontanément à l'esprit.

— C'est pas à toi de me dire quoi faire, poursuivit Jaquelin, le regard fixé sur les ruines qui ne fumaient presque plus. Retourne chez ta tante, Marie, on se reverra plus tard.

Tout en parlant, Jaquelin avait enfin tourné la tête vers sa femme. Il lui jeta un bref regard par-dessus son épaule et déclara froidement, parce qu'il ne voyait pas comment le dire autrement pour qu'elle comprenne, que lui ne voyait pas les choses sous le même angle qu'elle :

— Si toi t'as du temps de lousse, comme t'as l'air de le penser, prends donc quelques minutes pour réfléchir à ce que je pourrais écrire à mon père. On regardera ça ensemble à soir.

Sur ce, Jaquelin revint face à la maison, signifiant par là que la conversation venait de se terminer.

Devant cette autorité manifeste, Marie-Thérèse

comprit le message sans la moindre hésitation : la discussion était close et elle savait pertinemment qu'elle ne reverrait son mari qu'à la fin du jour. Par habitude, elle remisa son désappointement et son envie de se blottir tout contre lui. Après tout, Jaquelin n'avait pas tout à fait tort : ce n'était ni le bon moment ni le bon endroit pour échanger des familiarités. Le geste qu'elle avait osé tout à l'heure, en caressant ses épaules, devait avoir incommodé Jaquelin et il venait de le lui signifier.

Plutôt que de s'arrêter à sa déception, Marie-Thérèse s'obligea plutôt à ne voir que les belles qualités de son homme, dont ce sens des responsabilités qui ferait en sorte qu'il allait trouver une solution à leur situation préoccupante, et elle accéléra le pas en direction de la maison de sa tante Félicité.

Entre femmes, toutes les deux, elles discuteraient, à leur manière, des jours à venir.

Elles apporteraient quelque remède à bien des petits problèmes du quotidien qui ne concernaient pas vraiment les hommes, dont celui des vêtements qui faisaient cruellement défaut, celui de la nourriture qu'il faudrait multiplier comme les pains et les poissons de l'Évangile, et celui des cahiers pour l'école qu'il faudrait bien remplacer.

Et tout cela avec de l'argent que Marie-Thérèse n'avait pas.

Mais tant pis !

Félicité Gagnon avait dit que la famille Lafrance allait s'en sortir et cette femme-là avait une expérience de la vie nettement plus grande que celle de Marie-Thérèse. Elle pouvait donc s'y fier.

Il y avait surtout qu'ensemble, toutes les deux, elles verraient aux enfants qui auraient sûrement besoin de réconfort.

Il y avait là de quoi occuper le cœur, l'esprit et le temps de n'importe quelle femme, durant toute une journée, n'est-ce pas?

Avant même d'avoir franchi le seuil de la porte, Marie-Thérèse avait oublié sa brève déconvenue.

Quand Jaquelin se pointa finalement chez la tante Félicité, le soleil venait tout juste de se coucher. Le cordonnier avait parlé avec la plupart des hommes du village, venus aux renseignements, et il savait pouvoir compter sur eux.

Il pourrait compter aussi et surtout sur ses beaux-frères, venus le voir en délégation, avec son beau-père, Victor Gagnon, en tête. Ensemble, ils avaient discuté de la reconstruction.

— On va en parler au patron, quand on va rentrer au moulin, t'à l'heure, avait déclaré Ovila, l'aîné des frères de Marie-Thérèse, l'éternel célibataire et le parrain de la jeune Agnès. Il devrait pouvoir faire quelque chose pour toi. C'est un bon gars, le patron, pis il a une grosse famille, lui aussi. M'en vas te revenir là-dessus dans pas longtemps.

Malgré le fait que Jaquelin Lafrance ne se soit jamais vraiment mêlé à la vie paroissiale, tous les hommes du village ou presque avaient fait un détour par la maison du cordonnier qui venait de passer au feu. Ce geste, même empreint de curiosité, avait eu l'heur de réconforter Jaquelin. Marie avait raison de dire qu'ils n'étaient pas seuls dans leur malheur. Ce soir, ils en reparleraient ensemble. Après tout, Jaquelin s'était peut-être montré un peu dur à l'égard de sa femme, qui essayait de l'encourager.

Avant de quitter les ruines qu'il venait de fouiller minutieusement, Jaquelin avait pris un dernier moment d'introspection devant ce qui restait de sa maison. Il s'était dit que, dans la pénombre, le trou béant laissé par l'incendie était moins visible, moins oppressant. Il se fondait à la noirceur naissante, ne laissant que le noir habituel de la nuit. Devant l'avenir qui s'ouvrait devant lui, ça semblait moins angoissant.

Puis, lueur d'espoir, Ovila était passé le voir à nouveau, en fin d'après-midi, et avec un peu de chance, avait-il annoncé, la maison allait bientôt renaître de ses cendres.

— Tu vas avoir tout le bois nécessaire pour entreprendre les travaux, Jaquelin. Les planches un peu moins droites pis les poutres mal équarries vont être à toi, gratis, pis autant que tu vas en avoir de besoin, à part de ça! C'est le patron en personne qui me l'a dit. On a du bardeau de finition aussi. Pour toi. De la seconde qualité, mais il est beau pareil. Quant à la main-d'œuvre, tu sais que tu peux compter sur nous autres, pis sur pas mal d'hommes du village. Ça devrait pas traîner en longueur. Ça se fera pas du jour au lendemain, c'est ben certain, on a toutes chacun nos *jobs*, pis l'automne est déjà ben avancé.

Mais quand même... Je dirais qu'avant le printemps, tu devrais être revenu chez toi avec ta famille.

Voilà pourquoi, quand il entra enfin dans la cuisine de la tante Félicité, épuisé, mais soulagé, Jaquelin était porteur de bonnes nouvelles. Toutefois, avant même qu'il n'ouvre la bouche, ce qui attira son attention, ce fut le monticule de vêtements qui encombrait une bonne partie de la table, au point où il en oublia ce qu'il avait voulu annoncer dès son arrivée. Au premier coup d'œil, il eut même l'impression que la famille Lafrance allait se retrouver avec des garde-robes mieux garnies qu'avant l'incendie.

De toute évidence, de leur côté, les femmes n'avaient pas chômé.

Piteusement, Jaquelin souleva le léger barda qu'il avait à la main droite, tandis que de la gauche, il tenait par une poignée le lourd chaudron en fonte.

Malgré la journée éprouvante qu'il venait de vivre et l'énergie du désespoir qui l'avait porté tout au long de ses fouilles, le peu de biens qu'il avait récupérés tenait dans une besace improvisée.

Quant à l'argent, il avait été l'heureuse surprise de la journée. Heureusement intactes, de nombreuses pièces alourdissaient les deux poches de son pantalon, laissant entrevoir une certaine éclaircie devant eux.

Toutefois, l'odeur qui se dégageait de l'homme et de ses biens était si puissante, à la limite du supportable, qu'elle s'imposa rapidement dans la pièce pourtant de belle dimension.

Jaquelin avait tout juste posé le bout des pieds dans la cuisine de Félicité Gagnon que celle-ci se précipitait vers lui, un doigt sous son nez pour obstruer ses narines.

— Tu parles d'une idée, toi, de rentrer cette poche-là pis ton chaudron toute noirci dans ma maison! lança-t-elle d'une voix nasillarde.

Elle exerça alors une pression sur le bras de Jaquelin pour le faire se retourner, tandis que de l'autre main, en retenant son souffle, elle ouvrait tout grand la porte.

— Tu t'en rends peut-être pas compte, mon homme, mais ça pue sans bon sens, ton affaire! expliqua-t-elle en poussant Jaquelin dans le dos. S'il te plaît, tu vas me laisser ça sur la galerie pour la nuit. J'y verrai demain... Pis tu vas aller dans le fond de la cour, à côté de la pompe à eau du jardin, pour te laver un peu. Tu sens la morue séchée! À quoi t'as pensé, bonne sainte Anne? M'en vas t'apporter une barre de savon pis une couple de guenilles pour te laver, pis Marie-Thérèse va s'occuper de trouver du linge propre pour toi. Ça devrait pas être trop dur, on en a reçu plus qu'on en avait de besoin. Envoye, Jaquelin, sors de ma cuisine!

La tante Félicité était bien la seule femme à qui Jaquelin obéissait sans la moindre opposition. Peut-être était-ce à cause de son âge, qui imposait le respect, ou encore en souvenir de ce lien d'amitié qui avait jadis uni Félicité Gagnon à sa propre mère, comme on le lui avait expliqué, quand il était encore tout petit.

De toute façon, qui, à Sainte-Adèle-de-la-Merci,

ne respectait pas celle que tout le monde appelait
« matante Félicité » ?

En effet, célibataire de son état, Félicité Gagnon
avait servi de mère d'emprunt à bien des jeunes de la
paroisse, au fil des années. Qui un conseil, qui un bol
de soupe, une oreille attentive ou un lit pour la nuit,
plusieurs avaient trouvé sous son toit le réconfort
dont ils avaient momentanément besoin.

Dans son tout jeune âge, et avant que son père
n'y mette un holà, Jaquelin Lafrance en avait usé et
abusé, lui aussi, puisque la tante Félicité habitait à
peine à deux pas de la maison du petit garçon qu'il
était à l'époque.

Malheureusement, la vie étant ce qu'elle est,
à cause de l'école et du travail à la cordonnerie, ils
avaient été éloignés l'un de l'autre. Par son mariage,
Jaquelin avait eu la chance de renouer les liens avec
la vieille dame, et, s'il ne le montrait guère, il en était
toutefois fort aise.

Jaquelin fit donc comme la tante Félicité le lui
avait demandé et il ressortit de la maison sans
discuter. Quand il y revint, de longues minutes plus
tard, l'odeur de fumée qui se dégageait de lui, bien
qu'encore présente, était toutefois tolérable. Affamé,
Jaquelin s'installa à la table, à la première place
venue, repoussant du bras une partie des vêtements
qui l'encombraient. Il dévora tout ce qui se présenta
devant lui, du pain à la tarte aux pommes, en passant
par deux copieuses portions de bouilli.

Quand il fut bien repu, une tasse de thé à portée
de la main, il demanda à voir les enfants.

— J'ai pas pu m'en empêcher, Marie : j'ai pensé à eux autres une bonne partie de la journée. J'aurais tellement aimé ça trouver une couple de bébelles qui leur appartenaient, mais il y avait pus rien. N'empêche que j'ai ben envie de les voir pareil.

— Ça se comprend. Pour les plus vieux, m'en vas aller les chercher tout de suite. Ils sont en haut, à préparer leurs lits de fortune pour la nuit. Pour les plus petits, par exemple, va falloir que t'attendes à demain pour les voir. Ma sœur Henriette est venue chercher Ignace pis Angèle avant le souper. Nos deux plus jeunes vont être pas mal plus à l'aise chez elle qu'ici, rapport que ma sœur est mieux équipée pour voir aux tout-petits.

— C'est ben correct de même. Ça a plein de bon sens. J'irai les voir après la messe, demain matin. Pour l'instant, ce que j'ai à dire, ça regarde pas vraiment les plus jeunes, de toute façon. Ils comprendraient pas grand-chose à tout ce qui s'en vient. Mais je tiens à ce que les plus grands soyent là, par exemple. D'une certaine manière, m'en vas avoir besoin d'eux autres. Pis de toi avec, Marie.

La décision que Jaquelin Lafrance avait prise concernant leur avenir immédiat tomba sur sa famille comme une calamité supplémentaire.

Les jeunes Lafrance, de Cyrille, l'aîné, à Conrad, le plus jeune à vivre chez la tante Félicité, en passant par Agnès et Benjamin, le regardèrent, décontenancés. Du haut de leurs six, huit, dix et douze ans, ils ne comprenaient pas trop ce qui se passait.

Quant à Marie-Thérèse, tout aussi désemparée que ses enfants, elle jeta un regard furtif vers sa tante.

Un imperceptible haussement d'épaules de la part de Félicité attesta que la vieille dame n'y comprenait goutte, elle non plus. Alors, Marie-Thérèse reporta les yeux sur son mari, qui buvait à l'instant une gorgée de thé comme si de rien n'était.

Marie-Thérèse pinça les lèvres, ce qui dénotait chez elle un certain agacement. Mais qu'est-ce qui lui prenait de vouloir partir ainsi?

Brusquement, Marie-Thérèse se sentit abandonnée, désemparée. Ça ne ressemblait pas du tout à Jaquelin de fuir ainsi ses responsabilités.

La jeune femme retint alors le long soupir de découragement qui avait soulevé sa poitrine, et elle le laissa filer tout en douceur, presque silencieusement, pour n'incommoder personne, surtout pas Jaquelin.

Toutefois, les mots entendus passèrent rapidement du cœur bouleversé à l'esprit en éveil, et la réalité frappa Marie-Thérèse de plein fouet: leur maison venait de passer au feu, ils avaient tout perdu, ils étaient encore tous ébranlés, et son mari venait d'annoncer, bien calmement, qu'il avait décidé de s'éloigner pour les prochains mois.

Sourcils froncés, la jeune femme fixa son mari sans dire un mot.

Il n'y avait rien à comprendre dans cette réaction imprévue, alors que, de toute évidence, Marie-Thérèse n'était pas d'accord.

Voilà donc tout ce que Jaquelin Lafrance avait à proposer pour voir à sa famille, elle qui se retrouvait devant le néant ? Il allait partir pour les chantiers et les laisser se débrouiller sans lui ? Ça ressemblait à une fuite et Marie-Thérèse jugea que c'était inadmissible.

Habituée à ne jamais répliquer à son mari en présence des enfants, et tout à fait d'accord avec ce principe, la jeune femme laissa tout de même entendre le gémissement d'incompréhension qui lui monta spontanément aux lèvres. Une fois n'étant pas coutume, les circonstances justifiaient amplement cet accroc à leurs habituelles conventions.

Une plainte échappée malencontreusement, certes, mais qui heurta aussitôt Jaquelin. Il se tourna vivement vers son épouse, alors qu'une ride d'impatience zébrait son front.

— Que c'est qui se passe, Marie ?

— Ce qui se passe ? arriva-t-elle à articuler, malgré le nœud de larmes retenues qui encombrait sa gorge. Il se passe que je comprends pas, Jaquelin. Je comprends pas pantoute. Tu peux toujours ben pas nous laisser tomber comme ça, les enfants pis moi. Ça a pas vraiment d'allure !

— J'abandonne personne, Marie. Ni toi ni les enfants. J'essaye juste de couvrir le manque à gagner. Tu peux toujours ben pas me reprocher ça, non ? Ça va être pour une saison, Marie. Juste pour la saison qui vient.

Tout en parlant, Jaquelin n'avait d'yeux que pour sa femme. Il lui semblait qu'il ne pourrait partir le cœur en paix que s'il arrivait à la convaincre du bien-fondé de sa décision.

— Après, m'en vas revenir à la maison, ajouta-t-il

d'une voix qui se voulait apaisante, mais qui restait tout de même détachée, presque froide. Ça, c'est ben certain que j'vas revenir. Je te jure qu'au printemps, toute va reprendre sa place comme avant... Me semble que c'est pas dur à comprendre, ça! On va toutes être ensemble quand la maison va être prête, c'est promis.

Malhabile avec les mots, fort peu enclin à les enligner pour de longs discours, Jaquelin Lafrance était en ce moment le plus malheureux des hommes et cela se voyait jusque dans son regard. Habituellement, quand il était tout empêtré en lui-même comme en ce moment, Marie-Thérèse venait à la rescousse de son mari. Mais pas cette fois-ci. Elle avait trop mal.

— Justement, la maison, commença-t-elle... Tu viens de nous dire que mes frères sont prêts à t'aider pour toute reconstruire! C'est Ovila lui-même qui t'en a parlé. C'est ça que t'as dit, t'à l'heure! Mon frère, c'est un gars de parole, tu peux t'y fier. S'il dit que la maison va être reconstruite, c'est vrai. Me semble que ça serait important que tu soyes là pour y voir, toi avec, non? Me semble que ça serait juste une sorte de respect envers ma famille, que tu soyes là pour les aider. Pis si tout le monde y met du sien, toi comme les autres, la maison va monter plus vite. Me semble que ça aussi, c'est pas trop dur à comprendre. Pis toi, ben, tu perdrais pas la saison au grand complet.

Marie-Thérèse avait la sensation de jouer le tout pour le tout. Elle ne pouvait concevoir que Jaquelin la laisse toute seule pour voir aux travaux. C'était pourtant ce qu'il venait d'annoncer et c'est aussi ce qu'il se dépêcha de confirmer.

— Quand ben même la maison serait prête au printemps de bonne heure, comme Ovila me l'a laissé entendre, je perdrais quand même assez d'argent pour nous mettre dans la gêne. De toute façon, pourquoi rester? Tu viens de le dire toi-même: tes frères sont là. Pis ton père avec, il me l'a dit en personne. Ça fait que je peux partir tranquille, Marie. Ta famille a surtout pas besoin de moi pour bâtir une maison. Pis ça, tu le sais.

— Parce que tu penses que tu vas être plus utile aux chantiers?

La phrase, lourde de dérision, avait échappé à Marie-Thérèse. Elle n'arrivait toujours pas à comprendre et à accepter ce qui pouvait bien motiver son mari. La confiance absolue qu'elle avait toujours éprouvée à l'égard de son bon jugement était mise à rude épreuve. Elle restait persuadée que ce n'était pas en s'éloignant que Jaquelin Lafrance allait pouvoir aider sa famille. Ils avaient tous besoin de lui, de sa présence. Alors, elle se permit d'insister, tandis que les enfants, décontenancés par un tel dialogue entre leurs parents, se tenaient tête baissée, osant à peine respirer.

— Penses-y comme faut avant de…

— Tais-toi, Marie!

Jaquelin haussait rarement le ton, comme il venait de le faire. Marie-Thérèse en resta bouche bée. Embarrassée et surtout peinée, elle baissa la tête à son tour.

— On a pas à discuter de ça devant les enfants, poursuivit Jaquelin sur le même ton froid, dicté en grande partie par l'incroyable fatigue qu'il ressentait, mais aussi par un peu d'agacement devant l'entêtement de sa femme. On parlera pas de ça non plus devant ta tante Félicité. Ça regarde personne d'autre que toi pis moi, même si d'une certaine manière, on est toutes dans le même bateau.

Sur ce, Jaquelin échappa un long bâillement. Puis, d'une voix lasse, il poursuivit, épuisé tout autant par ce flot de paroles qu'il livrait depuis tout à l'heure que par les émotions vécues depuis la veille.

— J'ai ben jonglé à tout ça durant la journée, Marie. J'ai ben pesé mon affaire, pis c'est ça que j'ai décidé. Je changerai pas d'avis. T'aurais beau m'asticoter jusqu'à demain, c'est ça qui est ça. De toute façon, selon ton frère, à cause de l'hiver qui est à nos portes, pis du travail de tout un chacun, on en a pour plusieurs mois avant que la maison soye prête. C'est ben en masse pour que je pense à faire autre chose pour gagner notre vie. Des mois de temps à rien faire, c'est trop de temps perdu pour moi. Aider tes frères à reconstruire, ça me rapporterait rien pantoute, tandis que monter aux chantiers, même si j'y connais pas grand-chose, ça va quand même me donner un peu d'argent. On va en avoir de besoin. Y a aussi mon père, qui va sûrement apprécier que je cherche à gagner notre vie, en attendant que je reprenne le métier. Comme je le connais, c'est ben important que je fasse de quoi pour m'occuper. Si en plus, il sait que la maison est en train de se faire rebâtir, pis que toute est sous contrôle, il devrait pas trop chialer. Savoir que ton père, qui se trouve à être son ami, va s'en occuper devrait suffire à calmer les humeurs du mien.

Rarement Jaquelin Lafrance avait-il autant parlé, avec une telle fougue et tout d'une traite. Lui qui ne voulait rien justifier devant les enfants venait de le faire d'éloquente façon.

Cependant, ce furent les deux dernières phrases que Marie-Thérèse retint, celles qui éclairaient la situation sous un angle nouveau.

La jeune femme venait de saisir ce qui motivait son mari et, brusquement, elle ne lui en voulait plus. Elle savait, elle avait toujours su l'emprise qu'Irénée Lafrance avait sur son fils. Oh! Marie-Thérèse et Jaquelin n'en avaient jamais vraiment parlé ensemble. Le sujet était trop délicat pour que la jeune femme ose l'aborder. Mais il y a de ces choses qui se disent à travers les silences, n'est-ce pas? Et Marie-Thérèse faisait partie de ces femmes qui savent écouter, même le silence. Elle jeta un regard discret vers sa tante Félicité, et, à voir ses lèvres pincées, elle comprit que la vieille dame aussi avait tout deviné.

Bien que devenu un homme et malgré la distance qui le séparait d'Irénée Lafrance, Jaquelin craignait encore et toujours les foudres de son père.

Cela voulait dire que le pauvre homme devait être terriblement malheureux et inquiet. Sa réaction le proclamait éloquemment. Ce fut suffisant pour que Marie-Thérèse n'ait plus envie d'insister. D'un geste furtif de la main, elle enjoignit Félicité de ne pas intervenir, elle non plus.

— C'est ben d'adon, Jaquelin, murmura-t-elle enfin d'une voix très calme. Si tu penses que c'est ce qu'il y a de mieux à faire, on va t'écouter, pis on va faire comme tu dis.

— J'espère ben que vous allez m'écouter, Marie, parce que j'ai raison. Astheure, les enfants, ouvrez tout grand vos oreilles. C'est à vous autres que je veux parler. Vous êtes assez intelligents pour avoir compris ce que j'ai dit, pis pour savoir que les mois qui s'en viennent seront faciles pour personne. Ni pour moi, ni pour votre mère, ni pour vous autres non plus. Mais je sais, par exemple, qu'on est capables de passer au travers si on se serre les coudes, pis si vous nous aidez.

La liste des corvées fut succincte. Jaquelin, d'une voix très calme, résuma la situation, sans revenir sur la nuit terrible qu'ils avaient vécue, et leur demanda d'aider leur mère, comme jamais auparavant ils ne l'avaient aidée.

— Au moins durant le temps où moi j'vas être parti. Pis ça sera pas juste mettre la table pis faire la vaisselle, souligna-t-il. Ça, c'est quand toute va ben. Non, à partir de maintenant, tout ce que votre mère va vous demander de faire, vous le faites sans dire un seul mot. C'est-tu clair?

— Ouais, c'est correct… Vous pouvez compter sur nous autres pour ça.

Cyrille, l'aîné, avait pris la parole au nom de ses frères et sœurs, comme il le faisait habituellement quand un des deux parents s'adressait à toute la famille. Si quelqu'un n'était pas d'accord avec ce qu'il avait déclaré, eh bien, ils en reparlaient plus tard, quand ils se retrouvaient entre enfants, loin des oreilles des parents.

D'un signe de la tête, Jaquelin montra qu'il appréciait une telle réponse. Puis il ajouta :

— Bon ben... C'est toute ce que j'avais à vous dire. Demain, c'est la Toussaint. Après la messe, c'est la criée sur le perron de l'église pour engager le monde pour les chantiers. On saura à ce moment-là si toute va marcher comme je l'espère. Astheure, au lit, tout le monde. C'est des grosses journées qui s'en viennent.

— Pis c'est une grosse journée qui vient de passer aussi.

Cyrille, qui n'avait pas la langue dans sa poche, tenait à faire cette précision. À entendre son père discourir comme il venait de le faire, sans la moindre allusion au feu, le jeune garçon avait l'impression un peu désagréable que la nuit dernière n'était plus qu'un banal incident. Pas un mot sur l'incendie, sur l'épouvante qu'ils venaient tous de vivre, sur les pertes que chacun pleurait. À ses yeux, c'était inadmissible que son père se soit contenté d'envisager l'avenir sans la moindre référence au drame.

Il y avait surtout que du haut de ses douze ans, Cyrille voyait la situation avec son regard d'enfant et il avait grande envie d'être consolé.

Il avait eu peur, la nuit dernière, très peur, et ce n'était pas le fait d'être l'aîné de la famille qui allait y changer quoi que ce soit. Il avait frôlé la mort, il en était conscient, tout comme ses frères et ses sœurs, d'ailleurs. Il leur en restait tous, des tas de papillons dans le ventre. Cyrille le savait fort bien parce qu'ils en avaient parlé ensemble, tout à l'heure, avant le souper.

Quant à lui, même si d'être considéré comme un «grand» l'obligeait à taire la chose, le simple fait d'avoir à se rendre à l'étage pour passer la nuit lui tordait les entrailles et lui donnait envie de pleurnicher comme un bébé.

Que dire, aussi, de sa sœur Agnès, qui n'arrêtait pas de parler de sa poupée de cire, la belle Rosette, et qui la pleurait comme on pleure un être cher?

Si, à première vue, les parents n'y voyaient qu'un jouet, Cyrille, de son côté, comprenait la tristesse de sa petite sœur. Lui, c'était sa collection de papillons qu'il avait perdue, et Conrad, son cheval de bois. Son jeune frère aimait tellement ce jouet, fabriqué par leur grand-père Gagnon, qu'il le réclamait pour dormir avec lui toutes les nuits.

Et tout ce que leur père avait trouvé à dire pour les réconforter, c'était qu'il allait partir, et qu'eux, ils devaient aider leur mère durant sa longue absence?

Pour Cyrille, il y avait un vide à combler. Voilà pourquoi il avait osé parler des heures qui venaient de s'écouler, porteuses de malheur. Quand ils auraient fini de pleurer sur ce qui n'était plus, peut-être pourraient-ils souscrire aux demandes de leur père et essayer de regarder vers l'avenir.

Devant cette précision apportée par son fils aîné, Jaquelin se tourna aussitôt vers lui.

— T'as raison, Cyrille, approuva-t-il, au grand soulagement du gamin. C'est des choses pas mal difficiles qu'on vient de vivre là. Des choses terribles, je le sais. Pis je sais avec que tout le monde y a laissé quelque chose d'important. J'aurais ben voulu vous ramener de quoi, mais j'ai rien trouvé, mon pauvre garçon. Toute a brûlé. Mais faut pas s'arrêter à ce qu'on a perdu, Cyrille. Ça donnerait rien de passer notre temps à brailler sur les affaires qui sont pus là, parce que c'est pas ça qui pourrait les remplacer. C'est ben de valeur, mais c'est de même. Va falloir s'y faire. Pis ça donnerait pas grand-chose non plus d'avoir peur de la nuit à cause de ça.

Tout en parlant, Jaquelin avait soutenu le regard de chacun de ses enfants, à tour de rôle, pour que chacun comprenne que ce discours lui était personnellement adressé.

Cyrille, Agnès, Benjamin, Conrad...

Il ne parlait pas souvent, Jaquelin, mais quand il le faisait, il tenait à ce que chacun l'écoute et saisisse l'importance que lui-même accordait à ses propos. Comme en ce moment où, malgré sa grande fatigue, il posait un regard de bonté sur le visage de chacun de ses enfants.

Les yeux dans l'eau, Marie-Thérèse écoutait avec attention, tout comme sa tante Félicité.

— C'est un accident, Cyrille, poursuivit Jaquelin en revenant à son aîné. On sait pas vraiment ce qui a causé le feu, juste que ça semble avoir commencé dans la cuisine. Le poêle mal éteint? L'annexe au charbon qu'on avait allumée parce que la nuit s'annonçait froide? Peut-être, on le saura jamais vraiment. Je le répète, Cyrille, c'était un accident. Pis les accidents, ça arrive pas tous les jours aux mêmes personnes. Oublie jamais ça, mon gars, pis essaye de regarder en avant plutôt. À partir de maintenant, va falloir travailler ben fort. Tu vas le faire pour ta mère, c'est ben certain, mais tu vas le faire pour moi aussi, même si j'vas être loin pour un boutte. C'est un peu grâce au travail de toutes nous autres mis ensemble que les choses vont finir par reprendre leur place. M'as-tu ben compris?

— Oui, popa.

— Tant mieux. J'haïs ça être obligé de me répéter, surtout quand j'suis fatigué comme à soir... C'est toi le plus vieux, Cyrille, ça fait que je compte encore plus sur toi pour donner l'exemple aux plus jeunes. Mais je peux comprendre que tout le monde aye de la peine, pis que tout le monde aye eu peur aussi. C'est juste normal. Moi aussi, vous saurez, j'ai eu peur... Ouais... J'ai eu ben peur de toutes vous perdre.

Alors qu'il disait ces derniers mots, le regard de Jaquelin s'attarda sur la jeune Agnès, qui le dévorait des yeux.

Puis, d'une caresse maladroite, Jaquelin ébouriffa les cheveux de son aîné, suivie dans l'instant d'un geste de l'index montrant l'escalier.

— Astheure, au lit, les enfants! On se reverra demain pour la messe.

Les jeunes déguerpirent donc sans demander leur reste, suivis de près par Jaquelin, qui tombait de sommeil.

— Tu vas m'excuser, Marie, mais j'suis ben fatigué. Pour la lettre que je veux écrire à mon père, on fera ça demain, ensemble. T'as raison de dire que ça a été des grosses émotions, tout ça. Je pense que j'vas aller me coucher tout de suite.

— C'est ben correct, Jaquelin... Moi avec, j'vas monter bientôt... Pis merci d'avoir parlé comme tu l'as faite avec les enfants. Ouais... C'était ben beau toute ce que t'as dit, pis ben vrai aussi. Ça fait comme une p'tite douceur sur notre grand malheur.

— J'ai dit ce que je pensais, Marie... Ouais, juste ce que je pensais... Astheure, m'en vas me coucher. Bonne nuit tout le monde. Pis merci encore, matante. Sans vous, je me demande ben ce qu'on deviendrait.

CHAPITRE 2

À Montréal, dans la paroisse Saint-Clément
de Viauville, sur la rue Adam,
dans un quadruplex de pierres grises

———

Au matin du vendredi 10 novembre, dans la cuisine d'un grand logement habité par la famille de Lauréanne, fille d'Irénée Lafrance, sœur de Jaquelin, et épouse d'Émile Fortin.

La lettre leur était parvenue hier, comme de coutume. Si, habituellement, cette lettre-là arrivait dans la plus parfaite indifférence, sauf de la part d'Irénée Lafrance qui l'espérait toujours avec impatience, ce mois-ci, cependant, ce n'était pas le cas. Même que Lauréanne avait surveillé l'arrivée du facteur avec une certaine appréhension, car elle savait pertinemment ce que la lettre contiendrait. Elle savait aussi qu'elle n'aurait pas le choix de la remettre à son père, comme elle le faisait tous les mois depuis des années, sinon il la réclamerait à grands coups de jurons, ce qui la mettait hors d'elle.

Plus Irénée Lafrance vieillissait, et moins il était poli.

Quand Lauréanne l'avait finalement eue en main, cette fameuse lettre, hier, en fin d'après-midi, elle l'avait soupesée et longuement observée avec une petite crampe à l'estomac.

Ça y était, elle n'aurait plus le choix!

Sans hésiter, Lauréanne avait tout de même glissé l'enveloppe dans la poche la plus profonde de son tablier, comme si d'agir ainsi allait la faire disparaître. Elle y reviendrait plus tard, après le souper, tiens, quand son père serait bien gavé et qu'il s'installerait à côté du poste de radio pour écouter les émissions présentées par CKAC, la nouvelle station à la mode, créée depuis quelques semaines à peine par le journal *La Presse*.

À travers les nouvelles données à la radio, celles venues de Sainte-Adèle-de-la-Merci seraient peut-être un peu plus faciles à avaler.

Néanmoins, le souper avait passé, son mari et son père avaient discuté de tout et de rien, comme d'habitude, puis Irénée s'était installé dans un coin de la cuisine avec sa pipe et son tabac, l'oreille à deux pouces de l'appareil, et Lauréanne n'avait pas trouvé le courage de le déranger pour tout révéler à ses hommes, comme elle appelait affectueusement son père et son mari.

Pourtant, cela faisait une longue semaine que, tous les matins, au réveil, Lauréanne se promettait de tout dévoiler dans le courant de la journée. Au bout du compte, jour après jour, elle se couchait sans avoir rien dit.

Maintenant que la lettre était arrivée, la pauvre femme avait eu l'impression de passer la soirée dans un état second.

— T'es ben jongleuse, ma femme, lui avait même souligné Émile, quand elle l'avait finalement rejoint dans leur chambre à coucher.

Lauréanne avait alors joué les ingénues.

— Ah oui, tu trouves? Me semble pourtant que je suis pas différente que d'habitude.

Épuisé, Émile s'était contenté de cette réponse, même s'il suspectait que sa femme ne lui disait pas tout à fait la vérité. Il avait étouffé un long bâillement avant de remonter la couverture sur ses épaules.

— Ben d'abord, si tu le dis…

Heureusement que son mari n'avait pas insisté, car Lauréanne aurait été bien mal à l'aise de tout raconter maintenant, pour ensuite tenter d'expliquer ce qui l'avait poussée à ne rien dire depuis de nombreux jours déjà.

Quand Émile s'était tourné sur le côté pour se laisser glisser dans le sommeil, elle avait même échappé un discret soupir de soulagement, avant de se serrer tout contre lui.

C'était depuis le jour de leur mariage, ou peu s'en faut, que Lauréanne et son mari se couchaient relativement tôt, car ce dernier devait se lever aux aurores. En effet, Émile Fortin occupait un poste d'importance à la brasserie Molson et, à titre de maître brasseur, métier enviable s'il en était un, il se devait d'arriver au travail à la pointe du jour. N'empêche que ce métier bien rémunéré, s'il était exigeant, permettait à Lauréanne, en contrepartie, de rester à la maison pour s'occuper de son père, à défaut d'avoir à le faire pour leurs enfants, puisqu'en seize ans de mariage, Émile et Lauréanne attendaient encore et toujours le passage de la cigogne, sans vraiment y croire encore.

Hier soir, incapable de s'endormir rapidement comme de coutume, Lauréanne était restée un long moment les yeux grand ouverts sur la noirceur de la nuit, grisonnée ce soir-là par le reflet d'une lune paresseuse qui glissait entre les tentures.

La semaine qui se terminait avait été particulièrement éprouvante pour Lauréanne.

En effet, elle avait passé de longues heures à chercher les mots, à les répéter quand elle croyait les avoir enfin trouvés, pour finalement reculer quand l'occasion de parler se présentait.

Puis la lettre était arrivée.

Lauréanne avait alors compris qu'elle ne pourrait pas tergiverser plus longtemps. Si elle ne donnait pas cette lettre rapidement à son père, celui-ci allait sûrement la réclamer avec insistance et, c'était bien connu, l'impatience d'Irénée Lafrance n'était pas toujours facile à gérer, puisqu'elle se transformait invariablement en imprécations et en mauvaise humeur.

Dans les faits, si Lauréanne n'avait pas eu besoin de lire la lettre pour savoir ce qu'elle contenait, c'était que son voisin, Gédéon Touchette, dit Monsieur Touche-à-Tout, vendeur itinérant de profession, lui avait tout raconté dans les moindres détails, et elle savait fort bien qu'on pouvait se fier à la parole de Monsieur Touche-à-Tout, vendeur de babioles en tous genres.

En vérité, pas un village d'importance sur la rive nord du fleuve, entre Québec et Montréal, n'échappait à ses visites régulières et à son œil vigilant. Le vendeur s'était donc fait un devoir d'annoncer à Lauréanne, quelques jours à peine après l'événement, qu'un grand drame avait frappé la paroisse de Sainte-Adèle-de-la-Merci, et en pleine nuit, par-dessus le marché.

— Vous êtes pas au courant ? Ça parle au diable ! J'aurais vraiment cru qu'on vous avait prévenue... D'abord, je sais pas trop comment vous dire ça...

Les minauderies et les hésitations volontaires étaient chez Gédéon ce que les canapés étaient aux réceptions chez les gens de la haute société : une sorte de mise en bouche pour le plat de résistance, qui n'allait pas tarder. Gédéon Touchette s'écoutait parler durant un court moment, savourait les mots qu'il choisissait, dégustait les questionnements qu'il voyait naître dans le regard de son interlocuteur, puis, n'en pouvant plus, il finissait par lâcher le morceau avec une sorte d'indifférence calculée qui frôlait la suffisance. Cette fois-ci, il avait donc déclaré, d'une seule traite, que la maison familiale des Lafrance avait passé au feu. Il n'en restait plus rien. Puis, sans tenir compte du regard incrédule de Lauréanne, figée d'horreur, monsieur Touchette s'était permis d'en remettre un peu.

— Même que votre frère est parti aux chantiers, avait-il lâché, toujours sur ce même ton détaché.

De toute évidence, le vendeur itinérant était au fait des moindres détails concernant l'affaire.

— Ouais... Jaquelin a quitté la paroisse dès le surlendemain, avait précisé Gédéon. Comme personne avait été blessé, il a décidé de monter dans l'arrière-pays pour ramasser un peu d'argent durant l'hiver. Du moins, c'est là ce que votre frère Jaquelin aurait déclaré avant de s'en aller.

À ces derniers mots, Lauréanne avait blêmi. Déjà qu'elle avait le souffle coupé, depuis le début de la confidence de Gédéon...

— Ah oui ? La maison de mon père a passé au feu, pis mon frère, lui, il a rien trouvé de mieux que de s'en aller dans le bois ? avait-elle réussi à articuler.

— C'est comme je vous dis ! C'est Gustave Ferron, le marchand général en personne, qui m'a toute raconté ça dans le détail. Il était là, lui, la nuitte où la maison a flambé, rapport qu'il demeure pratiquement à côté.

Comme si Lauréanne ne le savait pas ! Elle avait tout de même habité le village durant de nombreuses années.

— Ça fait qu'il doit ben savoir de quoi il parle, avait enchaîné Gédéon, imperturbable. Par après, comme de raison, j'suis allé voir les ruines. J'aime toujours mieux voir les choses par moi-même avant d'en parler aux autres. Il avait pas menti, le marchand général : il reste pus rien. Pis votre frère était déjà parti. Apparence qu'il m'avait oublié, parce que personne savait ce que je devais faire des agrafes pis des œillets qu'il m'avait commandés. Mais c'est pas trop grave. Je peux comprendre ça.

Gédéon Touchette avait le visage fendu d'un grand sourire, comme si la nouvelle avait de quoi réjouir.

— Eh ben...

Lauréanne, elle, ne se réjouissait pas du tout et elle avait la plus grande des difficultés à rassembler ses idées pour tenter de les accorder à ses émotions. Elle avait donc baissé les yeux, le temps d'encaisser le coup, le temps de laisser son cœur s'emballer devant une enfance envolée en fumée, avant de lui ordonner de se calmer, parce qu'après tout, personne n'était mort.

C'était bien ce que son voisin avait dit, non? Personne n'avait été blessé et, malgré l'horreur de l'événement, c'était là l'essentiel.

Lauréanne avait donc respiré profondément pour ne pas trop se donner en spectacle, puis elle avait relevé la tête.

C'est alors qu'elle s'était heurtée au gros visage jovial de Gédéon Touchette.

Le sang de Lauréanne n'avait fait qu'un tour et le désarroi légitime qu'elle ressentait avait été remplacé illico par un grand, par un faramineux bouillon de colère.

— On dirait que ça vous fait plaisir, le malheur des autres! avait-elle craché, prête à en découdre s'il le fallait.

Elle fulminait à un point tel que ses yeux lançaient

littéralement des éclairs. Impressionné, Gédéon en avait ravalé son sourire.

— Pantoute, ma petite madame, s'était-il empressé de rétorquer. Ça me réjouit pas pantoute, le malheur des autres. Que c'est qui vous fait dire ça ?

— Vous avez un grand sourire qui vous va d'un bord à l'autre de la face. Quand j'ai une face de même, moi, c'est que j'suis contente.

— Ben voyons donc ! Que c'est que vous allez penser là, vous ? Regardez-moi, madame Fortin. Regardez-moi ben la face. Vous voyez ben que je ris pus… C'est juste une déformation professionnelle, ça, là. Comme une seconde nature, j'y peux rien. Après toute, faut me comprendre, chus vendeur itinérant, pis j'ai pour mon dire qu'on attire pas les mouches avec du vinaigre. Faut ben que je gagne ma vie comme tout le monde !

— Ouais, mettons…

Lauréanne, qui connaissait le lascar depuis de nombreuses années déjà, n'était pas du tout convaincue de la sincérité de ses propos ni de ses intentions. Ce n'était pas le premier drame qu'il racontait sur le ton mielleux de celui qui boit du petit lait et, malheureusement, ça ne serait pas le dernier non plus. S'il était vendeur itinérant pour gagner sa vie, comme il venait de le rappeler, Gédéon Touchette était aussi un rapporteur hors pair, le porte-panier de tous les faits et gestes des villages visités au cours d'une semaine.

— Vous pouvez me croire ! J'suis pas mal plus

fiable que ben des journaux, disait-il régulièrement en bombant le torse, fier de ses révélations.

Habituellement, Lauréanne se moquait gentiment de son voisin quand, de toute évidence, il péchait par exagération. Néanmoins, cette fois-ci, l'événement la touchait de façon si personnelle qu'elle n'était pas d'humeur à en discuter avec lui ni avec personne d'autre, d'ailleurs. Elle avait besoin de temps et de solitude pour digérer tout ça.

La conversation allait donc s'arrêter là.

Toutefois, Lauréanne estimait qu'il fallait que les choses soient claires entre eux, et ce fut pour cette raison qu'elle avait précisé, les yeux plantés dans ceux de son voisin :

— Astheure, mon bon monsieur, je vous saurais ben gré de rien dire à mon père. Pas un mot !

— Pourquoi ?

Curieux comme une belette et fouineur jusqu'au tréfonds de toutes les âmes rencontrées, Gédéon Touchette semblait franchement décontenancé.

— Me semble que ça le regarde, votre père, avait-il insisté. Après toute, cette maison-là lui appartient toujours. C'est lui-même en personne qui me l'a dit, l'autre fois.

— Ben justement ! Imaginez-vous le coup de massue que ça va lui donner, le pauvre vieux ! Perdre sa maison, à son âge, c'est comme commencer à mourir à p'tit feu, avant le temps. Pis j'veux pas faire de vilain jeu de mots en parlant de même ! Ça fait que j'vas lui annoncer la mauvaise nouvelle moi-même, au moment où j'vas décider de le faire. Vous,

vous allez vous taire, parce que dans le fond, ça vous regarde pas pantoute, pis moi, de mon bord, j'vas attendre que mon père soye dans une de ses bonnes journées pour y parler. C'est-tu assez clair pour vous, ça?

Le ton était tellement incisif que Gédéon en avait aussitôt oublié la réplique déjà toute prête qui lui chatouillait le bout de la langue depuis un instant.

— Oh! Pour être clair, ça a l'avantage d'être ben clair. Si c'est ce que vous pensez, madame Fortin... Après toute, c'est vous qui savez quoi faire, hein? C'est vous qui connaissez votre père.

— Vous pouvez pas si ben dire... Astheure, vous voudrez ben m'excuser, monsieur Touchette, mais j'ai encore ben des choses à faire avant le souper. J'ai une ben grosse fin de journée qui m'attend... Ça fait que je compte sur vous pour garder votre langue, pis je vous dis à un autre tantôt.

Sur ce, sans le moindre sourire de politesse, Lauréanne avait claqué la porte de son logement, laissant son voisin abasourdi sur leur balcon commun. Ouvrant la porte d'à côté, il était entré chez lui en grommelant.

— Tu parles d'un air bête! Ça m'apprendra aussi à vouloir faire mon smatte. Si j'avais su...

Puis haussant le ton, il avait lancé:

— Janine? T'es-tu là, ma belle Janine? J'suis déjà revenu pis faut que je te raconte quelque chose d'important! Tu me croiras jamais!

Au même instant, Lauréanne s'était réfugiée silencieusement dans sa chambre, à l'autre bout du corridor, en espérant que son père n'avait rien entendu des propos qui venaient d'être échangés à l'extérieur. Elle avait besoin d'être seule pour un moment, le temps de se ressaisir.

Les jambes en coton, Lauréanne s'était laissé tomber lourdement au pied de son lit, puis, machinalement, elle avait porté les yeux vers la fenêtre qui donnait sur la cour, là où sa lessive finissait de sécher, tout en battant mollement au vent. Lauréanne leva les yeux vers le bleu du ciel, comme si, au-delà des cordes à linge et des nombreux poteaux d'électricité, elle allait pouvoir apercevoir le clocher de son village.

La maison de son enfance n'existait plus…

— Tu parles d'une nouvelle, toi, aujourd'hui, avait-elle murmuré, franchement attristée. J'ai pus de maison où rapailler mes souvenirs… C'est ben de valeur, tout ça !

Non que cette maison eût été le témoin d'une jeunesse heureuse, ça aurait été mentir que de l'affirmer avec aplomb, mais c'était quand même la maison où étaient gravés les quelques souvenirs qu'elle gardait de sa mère, dont une photo des noces de ses parents, accrochée sur le mur de la cuisine, que son père avait tenu à laisser là pour que sa femme continue de veiller sur la maison, comme il avait dit.

Son frère avait-il pu la sauver ?

Lauréanne poussa un profond soupir. En fait, elle n'entretenait aucun espoir de revoir cette photo un jour, puisque Gédéon Touchette lui avait dit que la maison avait été rasée !

N'empêche que sa mère avait dû veiller sur la

maison, comme Irénée Lafrance le souhaitait, puisque personne n'était mort dans l'incendie.

N'est-ce pas?

Malgré cela, qu'est-ce que son père allait dire de tout ça? Comment prendrait-il la nouvelle? Et surtout, comment la lui annoncer en essayant de le ménager un peu pour éviter une colère épouvantable, pour éviter un excès de rage, de ceux dont il connaissait le secret, de ceux qui avaient toujours fait trembler la petite fille d'hier, et qui continuaient de faire trembler la femme qu'elle était devenue aujourd'hui?

Irénée Lafrance n'avait plus de maison et il ne l'accepterait pas du tout. De cela, Lauréanne était convaincue.

Bien sûr, le vieil homme n'y habitait plus depuis de nombreuses années, mais cela ne l'empêchait pas de se vanter que cette maison-là, il l'avait construite de ses mains, et que, malgré les apparences, elle lui appartenait toujours. C'était un fait qu'il tenait à préciser, chaque fois qu'il parlait de Sainte-Adèle-de-la-Merci et de toutes les années qu'il y avait vécues.

— C'est un peu comme si la maison était à mon gars, c'est ben certain, parce que c'est lui qui reste dedans avec sa famille. Mais dans le fond, la maison est pas encore à lui. C'est juste quand j'vas mourir que ça va changer. Le notaire a un papier qui explique tout ça, pis un jour, la maison va être à Jaquelin, comme de raison. Mais pour astheure, c'est encore mon bien, pis j'y tiens.

Sachant tout cela, anticipant le pire, Lauréanne avait passé une semaine effroyable, à se demander comment elle allait bien pouvoir annoncer l'impensable à son père. Ce fut donc dans cet état d'esprit, hier, en fin de journée, qu'elle avait glissé la lettre dans le fond d'une des poches de son tablier, parce qu'elle n'avait toujours pas trouvé le courage de parler.

Finalement, il aurait peut-être été plus facile de laisser Gédéon Touchette s'en charger !

Ce matin, la lettre était toujours dans la poche de son tablier et si l'argent du loyer avait été glissé dans l'enveloppe, comme son frère n'oubliait jamais de le faire, il y aurait aussi une très mauvaise nouvelle l'accompagnant.

Dans quels termes son frère s'était-il adressé à leur père ? Lauréanne l'ignorait totalement. Ça l'angoissait, certes, mais en même temps, son grand bon sens avait réussi à la convaincre qu'après tout, une mauvaise nouvelle comme celle-là, qu'elle soit annoncée avec ménagement ou très froidement, ça resterait toujours bien une fichue de mauvaise nouvelle. Alors, elle s'en balançait un peu, des mots choisis par son frère Jaquelin. Chose certaine, quels qu'ils soient, ces mots-là ne laisseraient certainement pas leur père indifférent.

Au bout du compte, ce fut à l'heure du midi que Lauréanne déposa la lettre dans l'assiette de son père, comme elle avait coutume de le faire.

Comme la nuit n'avait pas vraiment porté conseil et qu'elle n'avait toujours rien trouvé à dire concernant l'incendie, Lauréanne avait choisi de faire semblant de ne rien savoir.

Sans se douter de quoi que ce soit, Irénée Lafrance agrippa donc la lettre pour la glisser dans la poche de poitrine de sa chemise, sans avoir oublié, au préalable, de la palper pour voir si l'enveloppe contenait bien les six pièces de cinquante sous que son fils payait tous les mois en guise de loyer. Il fronça les sourcils parce que l'enveloppe lui semblait plus épaisse qu'à l'accoutumée, puis il réclama son repas, en assenant une petite tape guillerette sur la table.

— Envoye, grouille-toi, ma fille! J'ai faim, pis astheure que j'ai reçu mon argent, m'en vas pouvoir aller acheter mon tabac.

Comme elle tournait le dos à son père, Lauréanne, oubliant momentanément l'essentiel de la lettre, leva les yeux au plafond. Comme si son père avait besoin de cet argent-là pour s'acheter du tabac! Il n'en disait rien, ne s'en vantait surtout pas devant elle, mais Lauréanne savait fort bien que son père cachait un assez bon pécule sous son lit. Oh! Elle n'était pas allée jusqu'à compter les pièces de monnaie ou l'argent en papier, elle avait bien trop peur d'être surprise en flagrant délit, mais l'ancienne boîte à café, tout bonnement cachée derrière la vieille valise en carton bouilli, pesait bien lourd!

Cette petite diversion ne dura qu'un instant et Lauréanne repensa aussitôt au message qui devait accompagner les pièces de monnaie qu'elle avait senties à travers l'épaisseur de l'enveloppe. Ce fut suffisant pour qu'une assiette bien garnie apparaisse aussitôt devant les yeux d'Irénée Lafrance. Valait mieux éviter le moindre irritant en satisfaisant chacun de ses caprices habituels, et d'être servi rapidement en faisait partie. Tout comme elle avait soigneusement choisi le menu du midi en fonction des préférences de son père.

— Tenez, son père! Votre assiette était déjà prête! Des patates bouillies avec des *chops* de lard ben grasses, comme vous les aimez.

— Comme j'aime, comme j'aime! Je préfère avec de la compote aux pommes, tu sauras, pis là, j'en vois pas dans mon assiette.

Irénée n'avait pas attendu d'avoir fini de parler pour se mettre à manger. Ce fut donc la bouche pleine qu'il poursuivit, les mots s'emmêlant aux bouchées. Des mots pas vraiment plaisants, enveloppés de bruits peu ragoûtants.

— De toute façon, tout le monde aime ça, des *chops* de lard ben grasses, c'est pas nouveau. Arrête, batince, de dire que tu fais du spécial juste pour moi, pis arrête, avec, de te montrer plus zélée que tu l'es. T'as toujours été de même, hein, ma pauvre fille? Toujours en train de te vanter pour toute, tout le temps. C'est fatigant! Tu peux pas savoir à quel point t'es fatigante, par bouttes.

Devant son père, Lauréanne avait appris à se taire depuis qu'elle était toute jeune. Elle pinça donc les lèvres pour contenir la réplique cinglante qui lui vint spontanément à l'esprit, et elle se contenta de se servir une toute petite assiettée. Non seulement elle anticipait le moment où son père lirait la lettre, et cela lui coupait l'appétit, mais accessoirement, et ce, malgré une longue habitude de la chose, elle était peinée par tout ce qu'il venait de lui dire. Ce n'était vraiment pas dans sa nature de se mettre à l'avant-scène, mais cela, son père ne l'avait jamais compris.

Lauréanne s'installa donc à l'autre bout de la table, loin de son père, et elle mangea du bout des lèvres, jusqu'au moment où Irénée réclama son dessert, après avoir bruyamment repoussé son assiette.

— Pis mon dessert, lui? Tu vois pas que j'ai fini mon assiette? Faut-tu que je soye toujours obligé de toute demander pour que tu bouges?

— Ben non, son père, ben non. Je finissais ma bouchée, c'est tout... Ça sera pas long, m'en vas vous servir. J'ai fait du pouding au pain.

— Encore?

— Ben là... Je comprends pas. Je pensais que vous aimiez ça, du pouding au pain avec du sirop d'érable?

— Ouais, j'aime ça... Mais quand ça revient trop souvent, par exemple, on dirait que c'est moins bon... Pis laisse donc faire! J'ai pus faim! M'en vas aller faire mes commissions... Attends-moi pas avant le souper. Je veux me rendre jusque chez Morgan. J'ai besoin d'un pardessus pour l'hiver. M'en vas me payer ça avec l'argent de Jaquelin. J'vas me rendre en ville à pied parce qu'il fait soleil pis pas trop froid, pis m'en vas revenir avec les p'tits chars après mon magasinage. On se revoit t'à l'heure!

Et, sans plus de cérémonie, Irénée Lafrance quitta la cuisine.

Quelques instants plus tard, un juron...

Lauréanne sursauta.

Le cri avait jailli exactement à l'instant où la fille d'Irénée commençait à croire que son père allait partir sans ouvrir l'enveloppe. Lauréanne était justement en train de se dire que si son père la lisait en cours de route, le gros de sa colère ne passerait pas sur elle. Ou peut-être encore, pressé de s'en aller, allait-il se contenter de prendre l'argent, sans lire la lettre tout de suite, les grosses pièces de monnaie étant collées les unes à côté des autres sur un petit carton blanc. Oui, ce fut précisément à l'instant où Lauréanne commençait à soupirer de soulagement que le juron lui parvint.

— Batince de baptême de maudit sacrament!

Lauréanne ferma les yeux d'exaspération devant ce chapelet de jurons, puis, incapable de se retenir, elle lança:

— Son père! Vous le savez ben que les gros mots sont pas...

— Fiche-moi patience avec tes règlements, maudite fatigante! J'ai le droit de dire ce que je veux, tu sauras. Pis c'est pas de ma faute, si je jure comme ça, c'est de la faute à ton frère. C'est juste un sacrament de calvince de bon à rien. Un vrai sans-dessein!

La voix d'Irénée semblait de plus en plus proche de la cuisine.

Lauréanne ferma les yeux un moment, essayant ainsi de calmer la peur qui montait en elle au rythme des pas qui approchaient. Malgré le fait qu'elle ne soit plus une enfant, elle ne s'y ferait jamais: les colères de son père lui faisaient toujours débattre le cœur et perdre tous ses moyens.

— J'aurais donc dû me méfier, aussi! clamait Irénée. J'aurais donc dû savoir qu'il serait pas capable de se débrouiller tout seul... Pourquoi c'est faire que j'y ai faite confiance, maudit calvaire de batince?

Tout en hurlant sa colère, Irénée Lafrance était revenu sur ses pas. Bien campé sur ses deux jambes, occupant tout l'espace dans l'embrasure de la porte, parce qu'il était plutôt costaud, même à soixante-sept ans, il regardait sa fille avec une lueur mauvaise au fond du regard.

Brusquement, le vieil homme cessa ses vociférations.

Irénée envisagea alors Lauréanne avec suspicion, sourcils froncés, lui trouvant tout à coup un drôle d'air, ce qui attisa aussitôt sa colère.

Il y avait de la connivence dans l'air, Irénée l'aurait juré!

Alors, il inspira bruyamment avant de reprendre de plus belle.

— Tu le savais, ma bonyenne, hein? Avoue que tu le savais pis que t'as décidé de rien dire!

Irénée Lafrance crachait chacun des mots en respirant comme un taureau furieux. Il avait la douloureuse sensation que plus de cinquante ans d'ouvrage avaient été anéantis à cause de la négligence de son fils, et, pour l'instant, il voyait en Lauréanne une complice de la nonchalance de son bon à rien de garçon.

— Jaquelin... Maudit Jaquelin!

Pourquoi le Ciel avait-il permis qu'il ait des enfants à ce point sans-allure?

— Tu le savais, hein? demanda-t-il encore une fois, vrillant sa fille d'un regard accusateur.

Chaque mot prononcé ou presque était souligné par une taloche assenée du plat de la main, sur le mur derrière lui, et à chaque claquement sec, Lauréanne sursautait. Curieusement, elle se rappela qu'il y avait eu une époque où c'était Jaquelin qui recevait les gifles de colère de leur père et non le mur. Ce souvenir lui coupa toute envie de répondre.

— Je comprends, astheure, pourquoi tu parlais pas ben ben depuis une couple de jours, poursuivit Irénée, toujours emporté par une colère hors de contrôle. J'aurais donc dû essayer de te tirer les vers du nez... C'était ça, hein, tes *chops* de lard pis ton pouding au pain, t'à l'heure? Tu devais savoir ce qu'il y avait dans la lettre de Jaquelin pis tu voulais me flatter dans le sens du poil pour me faire avaler la pilule... Sacrament, Lauréanne! À quoi t'as pensé? Allez-vous finir, toi pis ton frère, de toujours me prendre pour un cave?

— C'est pas vrai, ça! arriva enfin à placer Lauréanne, tandis que son père reprenait son souffle.

La pauvre femme sentait le besoin irrépressible de se défendre. Elle n'y était pour rien dans ce malheur qui tombait sur leur famille et elle tenait à ce que son père le comprenne. Sinon, la vie au quotidien risquait de devenir infernale. De toute façon, c'était depuis son réveil que Lauréanne avait décidé de jouer à celle qui ne savait rien, elle allait donc poursuivre la comédie jusqu'au bout.

— Je vous ai jamais pris pour un cave, pis vous le savez... Dites-moi donc... C'est quoi que j'aurais dû savoir de même, son père ? Vous parlez pis vous criez pour quelque chose que je sais pas. Je vous suis pas trop, moi, là.

— Ah non ? Tu me suis pas ? Pis tu penses que j'vas avaler ça ? Tu mens, ma pauvre Lauréanne ! Tu l'as d'écrit dans la face, que tu mens. Penses-tu vraiment que j'vas croire que tu savais pas pour la maison ? Tiens, tiens... Regardez-moi donc ça ! J'ai dit le mot « maison » pis t'as tout de suite viré au rouge tomate, ma pauvre fille ! C'est ben clair que t'étais au courant qu'on avait passé au feu pis qu'y restait pus rien... Ça doit être le Gédéon, encore, qui t'a raconté ça... Ça t'aurait pas tenté de m'en parler ? Après toute, cette maison-là est encore à moi... Mais non, t'as rien dit. Des fois je me demande si t'es plus brillante que l'autre... Par-dessus le marché, ton frère a décidé de partir pour les chantiers. C'est ça que Marie-Thérèse a écrit dans la lettre. Parce que je sais ben que c'est elle qui a écrit tout ça, ton frère est pas capable d'en-ligner deux mots de suite qui ont de l'allure... Pauvre imbécile ! C'est qui, astheure, qui va voir à reconstruire MA maison ? Hein ? Tu le sais-tu, toi ? C'est toujours ben pas les beaux-frères Gagnon qui vont toute décider à ma place. C'est juste normal que cette *gang*-là donne un coup de main, on est toutes un peu de la même famille, mais c'est pas à eux autres d'établir comment on va la reconstruire, cette maison-là.

Victor Gagnon a beau être un ami, pis que j'y fais confiance, ça change rien au fait que ton frère aurait dû rester au village pour voir à toute. Pis ça, c'est sans parler de la clientèle! Si ton frère est pas là, qui c'est qui va s'occuper de la clientèle que j'ai mis des années à bâtir, pis à servir, cinquante-deux semaines par année? C'est ben clair que le monde de Sainte-Adèle-de-la-Merci va aller voir ailleurs parce que tout le monde a besoin d'un cordonnier, un jour ou l'autre. Pis dis-toi ben, ma fille, que c'est pas juste dans notre paroisse qu'il y a un cordonnier... Qu'il y avait un cordonnier... Sacrament de batince, me v'là qui dis les choses au passé en parlant de ma cordonnerie... Ça me fait mal là! lança Irénée Lafrance en se frappant la poitrine à grands coups de poing. Ton frère aurait jamais dû prendre une décision comme celle-là sans m'en parler. J'y aurais dit, moi, qu'y serait ben mieux de se regreyer d'outils, pis de s'installer ailleurs dans le village en attendant la reconstruction, question de continuer à servir les habitants de la paroisse. Me semble que c'est pas compliqué à comprendre, ça? Astheure que Jaquelin est pus là, c'est comme rien que tout le monde va aller au village d'à côté pour faire réparer ses souliers, pis on sait toutes que des nouvelles habitudes, ça se prend vite. Pauvre cave, pauvre imbécile... Y a jamais été capable de réfléchir dans le sens du monde... Voir que ça a de l'allure de se sauver de même... Sacrament... Ton frère, c'est rien qu'un maudit imbécile de sans-génie!

Quand son père dépassait les bornes comme en ce moment, quand les imprécations étaient truffées de jurons, quand les propos étaient empreints de mesquinerie, quand du plat de la main il frappait le mur derrière lui, ponctuant son discours, Lauréanne avait la désagréable impression de ne plus rien avoir dans la tête, son esprit se vidant au rythme accéléré des cris de son père. Pourtant, en temps normal, Lauréanne était plutôt vive et sûre d'elle-même, capable de tenir la dragée haute à n'importe quel interlocuteur. Toutefois, devant son père en colère, injuste et vociférant, elle redevenait aussitôt la gamine qui avait remplacé leur mère à la maison, essayant de toutes ses forces d'enfant de plaire à cet homme irascible qu'était Irénée Lafrance, sans jamais y parvenir réellement, sauf parfois le temps d'un pâté chinois ou d'un pouding au pain un peu mieux réussi.

L'espace d'une seconde, Lauréanne regretta amèrement de ne pas avoir donné cette lettre maudite la veille au soir, quand Émile était à la maison. Devant son gendre, Irénée Lafrance avait appris à contenir son mauvais caractère parce qu'Émile Fortin avait fort bien réussi dans la vie et que, pour cette raison, il méritait tout son respect. De plus, Émile était bien la seule personne à être capable de tenir tête à Irénée Lafrance sans attirer ses foudres. Cet homme-là avait un doigté naturel avec les gens, une diplomatie qui enlevait toute velléité de discorde.

À quoi Lauréanne avait-elle pensé, grands dieux, en repoussant l'échéance jusqu'à l'ultime limite, sans demander l'intervention de son mari? Pourquoi avait-elle cherché à ménager son père? Ménageait-il les autres, lui, quand quelque chose ne faisait pas son affaire ?

Sans dire un seul mot, retenant presque son souffle pour contrer les larmes qui menaçaient de déborder, Lauréanne essuya la mauvaise humeur de son père jusqu'à ce que ce dernier ait épuisé tout le vocabulaire qu'il connaissait pour exprimer sa rage.

Au moins Irénée n'avait-il jamais levé la main sur sa fille et ce ne fut pas ce matin-là qu'il commença, malgré la gravité de la situation.

Tout aussi brusquement que la tempête s'était levée, elle s'apaisa. Irénée poussa un long soupir, il fit quelques pas dans la pièce, regardant tout autour de lui, comme s'il revenait d'un long voyage, puis il se laissa lourdement tomber sur la chaise berçante, visiblement épuisé, ébranlé.

Pour une seconde fois, s'il prenait le décès de sa femme en considération, Irénée Lafrance avait la pénible sensation que sa vie venait de s'écrouler.

Qu'avait-il bien pu faire pour mériter un tel châtiment ?

Pourtant, elle avait si bien commencé, cette vie de cordonnier !

À dix-sept ans, au décès de son père, son oncle Ferdinand lui avait proposé de devenir son apprenti.

— Je le sais ben que t'es pas faite pour le travail de la terre, mon pauvre garçon. Ça se voit comme le nez au milieu de la face, depuis que t'es un gamin ! Je me demande ben ce que tu pourrais faire d'une terre à labourer ! Loue à tes voisins les champs dont tu viens d'hériter pis viens me rejoindre à la cordonnerie.

La proposition n'était pas tombée dans l'oreille d'un sourd, car effectivement, le vieil oncle Ferdinand avait vu juste : Irénée détestait le travail de la terre, des labours aux récoltes, et l'obligation de devoir aider son père avait toujours exacerbé sa nature prompte et facilement irritable !

En quelques semaines à peine, tous, au village, avaient compris que l'irascible Irénée venait de trouver chaussure à son pied, car contre toute attente, on l'avait vu esquisser quelques sourires. Il faut dire, cependant, qu'il y avait matière à pavoiser !

En quelques mois à peine, le jeune homme avait hérité d'une terre de belle dimension, laquelle avait été louée sans trop de difficulté. Il s'était trouvé un travail à son goût et il avait rencontré la belle Thérèse, lors d'une fête au village voisin. Il venait d'avoir dix-huit ans et il était le plus heureux des hommes. Pour compléter le tout, un mariage en grande pompe avait suivi dans l'année.

À cette époque, la cordonnerie n'était qu'un petit bâtiment sans envergure, mais judicieusement situé en plein cœur du village. Matin et soir, Irénée embrassait sa Thérèse et il quittait le deuxième rang Ouest pour venir au village afin de seconder le vieux Ferdinand, sans jamais se plaindre.

Le jour où son vieil oncle célibataire avait cassé sa pipe et que, pour une seconde fois en quelques années à peine, Irénée Lafrance avait été désigné comme unique héritier, la décision s'était prise d'elle-même : il vendrait la terre ancestrale qui ne lui était d'aucune utilité et, avec l'argent ainsi récolté, il construirait une maison sur le terrain de la cordonnerie afin de loger sa famille, puisque sa Thérèse attendait enfin le passage de la cigogne. Désormais, Irénée n'aurait plus à se déplacer matin et soir et il en était fort aise.

Il venait d'avoir vingt-cinq ans.

Dans les mois qui suivirent la construction, la petite Lauréanne venait au monde.

Ce furent les plus belles années de la vie d'Irénée, celles où on le vit sourire le plus souvent.

La naissance de Jaquelin avait toutefois anéanti ses espoirs d'une belle et longue vie aux côtés de son épouse.

Le bébé avait à peine poussé un premier vagissement que la sage-femme lui annonçait que son épouse n'avait pas survécu à la naissance de ce gros garçon de plus de dix livres.

À partir de ce jour, Irénée n'avait plus jamais souri, même si, d'une certaine façon, la vie s'était montrée généreuse à son égard, lui permettant de gagner honorablement son pain et même plus.

Et voilà que du labeur de toute une existence, il ne restait que cendres et tristesse.

Irénée n'était pas certain de pouvoir s'en remettre un jour.

À l'autre bout de la cuisine, Lauréanne n'osait toujours pas intervenir. Elle savait par expérience que le moindre mot jugé inacceptable par son père, que le moindre geste trop bruyant aurait le désagréable pouvoir de repartir le bal des imprécations. Elle sentait la présence brûlante de son père dans son dos et c'était amplement suffisant pour la garder silencieuse.

Lauréanne attendit un bon moment avant de se retourner lentement pour se diriger vers la table afin de retirer les couverts, le plus discrètement possible. Ensuite, toujours sans dire un mot, elle reprit sa place devant l'évier, le regard s'évadant vers la cour. Ce ne fut qu'au moment où elle entendit son père se relever qu'elle osa faire couler un peu d'eau dans le grand lavabo de porcelaine blanche pour commencer à faire la vaisselle.

— M'en vas faire mes commissions, répéta alors Irénée Lafrance, calmement, avant de quitter la cuisine.

Son père était tellement placide que Lauréanne eut l'impression qu'elle venait de rêver cet intervalle de fureur, que la tempête qui avait traversé sa cuisine n'avait tout simplement pas existé.

— Attends-moi pas avant le souper, j'en ai pour un petit boutte.

La voix était lasse et les mots prononcés par Irénée Lafrance s'échappaient avec lenteur. Lauréanne se demanda si c'était une bonne idée qu'il quitte la maison ainsi, tout seul, pour quelques heures. Malgré tout, cet homme-là était son père et, présentement, il devait être bouleversé.

S'il fallait qu'il ait un malaise?

Un imperceptible haussement d'épaules scella cependant la décision de ne pas intervenir. Selon le médecin consulté pour une vilaine toux, son père était un homme en parfaite santé, et elle-même avait eu sa dose de jurons pour au moins toute une semaine.

— C'est ça, son père, murmura-t-elle finalement, le bout des doigts trempant dans l'eau chaude qui montait tranquillement au fond de l'évier. Bon magasinage quand même.

— Merci ben.

Quelques jours plus tard, Marie-Thérèse reçut un télégramme lui annonçant que son beau-père, Irénée Lafrance, arriverait à la gare de Sainte-Anne-de-la-Pérade le mercredi suivant, au milieu de la journée.

« Pis ça va prendre quelqu'un pour venir me chercher à la gare », avait-il écrit en guise de conclusion.

Le message était clair et Marie-Thérèse leva un regard accablé vers sa tante Félicité.

— C'est pas vraiment poli ce que j'vas dire là, matante, mais me semble que j'avais pas besoin d'y voir la face, à lui. Que c'est qu'il s'imagine, le beau-père ? J'ai pas ça, moi, une machine à moteur ou un *buggy* avec un cheval pour aller le chercher aussi loin, soupira Marie-Thérèse. Pis en plein milieu de la semaine, comme ça, mes frères travaillent au moulin, dix heures par jour. Je peux pas leur demander d'aller à La Pérade à ma place... En plus, le beau-père dit même pas où c'est qu'il va coucher. Gratteux comme il est, il ira sûrement pas à l'hôtel.

À ces mots, Félicité leva un regard résolu vers sa nièce.

— Ça, c'est sûr qu'Irénée ira pas à l'hôtel. Aussi sûr que ma maison est trop petite pour le recevoir à coucher chez moi. Le beau Irénée aura juste à aller chez son cousin Raoul.

— Raoul ? Je pense pas, moi, que c'est ça qu'il a dans l'idée, le beau-père. Je l'ai jamais vu fréquenter son cousin Raoul. Pas ben ben souvent, en tous les cas.

— Pis ? Que c'est que ça change ? Ça me dérange pas une miette, moi, ce qu'Irénée Lafrance peut ben penser ou espérer. Icitte, ma belle, c'est ma maison. Je l'ai achetée du père Anatole Picard, quand j'avais tout juste vingt-six ans, pis je l'ai payée moi-même de la première à la dernière cenne, avec les cours de piano que j'ai donnés au couvent durant toute ma vie. Ça fait que j'estime que ça me donne le droit d'ouvrir ma porte à qui je veux. Si Irénée Lafrance espère venir chez moi pour une visite ou ben pour un repas, j'suis ben d'accord, pis ça va me faire plaisir de partager ma table avec lui. Mais il viendra pas coucher dans ma maison, par exemple, ou je m'appelle pas Félicité Gagnon. Cet homme-là est trop malcommode pour que j'aye envie de l'endurer plus qu'une couple d'heures à la fois. Astheure, on va essayer de trouver quelqu'un pour aller le chercher à La Pérade. Pour ça non plus, faut pas trop compter sur moi. Un long bout de route à l'entendre chialer sur un peu toute, ça dépasse mon bon vouloir. Pis ça sera pas toi non plus, ma pauvre fille, qui vas se taper cette corvée-là. T'en as déjà plein les bras, à voir aux enfants, pis à tout le reste, sans ton mari. Ça fait que ma vieille jument va rester ben sagement dans l'écurie, pis nous deux, on va rester ben calmement dans ma cuisine, pour attendre la visite de ton beau-père. Laisse-moi m'occuper de tout ça, ma belle fille! J'ai ma petite idée là-dessus.

Ce fut ainsi qu'Irénée Lafrance arriva au village, le mercredi suivant, à l'heure du souper. Félicité n'avait pas eu à demander quoi que ce soit, car le père de Marie-Thérèse, devinant que cette visite ne serait facile pour personne, s'était offert pour aller le chercher à la gare de Sainte-Anne-de-la-Pérade.

— Je le sais ben, va, qu'il est pas facile, Irénée Lafrance. Il l'a jamais été, avait-il déclaré spontanément à sa sœur Félicité, quand celle-ci lui avait parlé du télégramme reçu. Déjà, à la petite école, le grand Irénée était pas mal critiqueux sur toute, mais c'est quand même mon ami, pis le beau-père de ma fille... On va s'occuper de tout ça, inquiète-toi pas! J'ai pour mon dire que c'est aussi ben que ça soye moi qui aille le chercher. Entre amis, justement, on va pouvoir jaser de tout ce qui est arrivé sans lever le ton. Pis crains pas, Félicité, m'en vas y passer une chambre, le temps qu'il faudra. J'vas en parler avec Lucienne, mais je suis certain que ma femme va être d'accord avec moi. Comme je la connais, l'invitation va venir d'elle-même parce que ta belle-sœur a l'œil vif! Ma femme va vite comprendre que ça va être mieux pour tout le monde si Irénée vient crécher chez nous.

Témoin de cette conversation entre sa tante et son père, Marie-Thérèse avait poussé un soupir de soulagement.

— Merci, papa. C'est gentil de penser comme ça. Si vous saviez comment c'est pas facile de vivre toute seule avec les enfants, dans une maison qui est pas chez eux… Me semble que d'avoir le beau-père sur le dos, en plus de tout le reste, ça aurait été la goutte de trop.

— C'est ben ce que je me suis dit en lisant les mots du télégramme. Pas besoin de jongler longtemps pour comprendre qu'Irénée est pas de bonne humeur, ma pauvre fille. J'vas donc m'en occuper.

— Vous êtes ben fin, papa !

— Comment tu veux que ça soye autrement, ma pauvre enfant ? avait ajouté Félicité, malicieuse. C'est normal, dans la famille Gagnon, d'être gentil. Tu l'avais jamais remarqué avant ?

Ce fut ce soir-là, pour une première fois depuis la nuit de l'incendie, que Marie-Thérèse pensa à son mari sans verser la moindre larme. Alors qu'elle se trouvait bien emmitouflée sous les couvertures, seul l'ennui de son homme faisait débattre son cœur et se languir son corps en manque d'affection.

Demain, elle écrirait une longue lettre à Jaquelin. Elle lui raconterait le quotidien devenu le sien par la force des choses. Elle ferait une petite histoire de tout ce qui se passait au village, car lui aussi devait s'ennuyer des siens. Le sommeil la prit par surprise, tandis qu'elle répétait les mots qu'elle voulait écrire.

Au bout du compte, la visite d'Irénée Lafrance dans la paroisse de Sainte-Adèle-de-la-Merci n'avait pas duré plus de quarante-huit heures, et elle avait commencé par un moment de recueillement devant le trou béant laissé par la maison détruite. Le plus gros des ruines avait déjà été ramassé, car personne ne voulait être surpris par la première neige, qui ne devrait plus tellement tarder!

Irénée était resté immobile et silencieux, dans une posture évoquant étrangement celle prise par son fils au moment de l'incendie. Les mains dans le dos, les deux pieds en équilibre instable sur la terre gelée, il avait longuement contemplé la cheminée, seul vestige de cette maison qui avait été sa grande fierté durant de longues années.

— Batince que c'est dur de voir ça! avait-il murmuré, bien plus pour lui que pour son ami Victor Gagnon qui, le comprenant, n'avait rien répondu.

Après un très long moment d'introspection, Irénée avait enfin accepté de suivre son ami jusque chez lui.

— J'irai voir ta fille pis mes petits-enfants, demain matin. Pour astheure, j'suis fatigué, ben fatigué... T'aurais pas ça, par hasard, un peu de fort, chez vous? Même de la bagosse ferait l'affaire. J'suis pas un gros buveur, mais me semble que ça me ferait du bien en dedans. J'ai l'impression d'être gelé jusqu'à la moelle des os!

La soirée avait été consacrée aux souvenirs de toutes sortes.

Le lendemain, Irénée en avait profité pour saluer quelques amis avant de faire un saut chez Félicité, puisque Victor lui avait appris que c'était avec Marie-Thérèse qu'il pourrait discuter de la reconstruction. Au souper, Irénée Lafrance avait déclaré qu'il était prêt à repartir.

— Astheure que j'ai vu ma bru pis mes petits-enfants, m'en vas retourner à Montréal. Je me suis ben entendu avec Marie-Thérèse, pis elle sait exactement quoi faire pis comment le faire. À partir de là, pourquoi est-ce que je traînerais par icitte? J'ai pus l'âge ni l'envie de reprendre le marteau... C'est fou, mais je pensais que le fait de voir un peu de mon ancienne maison allait ramener quelques souvenirs, mais il s'est rien passé. Peut-être ben à cause qu'il y a pus rien à voir, batince, rapport qu'il y a pus rien de ma maison. Juste une cheminée, maudit calvaire!

— Garde tes jurons pour toi, Irénée Lafrance. J'aime pas t'entendre parler comme ça.

— Je parlerai ben comme j'veux, Victor Gagnon... Je voudrais ben te voir à ma place, toi! Pas sûr que tu parlerais comme un monsieur, si t'avais toute perdu comme moi.

— C'est vrai que ça doit être dur de vivre ce que t'es en train de vivre... J'ai jamais dit le contraire, pis je le penserai jamais non plus. N'empêche que ça doit être ben pire pour ton Jaquelin pis pour ma fille.

À ces mots, la réflexion suivante d'Irénée n'avait pris qu'une fraction de seconde à franchir sa bouche, preuve qu'il y avait longuement pensé.

— Pour ta fille, je dis pas, approuva-t-il dans l'instant. C'est vrai que ça doit être plate en sacrifice de vivre ailleurs que chez elle avec la trâlée d'enfants qu'elle a. Mais pour mon fils? Voyons donc! Si elle avait eu autant d'importance que ça, la maison, Jaquelin serait resté par icitte. Tu penses pas, toi?

Le temps d'une courte inspiration chargée d'impatience, puis Irénée avait poursuivi, sans attendre de réponse.

— Ben non, il est pas resté au village ! Mon fils s'est sauvé comme un voleur. Il s'est débarrassé de la corvée, le maudit lâche ! Viens pas me dire, Victor, que tu penses vraiment que c'est dur pour lui.

— Ben quins ! C'est sûr que je pense chacun des mots que je viens de te dire. Dans le fond, un dans l'autre, je reste convaincu que c'est Jaquelin qui a toute perdu. C'est juste une manière de dire quand tu répètes à qui veut l'entendre que la maison t'appartient encore. C'est un fait sur papier, je te l'accorde, mais dans la réalité, c'était Jaquelin qui habitait cette maison-là avec sa famille, pis c'était là en plus qu'il travaillait. C'est une moyenne claque en pleine face qu'il vient de recevoir, ton gars. Toi, tes biens pis tes souvenirs d'importance, ils sont rendus à Montréal, ils sont pas icitte. Pis en plus, t'as pas besoin de gagner ta vie. Comme on dit, ton avenir est en arrière de toi. C'est sûr que ça te revire un homme quand même, de voir sa maison détruite, on serait découragé à moins que ça. Après toute, c'est toi qui l'as bâtie, cette maison-là. Mais une fois que c'est dit, ça change rien à ta vie de tous les jours. Tu vas retourner à Montréal, pis tu vas reprendre tes habitudes dans la maison de ta fille Lauréanne. Tandis que Jaquelin, lui, c'est toute sa vie qui a été mis en jachère pour un boutte. C'est pas rien, ça, dans la vie d'un homme.

— Ouais, vu de même…

— Il y a pas d'autre façon de voir ça, mon pauvre Irénée.

— Mettons que t'as raison… Reste quand même qu'il aurait pas dû partir, le Jaquelin. Du moins, pas sans m'en parler. J'ai pour mon dire qu'il aurait mieux fait de remplacer ses outils, de se trouver un petit local, pis de rester icitte à faire son métier. Comme moi dans le temps, avant que j'aye les moyens de me faire bâtir une grande maison. Comme ça, Jaquelin aurait pas risqué de voir la clientèle s'en aller ailleurs. Je l'aurais aidé, maudit batince. Je comprends pas sa manière de penser, à mon garçon. Il dit jamais rien. Il aurait dû me demander de l'aide au lieu de faire de l'air de même. Ben non! Il a préféré se sauver pis là, on va perdre toute notre clientèle.

— Sans vouloir t'offenser ni dénigrer tout le temps que t'as consacré à la cordonnerie du village, je te dirais qu'il y a pas meilleur que Jaquelin pour réparer les souliers. Il a un vrai don pour travailler le cuir, ton gars. Ça fait que je m'en ferais pas trop trop pour la clientèle. Elle va lui revenir à la seconde où Jaquelin va rouvrir la cordonnerie.

— T'es sûr de ça?

— Oh que oui, j'suis sûr de ça.

— Ben coudonc... C'est vrai que ça fait un boutte que j'suis parti de la paroisse... Pis c'est vrai, avec, que Jaquelin a dû s'améliorer avec les années. Mais je pensais pas qu'il était apprécié à ce point-là, par exemple... Me semble que du temps où j'étais là, il était pas si fameux que ça.

— Ça, c'est toi qui le dis... On est toutes un peu pareil devant nos enfants, non? On voudrait tellement qu'ils soyent les meilleurs qu'on remarque pas vraiment quand ils sont bons.

À ces mots, Irénée resta silencieux un moment avant d'approuver d'une voix songeuse.

— C'est peut-être un peu vrai, ce que tu dis là.

À la demande d'Irénée, les deux hommes étaient passés une dernière fois par la maison brûlée avant de prendre la route vers La Pérade. Durant toute cette discussion, le souffle de leurs respirations montait au-dessus de leurs têtes, car il faisait très froid.

— Pis la maison, elle? avait alors demandé Irénée, comme si le sujet n'avait pas été abordé et examiné sous toutes ses coutures. J'ai eu beau parler avec ta fille, pis j'ose croire que j'peux y faire confiance, j'aimerais mieux entendre ce que toi, tu as à dire à propos de la maison. C'est pas vraiment une histoire de femmes, construire une maison.

— Ah oui? C'est vraiment ça que tu penses? Ben pas moi! Au contraire, je dirais que ma fille Marie-Thérèse, elle vaut ben des hommes... Pis? C'est quoi que tu veux que je te dise à propos de la maison?

— Toute, batince! Qui c'est qui va y voir vraiment? Faut toujours ben la reconstruire pour que Jaquelin puisse reprendre la cordonnerie. Marie-Thérèse m'a dit que...

— Marie-Thérèse t'a dit exactement ce qui va se passer, avait répliqué Victor, coupant ainsi la parole à Irénée. Pourquoi t'inquiéter? On a toute pensé ben sérieusement à la reconstruction, Jaquelin le premier. Penses-tu vraiment que ton gars s'est sauvé comme un voleur? Voyons donc! Le peu de temps qu'il est resté ici après l'incendie, Jaquelin a pas chômé, laisse-moi te dire ça... Inquiète-toi pas pour ta maison.

Jaquelin est pas parti sans avoir vu à toute, sans nous avoir dit ce qu'il espérait…

— Ah ouais ?

— Ouais, comme j'viens de te le dire. Arrête de t'en faire, Irénée ! Tout le monde au village est prêt à donner un coup de main, pis si Jaquelin est parti, c'est pour avoir l'argent nécessaire aux travaux. C'est ben beau savoir que le bois va être gratis, les dépenses s'arrêteront pas à ça. On en a parlé, Jaquelin pis moi. Durant les travaux, j'vas avancer ce qu'il faut au besoin, Gustave Ferron a accepté d'ouvrir un compte spécial, pis on va régler ça à son retour au printemps prochain.

Au fur et à mesure que Victor Gagnon énonçait ou répétait l'ensemble des mesures prises en vue de la construction, Irénée semblait se détendre. Puis, soubresaut de l'inquiétude, il demanda avec une pointe de suspicion dans la voix :

— Ah ouais, tu vas avancer de l'argent au besoin, toi ? Pourquoi tu ferais ça, Victor ?

Il y avait une indéniable méfiance dans le timbre de voix d'Irénée.

— Après toute, cette maison-là était pas à toi.

Comme si Irénée avait besoin de le répéter !

— Crains pas, je le sais qu'elle est pas à moi… Ni à ma fille, non plus. On sait toutes ça. N'empêche… M'en vas quand même travailler comme si elle était à nous autres.

La voix de Victor Gagnon était froide et dure comme l'acier. Qu'Irénée Lafrance, malgré son mauvais caractère, soit un ami était une vérité qu'il ne renierait jamais. Cependant, sa fille et ses petits-enfants auraient toujours priorité sur cette amitié. Qu'Irénée se le tienne pour dit!

— Pis m'en vas te dire pourquoi… Quand la maison a passé au feu, c'était quand même ma fille qui vivait dedans avec mes petits-enfants, précisa alors Victor Gagnon de cette même voix glaciale. Tu peux pas savoir à quel point ça m'a donné froid dans le dos.

— Choque-toi pas, Victor. Je faisais juste une remarque.

— Ben moi avec, je fais juste une remarque… Dis-toi ben, Irénée, que ton gars, depuis qu'il est marié à ma fille, il fait partie de ma famille. T'es peut-être le seul à pas le voir, mais c'est un bon garçon, ton Jaquelin. Il a le cœur à la bonne place, pis, chez nous, tout le monde l'aime ben, même s'il parle pas gros. C'est un bon travaillant, pis il fait de la belle *job*. C'est pour ça que mes gars pis moi, on est prêt à faire notre part. Même que la paroisse au grand complet est en arrière de nous autres. On va faire de notre mieux pour reconstruire la maison. Pour Jaquelin pis Marie-Thérèse, comme de raison, mais pour toi, aussi.

— Pour moi?

— Ouais, pour toi. Personne, icitte, a oublié que c'est toi qui l'avais bâtie cette maison-là, pour prendre la relève de ton oncle Ferdinand. C'est grâce à toi si Sainte-Adèle-de-la-Merci a pas perdu sa cordonnerie. Ça fait que c'est un peu pour toi aussi qu'on veut que toute reprenne sa place. On est d'accord pour dire

que le cœur du village est pus pareil sans la cordonnerie. Même monsieur le curé en a parlé dans un de
ses sermons. C'est te dire...

— Ah oui, monsieur le curé a parlé de moi ?

— C'est comme je te dis !

— Eh ben... Ça fait du bien à entendre, tout ça...
Ça fait du bien de savoir que le monde a rien oublié.
Coudonc... Si toute est sous contrôle, comme ça m'en
a l'air, il me...

— Comment tu veux que ça aille autrement ? avait
coupé Victor Gagnon, une seconde fois. C'est ben
certain que l'hiver est presque là, pis que ça va nous
mettre quelques bâtons dans les roues. Mais c'est pas
ça qui va nous arrêter. On va prendre le temps qu'il
faut pour que ça soye ben faite, mais au printemps,
j'suis à peu près certain que la maison va être reconstruite. Comme celle d'avant !

— Pareille ?

— Le plus possible. Pourquoi on changerait ? Elle
était pas mal belle, ta maison, pis ben pensée, surtout,
pour laisser de la place à la *shop* sans trop rapetisser
les pièces d'habitation. T'avais vraiment faite de la
belle ouvrage, pis tu le sais. Rappelle-toi comment
c'est que ta femme Thérèse était fière de toi !

Le compliment et le souvenir avaient fait rougir
Irénée. Mal à l'aise, il s'était détourné.

— Ben si c'est de même, m'en vas retourner en
ville l'esprit en paix. J'ai pus rien à faire icitte...
Ouais, j'suis vraiment soulagé de voir que tu prends
ça à cœur de même. Merci ben. Je t'en devrai une.

Toutefois, la plus soulagée fut indéniablement

Marie-Thérèse, quand Félicité lui annonça que son beau-père était reparti.

— Il est vraiment parti ? Parti pour la ville ?

— Parti pour Montréal, oui ! C'est ton père lui-même qui m'a dit l'avoir reconduit à la gare de La Pérade. Il est même resté sur le quai jusqu'à ce que le train s'en aille, avant de revenir chez nous.

Le sourire de Marie-Thérèse était tout empreint de soulagement.

— Comme ça, le beau-père restera pas par icitte pour le temps des travaux ? demanda-t-elle avec une pointe d'incrédulité dans la voix.

— Pantoute… Quand je l'ai croisé, au magasin général, ton père m'a dit que c'est lui pis toi qui alliez voir aux travaux, comme vous l'avez décidé avec Jaquelin, juste avant qu'il parte. M'est avis, ma Thérèse, qu'on reverra pas Irénée avant le printemps.

— Ben ça, matante, c'est une bonne nouvelle. J'vas écrire tout ça à Jaquelin, à soir. M'en vas y raconter la visite de son père. Ouais… Par la même occasion, j'vas y annoncer que la reconstruction va commencer bientôt, rapport qu'il neige toujours pas.

— Bonne idée, ma fille. J'suis jamais allée sur un chantier dans le bois, c'est ben certain, vu que c'est pas une place pour les femmes, mais on m'a déjà dit que le temps paraissait ben long quand on était dans l'arrière-pays. De la manière qu'on m'a raconté ça, on dirait ben, ma grande foi du Bon Dieu, que le temps est plus long par là-bas que par icitte, quand on vit au village. En tous les cas, c'est ça qu'on m'a déjà dit. Ça fait que tu peux écrire à ton homme tous les jours, si tu veux, je pense que ça sera jamais de trop. Pis moi, ben, j'vas faire ma part en te fournissant les timbres !

— Si c'est comme ça, répondit Marie-Thérèse, les yeux brillants, tout en soutenant le regard de sa tante, j'vas y écrire, à mon Jaquelin. Tous les jours, comme vous dites, parce que je m'ennuie de lui comme c'est pas permis.

DEUXIÈME PARTIE

Hiver 1923

CHAPITRE 3

Au camp de la Joffer's Company,
sur les bords de la rivière Windigo, dans
le baraquement appelé réfectoire

Le dimanche 24 décembre, en fin de soirée, à
travers quelques souvenirs et réflexions de Jaquelin

On avait déjà raconté à Jaquelin, entre deux paires de souliers à réparer, qu'un chantier, ça ressemblait à un petit village, et que le dortoir, en fait de poux, de froid et d'inconfort, n'avait rien à envier aux prisons en temps de guerre. Faute d'en avoir vu une photographie, Jaquelin avait accordé un certain crédit à ces propos, entretenant quand même quelques doutes et réserves.

Ben voyons donc! On devait quand même exagérer un peu, non?

D'un côté, on n'allait sûrement pas construire des villages temporaires au beau milieu de nulle part, sans véritables routes pour s'y rendre ni église pour aller se recueillir le dimanche, et, d'un autre côté, on n'était plus en temps de guerre. Les conditions d'hygiène devaient tout de même être plus adéquates que dans les prisons militaires, pour Jaquelin, ça ne faisait aucun doute.

Ce fut donc pétri de questionnements que le cordonnier de Sainte-Adèle-de-la-Merci avait entrepris le voyage, après deux journées épuisantes, faites de palabres et de discussions concernant la maison à reconstruire, d'inquiétudes et d'incertitudes quant à l'avenir. Il y avait eu aussi les préparatifs en prévision de la longue saison aux chantiers.

Puis ça avait été le départ.

Une crampe au ventre, Jaquelin avait quitté les siens, juste après un dîner mangé du bout des lèvres.

Dans quelle galère venait-il de s'embarquer ?

Jaquelin l'ignorait et l'inconnu lui avait toujours fait peur. Cependant, une fois cela admis, avait-il eu vraiment le choix ?

Après toute une journée à soupeser les avantages et les inconvénients d'une telle décision, seul face à la maison à peine refroidie, ou un peu plus tard, tout en fouillant dans ses ruines, Jaquelin avait estimé que non. Quoi qu'il puisse lui en coûter, le bien-être de sa famille et la reconstruction de la maison de son père passaient par ce sacrifice, il en était convaincu.

Le voyage avait donc commencé par quelques heures à rouler dans un train bondé qui l'avait mené depuis Sainte-Anne-de-la-Pérade jusqu'à Trois-Rivières, puis, de là, jusqu'à La Tuque. Épuisés, les hommes s'étaient tous retrouvés à l'hôtel pour y passer la dernière moitié de la nuit, dans des chambres partagées à quatre et offertes par la compagnie. C'était une expérience nouvelle pour Jaquelin que de passer une nuit ailleurs que chez lui, dans une chambre où il y avait l'électricité au bout d'un bouton, qu'on pouvait tourner à volonté, et de l'eau courante dans un petit évier installé dans un coin de la pièce. Malheureusement, il n'en avait pas tiré un grand plaisir, car Marie-Thérèse commençait déjà à lui manquer.

Dès l'aube du lendemain, après un copieux déjeuner pris à la salle à manger de l'hôtel, Jaquelin s'était installé dans une charrette tirée par des chevaux, en compagnie de ces mêmes compagnons, et ainsi, ils étaient tous montés à travers bois. Ils avaient longuement et péniblement cheminé par des sentiers sinueux que seul le conducteur semblait apercevoir à travers la forêt grisâtre, dépouillée de toutes ses feuilles. Souvent, les hommes avaient dû descendre de la charrette pour aider l'équipage à traverser des portions de routes défoncées.

Durant tout ce long trajet, la seule personne que Jaquelin connaissait, et uniquement de vue, c'était le contremaître, celui que tout le monde ici appelait le *foreman*.

Jaquelin l'avait rencontré au matin de la Toussaint, sur le parvis de l'église, alors que l'homme était installé à une table de fortune et qu'il prenait en note le nom des volontaires, prêts à monter dans les bois pour tout l'hiver, rabattant à tout moment les feuilles que le vent s'entêtait à soulever. Bien mis, avec chapeau, chemise blanche et cravate sous une gabardine de belle allure, cet homme-là n'avait pas du tout l'air d'un gars de bois. Pourtant, c'était lui qui les accompagnerait tout au long de la route, et de l'hiver, avait-il déclaré au moment des inscriptions, comme si ça allait changer quoi que ce soit à la décision de tous ces hommes venus offrir leurs services.

— On va faire la route ensemble, avec mon *jobber*, avait-il tenu à préciser. Pour astheure, lui, il est au village d'à côté.

Puis, d'une voix un peu brusque, le contremaître avait demandé à Jaquelin, sans lever les yeux de sa feuille :

— Avec ou sans expérience ?

— J'ai pas d'expérience, monsieur. En fait, j'suis cordonnier de métier.

C'est alors que l'homme entre deux âges avait daigné lever un bref regard vers Jaquelin.

— Ah ! C'est vous, ça… J'ai entendu parler de l'incendie… Pas de chance, mon pauvre ami. M'en vas voir ce que je peux faire pour vous aider. Vous avez l'air d'un gars solide, un chic type. Un peu maigre, mais nerfé. C'est souvent les meilleurs. Passez au magasin général demain matin, c'est là que j'vas m'installer pour faire signer les papiers d'engagement. Préparez votre bagage aussi, au cas où j'aurais besoin de vous. Pas nécessaire de le traîner jusqu'au magasin, par exemple, j'vas vous laisser le temps d'aller le chercher. Demain… Demain, j'vas vous dire si vous me suivez dans l'arrière-pays. À soir, mon *jobber* pis moi, on va regarder nos deux listes, les comparer ben comme il faut, pis après j'vas prendre mes décisions. Revenez demain.

Ce fut ainsi que le 2 novembre, en fin d'avant-midi, Jaquelin avait appris qu'il partait pour de longs mois.

— T'as une heure pour rapailler toute ce que tu peux avoir de besoin pour les prochains mois.

Il était fini, le temps des politesses, Jaquelin en ferait l'expérience assez rapidement. À partir de ce jour et du fait qu'il avait signé son engagement, le tutoiement s'imposerait entre les hommes. Cette familiarité un peu déroutante pour celui qui s'était toujours fait un devoir de traiter sa clientèle avec beaucoup de respect ferait désormais partie du quotidien. Sauf quand lui-même aurait à s'adresser à ses supérieurs, cela va de soi, Jaquelin comprit rapidement qu'il n'aurait pas le choix de s'y habituer. Le *foreman* avait droit à tous les égards, puisqu'il représentait le patron, mais le respect de la hiérarchie n'allait pas jusqu'à imposer le vouvoiement entre les hommes, même si certains d'entre eux étaient de vieux habitués.

— Oublie pas des caleçons longs, avait tenu à préciser le contremaître, sachant qu'il s'adressait à un nouveau. Pis des bas de laine en masse, beaucoup de paires de bas de laine ben chauds, pour toujours en avoir de *spare*. En janvier, dans le bois, y fait plus que frette, pis tu vas travailler dehors à longueur de journée. Comme tu vas souvent avoir les pieds mouillés, va falloir que tu puisses te changer... Grouille-toi, astheure, si tu veux pas rater la charrette qui part pour La Pérade! On se retrouve icitte, devant le magasin général, à une heure pile.

Puis, sur un rire, le contremaître avait ajouté, tandis que Jaquelin quittait déjà le magasin :

— Oublie surtout pas d'embrasser ta femme. Prends de l'avance pour Noël, pour le jour de l'An, pis pour Pâques avec, tant qu'à y être. On sait jamais... Tu t'en vas pour un boutte, mon homme ! En hiver, il est pas question de revenir à la maison, même en cas de mort subite. Les chemins sont bloqués, pis ça passe pas. Sur le chantier, le seul chanceux d'avoir sa femme avec lui, c'est moi, parce que je parle anglais pis que je représente le *boss*. Astheure, fais ça vite. Si t'es pas là, à une heure tapant, je pars pareil !

Alors Jaquelin s'était dépêché pour ne pas rater le coche. Il avait embrassé sa femme et ses enfants, du moins ceux qui habitaient chez la tante Félicité, puis il était revenu au magasin général pour prendre la route avec une vingtaine d'hommes venus des paroisses avoisinantes. Ils s'étaient alors dirigés vers La Pérade afin de prendre le train en partance pour Trois-Rivières.

Comme cela avait été dit, le contremaître accompagnait les hommes, expliquant que sa femme viendrait le rejoindre au chantier, un peu plus tard durant la semaine. Cependant, habillé cette fois-ci d'une chaude veste à carreaux et de longues bottes qui lui montaient aux genoux, le contremaître correspondait mieux à l'image que Jaquelin se faisait d'un bûcheron, même s'il se doutait bien que ni le *foreman* ni le *jobber* n'avaient à manier la hache.

D'un œil avisé, le cordonnier avait aisément apprécié la qualité du cuir des bottes que chaussait

Robert Giguère, dit « Bob, le *foreman* », la langue anglaise semblant régir la vie de ce dernier !

Tout au long de la route, à partir de chez lui, à Sainte-Adèle-de-la-Merci, jusqu'au camp de la Joffer's Company, aux abords de la rivière Windigo, au nord de La Tuque, Jaquelin Lafrance avait surtout écouté les conversations de ses compagnons. Il était intimidé, lui qui n'avait jamais eu de véritables amis, et, durant ce long trajet, il avait amplement eu le temps d'en vouloir à son père de l'avoir retiré de l'école à tout juste douze ans, pour ensuite le garder cloîtré devant ses marteaux, ses pinces et ses alènes.

— La vie, ça s'apprend en travaillant dur, mon gars ! Pis c'est ce que tu vas faire à partir d'aujourd'hui, avait déclaré Irénée Lafrance, le jour où Jaquelin lui avait présenté le dernier bulletin de sa sixième année.

Jaquelin avait peut-être appris le métier, et très bien, de surcroît, mais il n'avait rien appris de la vie et de l'amitié. Le peu qu'il en connaissait, c'était avec Marie-Thérèse qu'il en avait fait l'apprentissage, et, pendant qu'il s'enfonçait à travers bois, chaque tour de roue de la charrette l'éloignait de sa femme. Alors, il s'était demandé ce qu'il deviendrait sans Marie-Thérèse, un drôle de serrement lui broyant le cœur et l'estomac. Dans de telles circonstances, Jaquelin Lafrance s'était senti bien démuni, dépaysé et surtout embarrassé, devant tous ces hommes qui parlaient fort et qui riaient fort. Trop fort pour lui.

Ce fut ainsi, le temps d'un voyage dans une voiture inconfortable tirée par deux chevaux aux grosses pattes poilues, qu'il était redevenu le petit garçon de jadis, mal à l'aise devant les étrangers, gauche et gêné, quand venait le temps de répondre et qu'il ne pouvait y échapper.

L'arrivée au camp avait été une heureuse diversion.

À peine un regard autour de lui et Jaquelin avait eu la confirmation qu'on n'avait pas vraiment exagéré, quand on lui avait parlé des chantiers, les comparant à de petits villages.

Il y avait les dortoirs, où on l'avait invité à laisser son paquetage, et il y avait la salle à manger, appelée réfectoire, où il n'aurait jamais le droit d'entrer avant le son de la cloche conviant les travailleurs à prendre leur repas, une espèce de triangle de métal que le cuisinier frappait à grands coups de fourchette à viande quand le repas était prêt à servir.

Jusque-là, Jaquelin s'attendait à ce qu'il constatait, il en avait déjà entendu parler, et il n'avait jamais mis en doute ces quelques précisions.

Mais pour le reste, ça avait été toute une découverte, parce qu'il y avait aussi une réserve et des hangars. Il y avait la « cache » pour garder la nourriture, où une dizaine de chats s'occupaient des rats et autres ratons, attirés par les denrées alimentaires, et la *cookerie*, attenante à la salle à manger, où cuisinait et habitait le chef. Au bout d'une rue en terre battue, il y avait l'office servant de magasin général. Les hommes pouvaient s'y procurer leur tabac et quelques articles de première nécessité. C'était là aussi qu'ils recevaient leur courrier, quand il y en avait, quand les routes ou la température en permettaient la livraison.

— En hiver, c'est souvent l'aumônier qui apporte nos lettres pis nos paquets, avait spécifié un des hommes accompagnant Jaquelin. C'est ben le seul homme qui ose braver le froid pis la neige pour monter jusqu'icitte. La plupart du temps, l'abbé Duquette nous arrive par le bois, en raquettes, comme les Sauvages, tirant un traîneau avec toutes nos affaires dedans. Je sais ben pas si ça va être encore lui cette année qui va venir nous voir.

— Il y a une chapelle ?

— Non... Non, pas de chapelle. Nos soirées, nos prières, pis la messe, quand on a la chance d'en avoir une, c'est dans le réfectoire que ça se passe.

Intimidé par la grandeur de ce soi-disant village, Jaquelin avait longuement regardé tout autour de lui, fasciné par ce qu'il voyait, lui qui n'avait, pour ainsi dire, jamais quitté sa paroisse. Même le cuir dont il avait besoin pour ses réparations, il l'achetait du marchand ambulant, Gédéon Touchette, dont tout le monde se moquait un peu dès qu'il s'éloignait du village dans sa voiture bringuebalante. Toutefois, depuis quelque temps, il y avait un brin de respect dans les voix, parce que monsieur Touche-à-Tout avait récemment troqué sa charrette couverte pour un camion affichant fièrement sa vocation.

Fallait-il qu'il soit bon vendeur, le Gédéon, n'est-ce pas, pour avoir pu s'acheter un camion ?

Fureteur, soit, grande langue, c'était indéniable, mais serviable comme pas un, Gédéon Touchette savait se faire des amis de convenance. Finalement, chacune de ses visites était appréciée, puisque le marchand se faisait un point d'honneur de toujours offrir la meilleure qualité de marchandise qui soit et de combler les moindres désirs de ses clients.

— Envoye, Lafrance, avance !

Tiré de ses pensées, Jaquelin avait sursauté.

— On a pas fini de faire le tour du campement pis faut que ça soye faite avant le souper.

Jaquelin avait donc suivi jusqu'à la « limerie », où une meule de belle dimension servirait à affûter la lame des haches, leur principal outil de travail, et, bien entendu, il y avait la forge, pour avoir des chevaux bien ferrés en tout temps, puisque les lourdes bêtes faisaient partie du rouage des travaux qui s'effectue-raient ici tout au long de l'hiver. Il y avait donc aussi l'écurie et le hangar à foin. Puis venaient la maison du contremaître et la tour des garde-feux.

— Laisse-moi te dire, Lafrance, que le *cook* est bon ! avait alors lancé un homme marchant derrière Jaquelin au moment où les deux travailleurs repas-saient devant le réfectoire pour se rendre au dortoir afin de s'installer. Meilleur qu'à ben des places. Le gros Roger, il aime ce qu'il fait, pis ça paraît. C'est pour ça que je reviens icitte, année après année. Tant qu'à vivre loin de toute, pis de toute notre monde, autant que le manger soye bon. Que c'est que t'en penses ?

Les bâtiments, éparpillés sur une assez grande superficie de forêt dépouillée de ses arbres, étaient même reliés par des trottoirs en bois, comme à

Sainte-Adèle-de-la-Merci. Des trottoirs qui grondaient comme le tonnerre quand la centaine d'hommes du camp répondaient à l'appel de la cloche, les conviant à manger. Jaquelin en avait fait l'expérience dès le premier soir, alors que les hommes se précipitaient en riant vers le réfectoire. De grandes épinettes aux allures de sentinelles délimitaient l'espace de ce village improvisé.

Jaquelin n'en croyait pas ses yeux et il s'était aussitôt promis de faire une description détaillée de tout ce qu'il voyait, dès la première lettre qu'il enverrait à Marie-Thérèse. Pour une fois, il savait déjà ce qu'il pourrait écrire.

— Demain, avait-il pensé, plus tard en soirée, au moment où il s'allongeait sur ce que les anciens appelaient un « lit de beu », à la paillasse faite de branches d'épinettes. Demain, j'vas écrire à Marie. À soir, j'suis ben trop fatigué.

À la tête de sa couchette, Jaquelin avait épinglé une photo de sa femme à l'aide d'un petit clou. Cette photo avait été prise alors que Marie-Thérèse n'était encore qu'une toute jeune fille. On l'avait imprimée en sépia et collée sur un carton fort. Toute souriante, Marie-Thérèse tenait à deux mains une grosse pomme que l'on devinait du plus beau rouge. C'était la tante Félicité qui avait offert cette photo à Jaquelin au moment du départ, puisque lui n'avait plus rien.

— Tiens, mon homme, prends ça, avait-elle ordonné, sur le ton le plus ronchonneur qui soit, celui qui arrivait presque à camoufler ses émotions les plus vives. Quand tu t'ennuieras trop, tu pourras la regarder. Moi, vois-tu, pour l'instant, j'en ai pas besoin, rapport que ta femme va rester chez nous pendant une bonne partie de l'hiver. Tu me la redonneras à ton retour, par exemple, parce que j'y tiens ben gros.

— C'est sûr, ça, que j'vas vous la redonner, avait murmuré Jaquelin. Une photo, c'est précieux… Moi, c'est celle de ma mère que je viens de perdre dans l'incendie… La seule que j'avais.

Au même clou pendait le chapelet de Jaquelin, lequel avait survécu à l'incendie, car depuis l'enfance, il le gardait toujours dans une poche de son pantalon. Tout au fond de son havresac, accroché à un montant du lit, tout juste à côté de lui pour l'avoir à l'œil et à portée de la main, bien caché dans deux bas de laine emmêlés, Jaquelin avait glissé tout l'argent récupéré des cendres, celui qui lui restait après avoir donné une poignée de «quarts de piastre» à sa femme, et après avoir envoyé les loyers de l'hiver à son père.

— Au cas où t'en aurais besoin, pendant que je serai pas là, avait-il déclaré en tendant maladroitement l'argent à Marie-Thérèse, venue le rejoindre dans la petite chambre prêtée par la tante Félicité. Si jamais je pars, ben entendu, avait-il ajouté en lui offrant les lourdes pièces en argent. Ça, j'vas le savoir juste demain, après le déjeuner.

Les deux mains tendues devant elle, Marie-Thérèse avait reçu une assez bonne poignée de vingt-cinq sous. Elle en était restée bouche bée, car il y en avait bien pour quelques dollars, une véritable fortune à ses yeux.

— Ben voyons donc, mon homme ! Où c'est que t'as pris ça, toi ?

— Dans les ruines. La petite boîte dans le cagibi était toute noircie pis boursouflée, mais elle avait tenu le coup. J'ai pas eu à fouiller trop longtemps pour la retrouver.

— Hé ben… Une petite boîte, tu dis ? C'est drôle, mais j'avais jamais remarqué de petite boîte dans le cagibi.

— Faut croire que je l'avais ben cachée. En plein ce que je voulais.

— Ouais…

Tout en regardant les pièces au creux de ses mains, Marie-Thérèse avait semblé songeuse.

— Je savais pas qu'on avait ça, nous autres, de l'argent, caché dans la maison, avait-elle ajouté, sur un ton de reproche.

Puis, levant la tête, elle avait croisé le regard de son mari, au moment où il lui répondait :

— On avait ça. J'aurais peut-être dû t'en parler… Mais je l'ai pas fait, je sais pas trop pourquoi. Pis ça change rien au fait que j'étais ben soulagé quand j'ai retrouvé ma boîte.

— Je peux comprendre… Ouais, je pense que je peux savoir ce que t'as pu ressentir en retrouvant tout cet argent-là.

Tout en discutant de la sorte, mari et femme se regardaient avec une intensité peu commune, comprenant un peu confusément de part et d'autre qu'à travers la catastrophe qu'ils vivaient depuis la veille, une sorte de complicité différente et plus absolue était en train de naître.

— Ça fait que, demain, avait donc poursuivi Jaquelin sans quitter Marie-Thérèse des yeux, si on m'engage aux chantiers, comme de raison, m'en vas préparer une lettre spéciale pour mon père. J'vas demander au magasin général si on veut ben me changer une partie des cinquante cennes en piastres, pis si ça marche, si monsieur Ferron veut ben me donner du papier au lieu de mes pièces sonnantes, je pourrais envoyer tout de suite à mon père les loyers pour l'hiver. Pour toute l'hiver. Si je pars aux chantiers, c'est ça que j'vas faire parce que j'vas être sûr de gagner notre vie sans avoir à attendre que la cordonnerie soye prête, pis sans que je soye obligé de piger dans ma réserve pour vivre. Comme ça, mon père pourra pas venir te chialer dessus à cause que j'aurais pas payé les loyers. Pour toi, ben, ça fera une affaire de moins à t'occuper.

De toute évidence, Jaquelin était soulagé d'avoir récupéré suffisamment d'argent pour lui permettre d'agir ainsi. Le geste calmerait peut-être son père, qui avait la colère facile, et allégerait la tâche de son épouse. Voilà pourquoi il tenait à l'en aviser. N'empêche qu'il avait fallu qu'il soit terriblement bouleversé pour ainsi tout révéler à sa femme, car jamais, jusqu'à ce jour, il n'avait parlé de cette obligation imposée par Irénée Lafrance, celle de devoir payer un loyer. Jaquelin avait réussi à se convaincre qu'il n'avait pas besoin de lever le voile sur ce secret qui l'humiliait. Il justifiait son silence en se répétant que Marie-Thérèse avait son lot de préoccupations personnelles, avec la maison et les enfants, et qu'il serait inutile d'y rajouter une inquiétude supplémentaire. De toute façon, se disait-il, persuadé d'avoir raison, une femme comme Marie-Thérèse, aussi gentille et intelligente soit-elle, avait-elle nécessairement besoin de tout savoir ?

Le fait d'avoir tout perdu dans l'incendie avait changé bien des choses, bien des perceptions et des perspectives, Jaquelin commençait à le réaliser avec une acuité croissante.

Ce que Marie-Thérèse, fine mouche, avait aisément compris sans autre forme d'explication.

Elle avait donc fait un pas devant elle, déposé l'argent sur la commode, et, de ce geste un peu timide qui commençait tout doucement à lui devenir familier, elle avait caressé l'épaule de son mari. Puis, reculant aussitôt du même pas, elle avait demandé, question d'habiter le silence qui était en train de s'installer entre eux :

— Parce que tu payes un loyer à ton père, toi ?

— Ouais. Depuis le premier jour où Irénée Lafrance est parti pour la ville, j'ai pas eu le choix. Que c'est que tu croyais, Marie ? Que mon père m'avait donné sa maison de son vivant ?

— Ben...

Marie-Thérèse ne comprenait pas qu'un père puisse agir ainsi avec son fils. Après tout, Jaquelin assurait la continuité, perpétuait la tradition de qualité offerte par les Lafrance.

Ça ne voulait donc rien dire pour son beau-père ?

Marie-Thérèse avait alors levé les yeux vers son mari. Une lueur ardente, faite d'étonnement entremêlé de colère, brillait au fond de ses prunelles.

— Ben oui, c'est un peu ça que je pensais, avait-elle alors avoué d'une voix sourde, empreinte à la fois d'indignation et de désillusion. Vu que c'est nous autres qui vivaient dans la maison, pis que ton père était parti pour la grande ville, pour de bon qu'il disait, je pensais ben que la maison était rendue à toi.

— C'était pas le cas... Pis ça l'est toujours pas, même si elle est partie en fumée.

— Hé ben...

— Ouais, comme tu dis: hé ben... C'est mal connaître mon père que d'imaginer qu'il était pour me donner sa maison comme ça, juste parce que c'est moi qui allais continuer de demeurer dedans, avec toi pis les enfants.

À partir de l'instant où le secret avait été partagé, Jaquelin avait ressenti un immense soulagement. La maison dont il parlait présentement avait été détruite, avec les conséquences que cela allait engendrer, mais lui, étonnamment, il se sentait bien. Et volubile comme jamais. Sans chercher à comprendre ce qui se passait en lui, Jaquelin avait poursuivi.

— Dis-toi ben, Marie, que pour mon père, rester dans une maison ou ben dans une autre, ça veut rien dire. Il s'en fiche pas mal, lui, de l'endroit où je demeure. Pis ça vaut pour vous autres avec. Mais si la maison lui appartient, par exemple, ça change pas mal de choses. C'est là que ça commence à le regarder, pis il faut que je paye ma part. Un point c'est toute, qu'il m'a dit. Pour être juste envers ma sœur, qu'il a ajouté. Que c'est que tu veux que je réponde à ça ? Il a pas tort, le vieux, même si je trouve qu'il exagère un peu, rapport que c'est moi qui dois voir à l'entretien de la maison pis qui paye ce qu'il faut pour ça. Mais on dirait ben que ça suffit pas pour mon père. Du temps qu'il vivait avec nous autres, c'était pas pareil, vu qu'on le nourrissait pis que tu voyais à l'entretien de son linge. Quand il a décidé de partir pour la ville, c'est là que toute a changé. Il se trouvait déjà ben obligeant de me permettre de continuer à vivre avec ma famille dans SA maison en attendant que j'en hérite, le jour où il va mourir. C'est lui-même qui me l'a dit, avec ces mots-là. Tu comprends, astheure, pourquoi il faut reconstruire la maison, pis vite, à part de ça.

Surprise d'entendre discourir son mari de la sorte, Marie-Thérèse s'était bien gardée de l'interrompre, par crainte qu'il se taise, même si la curiosité et l'indignation lui démangeaient le bout de la langue. Elle avait tout simplement tenté d'ajuster ses émotions aux paroles de Jaquelin, qui décrivait une partie de leur vie à deux, un bout de leur réalité qu'elle avait ignorée jusqu'à ce jour.

— Dit de même, c'est sûr que je comprends ben des choses, mon homme, avait-elle répondu, tout en opinant du bonnet. Je comprends même ton envie de monter aux chantiers, mon pauvre Jaquelin. T'as ben faite de me parler de tout ça. Ouais… Ça va m'aider à passer au travers des mois à venir. Que tu soyes pas là, ça va être dur pour tout le monde. Pour toi comme pour moi, comme pour nos enfants, c'est sûr. Mais d'avoir appris toute ce que tu viens de me dire, ouais, ça va m'aider à passer au travers, répéta Marie-Thérèse.

Tout en parlant, elle fixait Jaquelin droit dans les yeux.

— On va prier ben fort, l'hiver va finir par disparaître pis toi, ben, tu vas nous revenir pour reprendre ta place au bout de la table.

L'image suggérée par Marie-Thérèse avait fait apparaître un pâle sourire sur le visage aux traits tirés de Jaquelin Lafrance. Fallait-il que sa femme le connaisse bien pour avoir suggéré ce moment entre tous !

Jaquelin avait alors détourné la tête pour cacher les larmes qui lui montaient aux yeux. La fatigue devait être encore plus grande qu'il le pensait pour qu'il ait envie de pleurer comme un bébé. N'empêche que Marie-Thérèse avait bien raison de croire qu'il serait le plus heureux des hommes le jour où il reprendrait sa place au bout de la table, le soir venu. L'image de cette famille réunie, la sienne, était ce qui donnait un véritable sens à l'existence de Jaquelin Lafrance. Ça, et la présence de Marie-Thérèse à ses côtés pour tout partager.

— Ouais, si jamais je monte aux chantiers, j'vas revenir, Marie, avait-il promis, avec une ferveur nouvelle dans la voix.

Ferveur de sentir un lien particulier se tisser entre Marie-Thérèse et lui. Ferveur, aussi, de se répéter que l'hiver ne serait pas éternel et qu'il allait effectivement revenir pour reprendre sa place. Brusquement, l'espoir en des jours meilleurs prenait une tout autre perspective.

Jaquelin se tourna enfin vers Marie-Thérèse pour poursuivre.

— Si je pars, c'est pour revenir, ça c'est sûr, pis on va toutes se retrouver ensemble, chez nous... À ce moment-là, toi avec, Marie, tu vas t'asseoir au bout de la table comme moi, en même temps que toute la famille...

Alors qu'il prononçait ces quelques mots, le regard de Jaquelin s'était mis à briller d'un éclat particulier, comme Marie-Thérèse ne lui avait jamais vu.

— Ouais, c'est de même que j'veux ça, astheure, avait annoncé Jaquelin en attachant encore une fois son regard à celui de Marie-Thérèse. Même si toi tu dis que c'est plus commode de rester deboutte pour arriver à nous servir dans le sens du monde, ça va changer. T'es pas notre servante, Marie, t'es mon épouse, comme monsieur le curé nous le dit des fois à l'église. Pis en plus, t'es la mère de mes enfants. C'est important de toujours s'en rappeler. Ça fait que ta place est à la table en même temps que nous autres. Agnès grandit, les gars avec, tant qu'à y être, pis tout ce beau monde-là va pouvoir t'aider à faire le service...

Les yeux embués par l'émotion, Marie-Thérèse avait bu chacune des paroles de son mari. C'était probablement la plus belle déclaration d'amour que cet homme-là pouvait lui faire. C'était toute leur vie à deux que ces quelques mots résumaient, dans la simplicité d'un quotidien qui était le leur, tout en offrant en même temps les mille et une possibilités que l'avenir pouvait avoir en réserve pour eux.

L'automne n'était pas encore fini que déjà la belle Marie-Thérèse se languissait du printemps à venir.

— J'suis un homme chanceux de pouvoir compter sur une femme comme toi, Marie, avait alors déclaré Jaquelin d'une voix solennelle, le regard toujours plongé dans celui de sa femme. Ouais, ben chanceux...

Mal à l'aise devant une telle déclaration faite avec une sincérité qui ne pouvait mentir, Marie-Thérèse s'était sentie rougir.

— Arrête, Jaquelin, tu vas me faire brailler.

— Ben braille, Marie. Pour une fois, je dirai rien. C'est dur, ce qu'on vient de vivre. Ben dur. Te rends-tu compte que le pire, dans tout ça, c'est qu'on aurait pu perdre ben plus qu'une maison?

— Oh oui, je le sais! J'arrête pas de remercier le Bon Dieu de nous avoir toutes gardés en vie. Tu sais pas à quel point je Lui dis merci.

— C'est vrai que dans notre malheur, on a été plus que chanceux... Astheure, si tu le veux ben, on va dormir là-dessus, Marie. J'ai ben peur que la journée de demain va être aussi chargée que celle d'aujourd'hui. Il y a ton père qui veut me voir, Ovila aussi, pis faut que je m'entende avec monsieur Ferron pour les achats à faire concernant notre future maison. M'en vas y demander d'ouvrir un compte spécial, pour pouvoir faire marquer ce que ton frère ou ben ton père jugeront bon d'acheter. Toi avec, tu pourras t'en servir au besoin. Je paierai toute ça quand j'vas revenir. Si je pars, ben entendu…

Jaquelin avait redit ces derniers mots, comme le refrain d'une chanson à répondre, et Marie-Thérèse se demanda si c'était par espérance ou par crainte que son mari se répétait ainsi quand il parlait de la possibilité de monter aux chantiers.

« Si je pars, ben entendu »…

— Ça, on va le savoir juste demain, avait conclu Jaquelin. Ça fait ben des imprévus, pis ben des choses à organiser pour une seule journée. Pour y arriver, j'ai besoin de refaire mes forces.

— Je comprends ça, mon mari. Moi avec, j'suis pas mal fatiguée.

Ça avait été le dernier tête-à-tête entre Marie-Thérèse et Jaquelin. Un des seuls de toute leur vie à deux à avoir été aussi long et aussi intense. Comme une mise au point entre eux, une éclaircie où les mots, jusqu'alors jamais prononcés, avaient été suggérés avec suffisamment d'insistance pour être compris.

Entre Marie-Thérèse Gagnon et Jaquelin Lafrance, il était bel et bien question d'amour. Il avait toujours été question d'amour.

La jeune femme s'était lovée contre le dos de son mari et, dans les minutes qui avaient suivi, le sommeil les avait emportés tous les deux dans une nuit sans rêve.

Le surlendemain, Jaquelin était parti, son barda soigneusement préparé par Marie-Thérèse suspendu à une épaule, et une hache à long manche, prêtée par son beau-frère Ovila, en équilibre sur l'autre épaule.

— Fais ben attention, le beau-frère. Ça coupe en vlimeux, cette lame-là !

Recommandation ô combien inutile, puisque Jaquelin craignait son habituelle maladresse avec les outils, comme on craint d'attraper une maladie virulente ou mortelle. Pourtant, il maniait si bien l'aiguille, le Jaquelin, quand venait le temps de fabriquer une semelle de remplacement !

Le cordonnier sans cordonnerie était donc parti par un froid midi d'automne, la tête haute sous un soleil blême, le visage fouetté par un vent cinglant. Jaquelin Lafrance marchait d'un bon pas, même si, tout au fond de lui, il avait l'impression de trembler comme une feuille, tant il était perturbé par tous ces changements subits survenus dans sa vie. Il se sentait inquiet devant un avenir qu'il ne pouvait qu'imaginer. Il n'y connaissait rien, lui, à cette vie dans les bois, et ça l'angoissait. Mais cela, personne n'était obligé de le savoir, n'est-ce pas ? surtout pas Marie-Thérèse. Jaquelin voulait tellement que, tout au long de l'hiver, sa femme garde de lui l'image d'un homme inébranlable, décidé et en contrôle, sur qui elle pourrait continuer de s'appuyer, malgré la distance qui allait les séparer. Il l'espérait à un point tel qu'il en avait paru presque détaché, indifférent au fait qu'il la quittait pour de longs mois.

Puis les semaines avaient passé.

La pluie glaciale de novembre s'était transformée en doux flocons ; le soleil s'était fait de plus en plus rare, de plus en plus froid; la période des fêtes de fin d'année approchait à grands pas et le village de Sainte-Adèle-de-la-Merci avait retrouvé son décor de carte postale. La crèche n'attendait plus que la naissance de l'Enfant-Jésus.

Peu à peu, Marie-Thérèse s'était finalement faite à l'idée de se retrouver seule; de décider seule pour les détails concernant la reconstruction de la maison; de voir seule aux enfants qui grandissaient à vue d'œil. Du moins, c'était ce qu'elle écrivait dans chacune de ses lettres.

« *Je m'ennuie, mais j'arrive à passer au travers.* »

Chaque jour, au moment où les plus vieux partaient pour l'école, Marie-Thérèse quittait la maison de la tante Félicité pour se rendre chez Henriette et ainsi, elle pouvait s'occuper de ses deux bébés, afin d'alléger la tâche de sa sœur, qui avait elle-même quatre marmots.

Quant à Jaquelin, de son côté, il n'avait pas eu vraiment le choix d'apprendre à se mêler aux discussions; d'apprendre à manier la hache avec habileté et efficacité; et d'apprendre aussi à manger autre chose que de la soupane pour le dîner. En son for intérieur, il avait été obligé d'admettre qu'il aimait bien tout cela.

« *De la soupe aux légumes pis une tartine, c'est encore mieux que de la soupane. Pis c'est ben meilleur !* », avait-il écrit à Marie-Thérèse.

Jaquelin Lafrance était surtout bien aise de cette présence masculine auprès de lui, de ces liens d'amitié qu'il apprenait à créer. Il était heureux de discuter avec ces inconnus qui, peu à peu, devenaient des amis. C'était comme si la vie lui offrait la chance de vivre sa jeunesse une seconde fois, à l'abri des remontrances et des dénigrements. L'air froid de la forêt avait une senteur de liberté jamais connue jusqu'à maintenant et Jaquelin s'en soûlait l'âme un peu plus chaque jour.

N'empêche que de part et d'autre, la période des fêtes qui commençait aujourd'hui avait été anticipée comme un moment pénible à traverser, puisqu'il serait enveloppé de nostalgie et d'ennui.

C'est ce que Jaquelin était en train de se répéter, en ce moment précis, alors qu'il était assis au réfectoire avec ses compagnons. Même si le chef Roger s'était surpassé et qu'ils avaient fait bombance pour le souper, Jaquelin s'ennuyait de la tourtière de Marie, de la soupe aux pois de Marie, de la tarte au sucre de Marie, du sourire de sa Marie…

La soirée qui commençait était cependant à l'enseigne de la bonne humeur. Onésime avait sorti son violon et Joachim, son harmonica. Sans se faire prier, bien des hommes s'étaient levés pour se mettre à danser et, présentement, ils s'en donnaient à cœur joie.

— Comme chez les parents au jour de l'An, lança alors Matthias Couture, une espèce d'ours mal léché, immense comme une armoire à glace, mais vif de gestes et de réflexions, et, surtout, agile comme un singe.

Tout en décochant un clin d'œil à Jaquelin, Matthias ajouta :

— Manque juste ma belle grosse Georgianna pour que la soirée soye parfaite !

Jaquelin aussi aurait pu dire qu'il ne manquait que sa belle Marie pour que tout soit parfait. Voilà pourquoi, le cœur gros d'ennui, il se contenta de sourire et de participer à la gaieté générale de loin. De toute façon, il n'y connaissait rien, à la danse et à tous ces pas compliqués. Pas plus qu'il ne connaissait les paroles des chansons à répondre, celles qu'il entendait à travers bois, depuis qu'il travaillait sur le chantier. Les jours où une ritournelle accompagnait les coups de hache étaient monnaie courante. On disait autour de lui que ça donnait du cœur à l'ouvrage, mais Jaquelin n'en était pas aussi certain, car on n'avait jamais chanté chez Irénée Lafrance.

— Maudite perte de temps, ouais ! Concentre-toi sur ton travail, Jaquelin. C'est ça l'important dans une vie. Le travail !

La seule chanson que Jaquelin connaissait par cœur c'était le *Minuit, chrétiens*, parce que sa sœur Lauréanne le fredonnait durant l'Avent, chaque fois que leur père avait à s'absenter.

— C'est notre mère qui chantait ça, Jaquelin, lui avait-elle un jour expliqué. Pis laisse-moi te dire qu'elle chantait aussi ben que monsieur Ferron à la messe de minuit. Ouais… Notre mère aimait ça, elle, fredonner toutes sortes de chansons. C'est un beau souvenir que je garde d'elle.

Tout éberlué, Jaquelin avait alors regardé sa sœur avec ses deux yeux tout grand écarquillés.

— Pis le père, lui ? avait-il demandé. Il disait rien ?

Ça le choquait pas d'entendre notre mère chanter dans sa maison à lui ?

— Non, dans ce temps-là, notre père disait rien, pis c'était plutôt rare qu'il se choquait. Je me souviens même que je l'ai déjà vu sourire, tu sais !

— Hé ben… J'ai jamais vu ça, moi, notre père sourire… Je savais même pas qu'il était capable de faire ça… Chante encore, Lauréanne, chante-moi la chanson que maman chantait quand Noël s'en venait.

À cette époque, Jaquelin n'avait que sept ou huit ans et le peu qu'il savait de sa mère, c'était Lauréanne qui le lui racontait parfois. Irénée, lui, ne parlait jamais de son épouse décédée. Jamais.

N'empêche qu'en ce moment, même si Jaquelin ne connaissait ni les pas ni les paroles, l'entrain contagieux de ses compagnons l'avait gagné, et quand Joachim délaissa l'harmonica pour se mettre à giguer, c'est de bon cœur que le cordonnier frappa du pied et tapa des mains pour l'encourager.

La fatigue aidant, le calme revint petit à petit dans le réfectoire.

Un homme passa la remarque qu'il serait minuit bientôt et le silence se fit plus lourd de cet ennui irrévocable qui les accompagnait jour après jour. En cette veille de Noël, il s'abattit encore plus brutalement sur chacun d'entre ces hommes qui avaient choisi de s'exiler le temps d'une saison, le temps, bien souvent, de rendre productif ce moment de l'année qui ne l'était guère pour la plupart d'entre eux.

Puis une voix s'éleva pour commencer le compte à rebours.

— Trois, deux, un… Joyeux Noël, tout le monde!

C'est alors que, spontanément, avant que le brouhaha des exclamations ne devienne trop intense, une première voix entonna le *Minuit, chrétiens*. Pour ces hommes loin de tout, c'était une façon comme une autre de souligner le caractère religieux de la fête, puisqu'il n'y aurait ni messe ni curé. Les réjouissances païennes, comme le disait le vicaire de Sainte-Adèle-de-la-Merci, c'était bon pour le jour de l'An.

Le cantique rejoignit donc tous les bûcherons du camp sans exception, que l'on soit un fervent croyant ou non, et les ramena sur-le-champ chacun dans son village.

La voix qui s'élevait dans le réfectoire était grave et juste, à un point tel que Jaquelin en retint son souffle.

L'envie de se joindre à cet homme qui lui rappelait intensément sa paroisse, sa sœur et son enfance fut si vive que sans même prendre le temps d'y réfléchir, la voix du cordonnier se joignit à celle du chanteur. Pour une fois qu'il connaissait les paroles, Jaquelin n'allait pas bouder son plaisir.

Sa voix de baryton était chaude, intense et envoûtante. Elle fut bientôt la seule à envelopper le réfectoire du camp de la Joffer's Company, sur le bord de la rivière Windigo, une rivière qui n'était plus qu'un filet d'eau entre les deux rives enneigées.

Appuyé contre le chambranle de la porte donnant sur la cuisine, louche à la main, même le chef Roger s'était joint aux bûcherons. Attiré par l'intonation de la voix de Jaquelin, il écoutait religieusement le cantique, quelques larmes sillonnant ses joues rebondies.

Quand Jaquelin laissa enfin filer la dernière note, il y eut des reniflements, une ou deux toux, puis le silence revint en maître. Il allait s'imposer le temps qu'il faudrait pour tempérer certaines émotions mises à vif.

Puis soudain, la voix enrouée de Matthias rappela qu'on était encore au chantier quand il déclara :

— Sapristi, Lafrance ! Tu nous l'avais pas dit que tu chantais ben de même. Un vrai rossignol !

Si on se taquinait parfois, au camp de la Joffer's Company, on ne se moquait jamais. Ce fut donc tout ému que Jaquelin accepta le compliment.

— Merci ben, Matthias... Mais tu sauras que j'suis le premier surpris... Ouais, j'suis pas mal surpris de voir que j'suis capable de chanter de même, rapport que j'avais jamais vraiment chanté avant à soir.

CHAPITRE 4

À Sainte-Adèle-de-la-Merci, chez la tante Félicité

—◆—

Le mardi 23 janvier 1923, dans la petite chambre
que Marie-Thérèse partageait avec sa tante,
puisque la seconde chambre était celle des enfants
depuis le départ de Jaquelin

Cette lettre-là, Marie-Thérèse ne l'attendait pas du
tout, surtout pas en hiver, alors que les bordées
de neige et les tempêtes se suivaient à répétition.
Comme on était encore en janvier, elle la vit donc
comme un présent du jour de l'An arrivé sur le tard,
et, à la première occasion offerte, elle s'enferma dans
la chambre pour la lire en toute intimité.

En effet, elle était bien gentille, la tante Félicité,
bien serviable et généreuse, mais elle était aussi bien
curieuse, et Marie-Thérèse n'était pas du tout certaine
de vouloir partager cette dernière lettre avec elle, tout
simplement parce que, de billet en missive, Jaquelin
était de plus en plus volubile, jusqu'à lui confier
quelques-unes de ses pensées les plus intimes. C'était

cela qu'elle voulait garder pour elle, la belle Marie-Thérèse, ces quelques mots d'amour et certaines des réflexions personnelles que Jaquelin parsemait dans ses envois, sans la moindre retenue, lui semblait-il. Émue, la jeune femme se disait qu'il fallait que son homme s'ennuie beaucoup pour se permettre une telle liberté. Néanmoins, si Marie-Thérèse savait ressentir de la sympathie et de la tristesse pour son mari exilé au loin, elle se réjouissait quand même un peu de cet ennui, puisque la distance ne semblait pas vouloir refroidir l'ardeur entre eux. Bien au contraire, elle semblait l'exalter et l'envie d'avoir son Jaquelin tout près d'elle n'en était que plus grande.

Installée nonchalamment au bout du lit, une jambe repliée sous ses jupes étalées en corolle, Marie-Thérèse décacheta l'enveloppe avec une certaine fébrilité.

Qu'est-ce que Jaquelin avait de bon à lui raconter, cette fois-ci?

Dès la première ligne, elle apprit que cet envoi avait été rendu possible grâce à une visite-surprise de l'abbé Duquette, venu célébrer la première messe de l'année avec les hommes du chantier. Dans son traîneau, l'aumônier apportait le courrier retenu à Montréal depuis quelques semaines, et le matin du 3 janvier, il repartirait avec celui destiné aux gens du sud.

« *Inutile de dire que j'en profite pour vous envoyer mes vœux de santé pis de prospérité à toi pis à toute ta famille,* écrivait cérémonieusement Jaquelin. *Salue ben ton père pis tes frères pour moi. Embrasse pis bénis les enfants en mon nom. Dis-leur d'être ben sages, sinon m'en vas leur tirer la pipe quand je vas revenir. Pis je t'envoye aussi mon gros bec du jour de l'An. J'ai hâte de pouvoir le faire en personne, tu sais pas comment.*

Astheure les nouvelles d'icitte !

Tu devrais nous voir ! On est ben une quarantaine d'hommes dans le réfectoire, assis en train d'écrire une lettre. On entendrait une mouche voler, je crois ben, si les mouches étaient pas toutes gelées. C'est qu'on s'ennuie, tu sais, encore plus que d'habitude, rapport que c'est le temps des fêtes qui achève, pis qu'une occasion comme celle d'aujourd'hui se représentera pas de sitôt, avec toute la neige qui est tombée depuis les dernières semaines. C'est un vrai miracle que l'abbé Duquette aye pu monter jusqu'icitte. Ça fait du bien de pouvoir écrire une lettre qu'on sait qu'elle va se rendre jusqu'à la maison sans trop de retard, pis tout le monde s'est trouvé quelque chose à écrire.

Hier au soir, après le souper, on a enfin ouvert les lettres pis les boîtes qui venaient de nos familles. Une vraie gang d'enfants devant leurs étrennes. Tu diras merci à la tante Félicité pour son sucre à la crème. Ça goûte chez nous pis ça fait du bien. Tout le monde, au camp, avait un petit quelque chose à manger dans son paquet. Même si le chef Roger est un bon cook, *son manger est pas pareil au manger de chacun chez nous. C'est ça qu'on s'est dit, tout le monde, en ouvrant nos cadeaux, pis on s'est toutes un peu bourré la face dans nos nananes.*

À matin, on a repris l'ouvrage. Il faisait frette sans bon sens pis on est toutes rentrés gelés jusqu'aux os. Je peux pas dire que j'haïs ça, travailler dans le bois, mais je pense ben que la cordonnerie commence à me manquer.

Je te l'avais jamais dit, mais dans le travail des souliers, c'est la mauvaise odeur que j'aime pas beaucoup. Des pieds mal lavés, il y en a plus qu'on pense dans notre paroisse, pis des fois, ça me levait le cœur. Mais icitte, c'est encore pire. C'est toute le dortoir qui pue les pieds pis tout le reste mal lavé, si tu vois ce que je veux dire... Ça fait que je commence à m'ennuyer pas mal de la cordonnerie. Promis, je me plaindrai pus jamais de l'odeur des petits pieds. Tout ça pour te dire que j'aurais une demande à te faire... Je viens de le dire, dans le dortoir, ça pue. Ça sent les bas qui sèchent au-dessus des poêles, pis ça sent les corps qui ont eu chaud. C'est peut-être ben pour ça, encore plus que pour l'ennui, si les gars qui ont une femme dans le sud ont demandé une bouteille de « sent-bon » dans leur paquet de Noël, pour remplacer celle qui est déjà vide. Je savais pas ça, moi, que le monde emportait de l'eau d'odeur dans leur bagage. C'est ça, ma demande, Marie, je voudrais du sent-bon. Je le sais qu'on est pas ben riches pis que le parfum coûte cher, mais t'aurais-tu ça, toi, un petit mouchoir qui sentirait ton eau de toilette que j'aime ben gros ? Tu sais, la petite goutte que tu mets en arrière de ton oreille, des fois ? Je le sais ben que ça a l'air bête comme ça, de te demander du parfum, mais tous ceux qui étaient déjà venus dans le bois ont leur bouteille. Il y en a même qui s'en mettent une goutte dans le cou, après avoir fait leur toilette de la semaine. Moi, je me vois pas ben ben en train de me mettre du parfum, mais je me contenterais ben d'un mouchoir qui sent bon, par exemple. À toi de voir comment arranger ça, ma belle Marie.

Bon, j'ai faite le tour, je pense ben.

À part le fait de t'annoncer que j'ai commencé à chanter

comme par accident, durant la nuit de Noël, pis que j'aime pas mal ça, j'ai pus rien à écrire.

Je t'embrasse ben fort, je m'ennuie de toutes vous autres, pis j'espère ben gros recevoir un petit mouchoir dans ta prochaine lettre.

Ton Jaquelin qui pense à toi ».

Ce fut à la seconde lecture que Marie-Thérèse se surprit à sourire, puis à éclater de rire.

À travers les lignes, elle devinait que son mari était heureux malgré tout et ça lui faisait chaud au cœur. Elle avait bien l'intention de lui poser mille et une questions à son retour, espérant que ce nouveau Jaquelin, capable de mots et de confidences, serait celui qui reviendrait au printemps.

Mais il y avait plus !

Non seulement avait-elle senti que son mari semblait s'épanouir malgré la distance qui les séparait, mais l'image de ce même Jaquelin, plutôt sérieux de nature, le nez enfoui dans un mouchoir de dentelle pour écarter les mauvaises odeurs était trop réjouissante pour garder cette demande secrète.

Brusquement, Marie-Thérèse eut envie de partager sa bonne humeur avec sa tante Félicité.

Elle se précipita hors de la chambre.

— Matante, matante, vous êtes où, vous là ? J'ai quelque chose à vous montrer. C'est trop drôle !

CHAPITRE 5

Dans le camp de bûcherons de la Joffer's Company,
sur le trottoir menant au réfectoire

———◆———

Le dimanche 12 mars, à l'heure du déjeuner

L'hiver avait fini par passer, tant à Sainte-Adèle-de-la-Merci, petit village engoncé dans un épais tapis tout blanc, où même les voix qui s'interpellaient d'un bord à l'autre de la rue semblaient feutrées, qu'au camp de la Joffer's Company, balayé par les grands vents du nord qui empruntaient malicieusement le tracé de la rivière Windigo pour s'infiltrer jusque dans le moindre interstice entre les planches des bâtiments, là où les voix qui s'interpellaient arrachaient des craquements aux branches des arbres.

Durant plusieurs semaines, depuis les maisons du village jusqu'aux baraques du chantier, les poêles à deux ponts n'avaient pas dérougi.

Puis, petit à petit, les journées s'étaient mises à rallonger et les nuits semblaient moins glaciales. Du moins, les hommes du chantier en avaient-ils l'impression, puisqu'ils ne sentaient plus le besoin de se lever toutes les heures pour remplir « la truie », ce qui faisait plaisir à tout le monde.

Mine de rien, la neige commençait à fondre, un peu plus rapidement à Sainte-Adèle-de-la-Merci que sur les bords de la Windigo, certes, mais du sud au nord, depuis quelques jours, on entendait les corneilles croasser et c'était bien suffisant pour se sentir renaître.

Indéniablement, même si c'était encore l'hiver, il y avait comme une senteur de printemps dans l'air et ça chatouillait tous les esprits.

— Ça sent la sève qui monte, déclara le grand Joachim, en ce matin du 12 mars, alors qu'il sortait du dortoir pour se diriger vers la salle à manger, un peu plus tard que les autres jours de la semaine, puisqu'on était dimanche et que le dimanche, les haches étaient au repos.

Nez en l'air, du haut de ses six pieds six pouces, le grand Joachim reniflait bruyamment.

— Ça veut dire que la drave s'en vient, répliqua Matthias Couture, cette force de la nature qui semblait faire corps avec la forêt, tant il avait vécu d'hivers dans les chantiers et qu'il avait toujours réponse à tout.

À l'instar de Joachim, Matthias humait tout autour de lui, le nez en l'air, comme une bête en train de flairer, et tous les hommes avaient remarqué la pointe d'excitation qui soutenait sa voix.

— M'en vas dire au *jobber* de dire au *foreman* que j'suis partant pour la drave, comme d'habitude, lança le colosse. Ça paye ben, pis des fois, quand la rivière veut couler du bon bord, on arrive en bas avant tous les autres.

— Ah oui ? Ça paye plus, si on fait la drave ?

C'était la voix de Jaquelin qui s'était élevée, un peu plus loin, dans la filée des hommes qui sortaient du dortoir.

Jusqu'à ce jour, le cordonnier s'était contenté de tout apprendre du métier de bûcheron sans trop se poser de questions. Malgré une certaine curiosité naturelle, Jaquelin ne tenait pas nécessairement à savoir à quoi serviraient tous ces arbres coupés. Qu'ils soient transformés en planches ou en papier le laissait plutôt indifférent. Jaquelin bûchait bien et remplissait son quota journalier sans trop de difficulté. C'était amplement suffisant pour se sentir satisfait, selon l'entendement qu'il avait de son travail. On prétendait qu'il était un bon bûcheron, tout comme on avait toujours déclaré qu'il était un excellent cordonnier.

Que demander de plus, n'est-ce pas ?

Jaquelin en était même rendu à se dire qu'une fois de retour chez lui, il aurait de moins en moins besoin de ses beaux-frères, afin de voir à l'entretien de la maison. Les gros outils ne lui faisaient plus peur. Preuve, s'il en était besoin, que Jaquelin Lafrance était un homme intelligent, capable d'apprendre tout et n'importe quoi, pourvu que l'on se donne la peine de lui montrer correctement ce qu'il devait faire. Cela venait contredire son père Irénée, qui l'avait toujours traité de cabochon.

Tout comme le fait de chanter ne nuisait nullement

au travail bien fait. Aujourd'hui, Jaquelin en avait la preuve. Depuis la nuit de Noël, il ne laissait pas sa place quand une chanson s'élevait entre les épinettes pour accompagner le bruit des haches et sa production n'en avait pas souffert. Il avait même appris par cœur les paroles de bien des chansons et il se promettait de les montrer à ses enfants, dès qu'il serait de retour chez lui.

Le soir, avant de s'endormir, Jaquelin avait eu un long hiver pour méditer toutes ces choses et, souvent, c'était avec un vague sourire sur les lèvres qu'il sombrait dans le sommeil, le nez enfoui dans le petit carré de batiste qu'il avait enfin reçu. Tous ces changements apportés à sa vie lui avaient fourni les mots à écrire dans chacune des lettres envoyées à la maison et Jaquelin Lafrance était très fier de lui.

Il avait surtout grande hâte d'en jaser de vive voix avec Marie-Thérèse.

Ce qui lui faisait penser, en ce moment, que le métier de draveur en était un comme les autres, et que, s'il en avait envie, il réussirait probablement à l'apprendre, lui aussi.

Pour en savoir un peu plus sur le métier, Jaquelin remonta donc la colonne des hommes à grandes enjambées afin de rejoindre Matthias, qui marchait sur les talons du grand Joachim, et il répéta :

— C'est vrai ça, que faire la drave, c'est payant ?

— Et comment ! Tu fais le salaire d'un mois en une semaine.

— Tant que ça ?

— Parles-en au *foreman*, Lafrance ! intervint Joachim

en se tournant brièvement vers celui qui marchait quelques pas en arrière. Il va te le dire, lui, combien ça va payer cette année. Mais habituellement, ça ressemble à ce que vient de te dire Matthias : un bon draveur fait un mois de salaire dans une semaine. Ou à peu près. L'an dernier, ça m'a rapporté huit belles piastres par semaine.

— Ben moi, tu sauras, j'aime mieux jouer sûr.

Un peu plus loin sur le trottoir, où marchaient bruyamment tous les hommes en direction de la salle à manger, une voix venait de s'inviter dans la discussion.

— Courir sur des billots branlants qui flottent sur de l'eau glacée, manipuler la gaffe pour défaire les embâcles, dormir pis manger dans des tentes sur le bord d'une rivière ou ben d'une autre, pis surtout être obligé de me servir de la dynamite en cas de besoin, ça me dit rien pantoute.

— Avec ta *gang* d'enfants, Lafrance, moi, j'irais pas là, argumenta une autre voix, devenue de plus en plus rauque au fil des semaines à cause de l'abus du tabac, qui restait à peu près le seul désennui pour tous ces hommes. D'autant plus que t'as une *job steady* qui t'attend chez vous. Faudrait ben que t'arrives tout d'un morceau pour retrouver ton métier de cordonnier. Pourquoi t'irais prendre des risques inutiles ?

— C'est si dangereux que ça ? demanda alors Jaquelin, les yeux rivés sur la nuque de Matthias, de qui il espérait une réponse claire. Me semble que...

— Écoute-les pas, Lafrance ! coupa ce dernier, tout en tournant brièvement la tête vers Jaquelin. Moi, ça fait des années que j'suis draveur tous les printemps. C'est dur, je dirai pas le contraire, pis risqué, c'est vrai, mais il y a rien de facile dans la vie... Dis-moi un peu, Jaquelin, j'ai-tu l'air d'un gars magané?

— Non, pas vraiment.

— Bon, tu vois! J'ai déjà été cageux sur la...

— Cageux?

— Ouais... Un *raftman*, si tu préfères, sur la rivière des Outaouais. On fait comme un immense radeau avec les pitounes, pis on vit dessus durant des semaines, le temps de descendre la rivière... Mais j'aime moins ça. Il y a moins de *thrill*, ça paye moins, pis le temps m'a paru pas mal plus long... Non, il y a rien comme la drave pour qu'un homme se sente ben vivant! T'as peut-être une *gang* d'enfants pis une *job* qui t'attend, c'est vrai, mais ta vie s'arrête pas à ça. D'après ce que tu nous as raconté ben des fois, le soir, à la veillée, il va te rester un boutte de maison à payer quand tu vas rentrer chez vous, non? Ça compte, ça aussi, dans la décision d'un homme!

— Je sais ben...

Jaquelin était songeur.

— Paraîtrait qu'elle est presque prête, la maison, souligna-t-il alors. Pis pas mal belle, à part de ça. C'est ce que ma femme m'a écrit dans la dernière lettre que j'ai reçue.

Malgré une évidente ouverture aux autres et un plaisir sincère à côtoyer ceux qu'il pouvait dorénavant appeler «ses amis», Jaquelin Lafrance n'en restait pas moins intimidé par les regards qui se posaient parfois sur lui avec insistance. Si ces mêmes regards étaient égrillards, il en perdait alors tous ses moyens, sa nature profonde n'arrivant pas du tout à s'accommoder des grivoiseries. Voilà pourquoi il n'osa ajouter que sa femme avait aussi écrit dans l'unique lettre à lui parvenir depuis les fêtes que même si la maison était habitable, elle allait l'attendre pour y emménager. Cette confidence aurait probablement suscité quelques blagues, et, sur ce point, Jaquelin n'était pas d'accord avec l'attitude de ses compagnons. Il respectait trop sa femme pour accepter d'entendre le moindre calembour au sujet de leur relation.

« *Pas question que je m'installe sans toi, Jaquelin,* lui avait gentiment affirmé Marie-Thérèse, *après avoir parlé des travaux qui tiraient à leur fin. Cette maison-là, c'est ben plus la tienne que la mienne. Je vas respecter ça. Pis comme j'ai pas envie de voir ton père venir fouiner dans nos affaires avant que t'ayes vu la maison, j'ai pas l'intention de lui écrire pour dire que toute est presque prêt, pis que c'est ben beau. Il sait que ça s'en vient, ça suffit. Ça me tente pas de le voir rappliquer ici avant toi. Ça fait qu'on va attendre que tu soyes là, les enfants pis moi, pour aller vivre dans la maison neuve.* »

Cette délicatesse avait profondément touché Jaquelin, qui gardait cette dernière lettre en permanence sur lui, profitant de chaque occasion offerte pour la relire. Il appréciait particulièrement ce passage où Marie-Thérèse écrivait ne rien vouloir faire de plus tant et aussi longtemps qu'il ne serait pas avec eux. Le déménagement se ferait donc dès son retour dans cette maison qui, selon elle, avait plutôt fière allure.

« *Comme celle d'avant,* avait-elle précisé. *La nouvelle maison est pareille comme celle que ton père avait bâtie. Sauf en dedans... J'ai pensé à notre famille, à nos habitudes à nous autres, pis avec mon père, j'ai choisi de mettre les pièces d'une autre manière. Je pense que tu vas aimer ça. Je t'en dis pas plus, je veux te faire une surprise. En attendant, je le répète au cas où t'aurais envie d'insister : pas question d'aller vivre là sans toi.* »

Pourtant, Marie-Thérèse devait en avoir plus qu'assez de passer toutes ses journées à l'étroit avec les enfants, dans la petite maison de la tante Félicité, même si la vieille dame avait le cœur sur la main !

Comme il la connaissait, Jaquelin savait que Marie-Thérèse devait surtout beaucoup s'ennuyer de ses deux plus jeunes, avec qui elle ne passait que quelques heures par jour.

À cette pensée, Jaquelin accéléra encore le pas pour se retrouver tout juste à côté de Matthias.

— Ça dure combien de temps, la drave ? demanda-t-il au moment où les deux hommes grimpaient les quelques marches menant au réfectoire.

D'immenses plats remplis de crêpes les attendaient. Jaquelin l'avait deviné à l'odeur et, à leur vue, il se mit à saliver, comme chaque fois qu'il mettait les pieds dans la salle à manger, à son plus grand étonnement.

En effet, alors que Jaquelin Lafrance avait toujours mangé par principe, parce que la vie le voulait ainsi, depuis qu'il vivait aux chantiers, il avait appris que l'on pouvait aussi prendre plaisir aux saveurs et aux textures des aliments, et que, parfois, l'estomac d'un homme n'avait pas de fond. Quand on lui avait affirmé que le gros Roger était un bon chef, on n'avait pas menti.

— Le temps que dure la drave ? répondit Matthias en tenant la porte grand ouverte. Bof ! Un petit mois, des fois moins.

— Pis ça va commencer quand ?

— Ça, par contre, on peut jamais vraiment le savoir à l'avance.

La poignée de porte enfouie dans sa large main, Matthias s'arrêta un moment et il regarda tout autour de lui. Ce matin, sous les rayons tièdes du soleil, la forêt semblait prête à renaître tout d'un coup. Comme si l'hiver allait plier bagage dans l'heure ! Le croassement des corneilles, si lugubre à l'automne, était empreint, en ce moment, d'une joyeuse espérance.

— À matin, tu vois, je dirais que ça va commencer dans pas trop longtemps, à cause du temps doux, expliqua Matthias, tout en pénétrant enfin dans la salle à manger, bousculé par tous les hommes affamés.

À titre d'ancien, le colosse s'installait de droit à la première table, celle qui était servie en premier. De la main, il fit signe à Jaquelin de le rejoindre.

— Mais demain, ajouta-t-il en glissant sur le long banc qui faisait office de chaise, on va peut-être se réveiller de retour en hiver. Ça fait qu'on sait jamais vraiment la semaine, le jour, le moment où la drave va commencer. D'abord et avant tout, faut que la rivière soye libérée de ses glaces. Pis ça, mon Lafrance, c'est pas pour aujourd'hui. Ça va avec la température pis le soleil. Quand il se met à pleuvoir, quand mars se termine dans les averses, ça va plus vite, c'est ben certain, mais dans ce temps-là, les rivières sont grosses pis c'est plus dangereux. Ça change avec les années. C'est pour ça que je dis qu'on peut jamais savoir d'avance à quoi ça va ressembler. Pour ma part, ça fait ben des printemps que je fais la drave tous les ans, pis c'est jamais arrivé que deux années de suite soyent pareilles.

— Ouais...

— Pis ? Est-ce que ça te tente ?

— J'sais pas trop... D'une certaine manière, je dirais que oui, parce que t'en parles avec un grand sourire, pis il y a plein d'énergie dans ta voix. Mais d'un autre côté, ça me fait un peu peur... Jean-Marie a sûrement pas tort quand il dit que ça peut être dangereux. Mais j'vas y penser, pareil. On sait jamais... Astheure, passe-moi donc le pot de mélasse ! Ça me tente pas de manger mes crêpes froides.

Le surlendemain, Matthias promettait au *jobber* qu'il s'occuperait lui-même de Jaquelin.

— Comptez sur moi, m'en vas y montrer le métier. Lafrance, c'est un gars qui apprend vite, on l'a vu dans le bois. Ça a pas été long qu'il coupait autant d'arbres que les anciens. Ça fait que j'suis sûr que l'an prochain, Lafrance va être un vrai, un flotteur, comme moi pis les autres. Toute s'apprend, monsieur. La flotte du bois comme le reste. Suffit d'être prudent, pis ça, Lafrance, il l'est plus que toutes nous autres mis ensemble. J'suis ben placé pour le savoir, rapport que j'ai bûché à côté de lui une bonne partie de l'hiver.

Il fallait plus qu'un nouveau candidat au poste de draveur pour inquiéter le *jobber*. D'une voix indifférente, il approuva.

— Si tu le dis, je me fie sur toi. Tu connais Lafrance mieux que moi. M'en vas donc mettre son nom sur la liste de paye, en attendant de voir ce que ça va donner. Au pire, si jamais il change d'idée, un nom, ça s'efface.

Cette dernière précision avait fait sourire Jaquelin qui, rassuré, avait remercié Matthias pour son appui. Comme ce dernier était un homme sérieux et fiable, le cordonnier estimait qu'avec lui, il serait à la meilleure école. Nul doute que le nom de Jaquelin Lafrance allait rester sur la liste de paye ! Néanmoins, une petite crampe lui tordait les entrailles quand il repensait à cette décision prise un peu à la va-vite.

Était-ce l'excitation ? Était-ce la peur qui le rendait aussi fébrile ? Jaquelin n'aurait su le dire avec certitude. Probablement un peu des deux. Chose certaine, cependant, il avait hâte d'être chez lui, très hâte, et la simple perspective de gagner quelques jours sur l'horaire prévu lui faisait débattre le cœur. Philosophe, Jaquelin se disait que, dans le cas contraire, ce serait tout de même de l'argent imprévu qui tomberait dans sa poche et cela non plus n'était pas à négliger.

En fin de compte, pour se rassurer, il repensait à sa jeunesse. En effet, quand il était jeune, un des rares plaisirs qu'il avait pu s'offrir sans encourir les remontrances de son père, c'était de grimper dans le grand chêne au fond de la cour, et de s'y installer pour se reposer quelques instants.

Avoir la permission de prendre le temps de ne rien faire tisse des souvenirs impérissables, quand on n'a que douze ans et qu'on s'occupe de vieilles savates, du matin au soir.

Voilà pourquoi ce souvenir était aussi précis.

À l'époque, Jaquelin ne savait pas encore que ce rituel de son enfance aurait un jour une si grande importance, mais aujourd'hui, se revoyant installé à califourchon sur une des plus hautes branches du chêne suscitait une nostalgie qui lui était bonne. Il n'était qu'un gamin, certes, mais le temps de croquer une pomme, tandis qu'il furetait du regard un peu partout dans le village, Jaquelin Lafrance se sentait le roi du monde !

Le cordonnier savait aussi que jamais il n'avait perdu l'équilibre quand il grimpait à son chêne, pas plus qu'il n'avait eu le vertige. Pourtant, Dieu sait qu'il montait haut dans son vieil arbre. Ça devait bien vouloir dire quelque chose, ça, non ?

Quand il y repensait, Jaquelin bombait le torse. Quoi que son père ait pu dire de lui, le traitant de tous les noms, parfois, Jaquelin avait sûrement une adresse naturelle qui lui permettait d'envisager le métier de draveur avec assurance.

Et ce fut ainsi, d'une pensée à un souvenir, de l'envie de revoir Marie-Thérèse à l'ennui de sa famille, que la peur d'un accident s'amenuisa au fil des jours qui passaient.

Quand un soubresaut d'inquiétude se manifestait, ou tout simplement pour contrecarrer les objections diverses qu'il se faisait à lui-même, Jaquelin se disait que, si jamais il prenait du retard parce que la rivière avait choisi cette année de se montrer capricieuse, au moins il retournerait à Sainte-Adèle-de-la-Merci avec un supplément d'argent qui trouverait sûrement bon usage.

En attendant le dégel, avec les chevaux bien harnachés, on avait transporté les troncs d'arbres depuis l'orée du bois jusqu'aux berges de la rivière. Pour occuper le temps, on avait continué à faire les lavages de couvertures et de vêtements dans les cuves d'eau bouillante, mais un peu plus souvent que durant l'hiver, en se disant, chaque fois, que c'était peut-être la dernière. Sans l'avoir vraiment choisi, on mangeait un peu moins aux repas parce que les provisions commençaient à baisser et que le commis avait décidé qu'il serait inutile d'en faire venir d'autres.

— Pas de gaspillage, c'est le patron qui veut ça comme ça. On finit les réserves, même si toute est un peu moins frais.

La saison des chantiers tirait à sa fin et personne n'allait s'en plaindre. Autant l'automne venu, certains d'entre ces hommes attendaient avec impatience le jour où ils partiraient pour les chantiers, autant, une fois le printemps arrivé, ils avaient hâte de redescendre en ville. On avait tous un autre métier, ou des amis, ou une famille qui nous attendaient dans le sud, et chacun d'entre eux avait une raison bien personnelle de vouloir rentrer au bercail.

Le grand Joachim, lui, avait des champs à labourer et à ensemencer, alors qu'il aidait un vague cousin à entretenir sa terre.

Les deux frères Galarneau ne parlaient plus que de leur bateau qui sillonnait les eaux du lac Saint-Pierre, tout au long de l'été, pour pêcher le doré.

Quant à Matthias, c'était sa petite famille qui devait se languir de lui. Il avait une femme et deux enfants et, quand il en parlait, Matthias avait une intonation spéciale dans la voix. Dès qu'il serait de retour chez lui, le colosse troquerait la hache pour le marteau, alors qu'il aiderait ses frères dans divers projets de construction.

Chacun de ces hommes un peu rustres parlait de chez lui avec beaucoup d'émotion dans la voix et le regard, et, dans sa poitrine, battait un cœur de midinette quand venait le printemps.

À l'office, Jaquelin s'était procuré des souliers à crampons, des souliers à « pitons », comme on le disait ici, et une gaffe. Son paquetage était toujours à l'ordre, prêt à partir, et la photographie de Marie-Thérèse avait été soigneusement rangée entre deux pantalons pour pouvoir la remettre intacte à la tante Félicité. Tout au fond du havresac, il y avait toujours les deux bas de laine enroulés l'un dans l'autre, et son pécule n'avait pas baissé d'un sou, puisque la compagnie avait consenti des avances à tout le monde. Jaquelin était tout fin prêt à partir. Les jours d'attente s'accumulant, il était même impatient de goûter à la drave, à la « flotte », comme plusieurs le disaient ici.

Il était temps que la descente de rivière commence !

Ce fut Matthias qui donna le signal du départ, par un matin à l'aube toute rose et lumineuse, sous les rayons d'un beau soleil levant. Debout bien avant les autres, il revenait de la rivière.

— Ça y est! C'est à matin qu'on part, Jaquelin, lança-t-il tout joyeux, en entrant dans le dortoir.

Puis, jetant un regard à la ronde, il déclara d'une voix forte, toujours remplie d'entrain :

— Bédard, Morin, Jean-Louis, Martial, Romuald… On se grouille, les gars! La rivière a fini de charrier le gros de ses glaces durant la nuit. Mangez toute votre saoul parce que la journée va être longue. C'est aujourd'hui qu'on tire les billots à l'eau pis qu'on commence à descendre vers La Tuque. J'ai besoin de tout mon monde. Je passe à l'autre dortoir pour les prévenir.

Puis, revenant à Jaquelin, Matthias ajouta avec un clin d'œil, avant de ressortir du baraquement :

— Avec un peu de chance, mon Jaquelin, dans moins d'un mois, t'es rentré chez vous!

Les mots que le cordonnier attendait!

Il était déjà debout, à côté de son *bed*, et il tendait une main impatiente vers son paquetage.

— Ben content d'entendre ça, lança-t-il par-dessus son épaule.

Puis, se tournant vers Matthias, Jaquelin précisa :

— J'ai ben aimé mon expérience dans le bois, c'est sûr, mais j'ai hâte en s'il vous plaît d'être à la maison!

— On est toutes un peu pareils!

Jaquelin approuva d'un sourire, car Matthias avait assurément raison. Ils en avaient suffisamment parlé entre eux pour le savoir. Ce que le cordonnier ne dirait sous aucun prétexte, cependant, c'était qu'il ne passerait plus jamais aucun hiver sur un chantier. Il s'était trop ennuyé. De sa femme, de sa famille, de son village. Même s'il ne regrettait aucunement l'expérience vécue depuis novembre dernier, et qu'il savait grandement apprécier cette camaraderie découverte au contact de tous ces hommes venus d'un peu partout, des hommes qu'il espérait revoir au fil du temps, il devait cependant admettre que la vie dans les bois n'était pas faite pour lui.

En partant par la rivière, Jaquelin Lafrance irait chercher le maximum d'argent qu'il pouvait tirer de l'aventure, mais il ne reviendrait pas.

Jaquelin se moquait de lui-même quand il se répétait que l'odeur des vieilles bottines commençait à lui manquer.

Et l'absence de Marie-Thérèse était devenue un véritable supplice. Le petit mouchoir était tout fripé d'avoir été longuement reniflé.

Toutefois, en moins de deux heures, Jaquelin Lafrance oublia qu'il avait une maison toute neuve à visiter. Il mit de côté aussi le fait qu'une famille l'attendait avec impatience, et il ne ressentit plus rien de cette envie viscérale qu'il avait de tous les retrouver.

Sur les remous de la rivière, tout était question d'équilibre, de vigilance, d'adresse, et Jaquelin dut y consacrer toute son attention et son énergie.

Sur la rivière, il n'y avait aucune seconde pour les distractions !

L'eau glauque était tellement froide que les embruns qui montaient entre les billots lui glaçaient les mains et le visage. Heureusement qu'il portait la barbe depuis quelque temps, ça gardait au chaud.

Au soir du premier jour de drave, Jaquelin tomba sur sa paillasse avant même d'avoir mangé. Au second, il se jeta sur la nourriture et il dévora tout ce que le *cook* mit dans sa gamelle. Jamais Jaquelin n'aurait cru pouvoir ingérer autant de nourriture en un seul repas.

Ce fut au matin du troisième jour qu'il commença à se sentir un peu moins craintif sur ces billots qui n'en faisaient qu'à leur tête et qui roulaient constamment sur eux-mêmes. On se moquait gentiment de lui, car Jaquelin n'était pas capable de courir et de sauter d'un billot à l'autre, comme le faisaient ses compagnons. Cela demandait une trop longue habitude, et Jaquelin n'avait nulle intention d'en arriver là. Néanmoins, il était en mesure de garder un équilibre rassurant, qu'il rétablissait, au besoin, d'un coup de reins adroit. Du coin de l'œil, Matthias le surveillait.

— Il y a pas à dire, Lafrance, t'apprends vite, disait-il de temps en temps, quand il arrivait parfois à sa hauteur. D'abord la coupe, pis maintenant la drave... T'es un gars bourré de talents ! Un vrai gars de bois !

Jaquelin laissait dire sans jamais répondre.

Au bout d'une quinzaine de jours, Matthias sut qu'il pouvait relâcher la surveillance. Jaquelin Lafrance avait appris à se déplacer sur les billots avec prudence, comme il avait appris à manier la hache et le godendard avec prudence. Il n'était pas encore un as de l'équilibre, ne le serait peut-être jamais,

mais cela n'était pas nécessaire pour mener à bien la tâche qui leur était confiée, celle de mener tous ces troncs d'arbres jusqu'à l'usine. Matthias savait que les téméraires et les fanfarons n'étaient pas forcément les meilleurs draveurs, et, devant l'attitude de Jaquelin, il se dit qu'il pouvait lui faire confiance.

Quant à Jaquelin, alors que la coupe des arbres n'avait été qu'un pis-aller pour lui, une façon comme une autre de se rendre productif en attendant que la maison soit prête et qu'il puisse reprendre son métier, faire la drave était une découverte qui le laissait médusé.

En effet, depuis quelques jours, Jaquelin avait la curieuse sensation qu'une partie de sa jeunesse, celle dont il n'avait pas réellement profité, lui était redonnée, comme en cadeau.

Se dépasser, déjouer la nature et gagner.

Être le plus fort, être le meilleur...

Debout sur les billots, quand il arrivait à se tenir bien droit, Jaquelin Lafrance redressait les épaules et respirait profondément. Il avait alors l'impression d'être à nouveau le roi du monde.

Comme lorsqu'il montait au grand chêne...

Il aurait tant voulu que Marie-Thérèse et les enfants puissent le voir ! Il avait hâte de tout leur raconter.

Depuis quelque temps, il se répétait que non seulement il allait reprendre sa vie là où il l'avait laissée en novembre dernier, mais il allait la retrouver bonifiée. Le cordonnier qui reprendrait sa place devant l'établi ne serait pas tout à fait le même Jaquelin Lafrance que celui parti à l'automne après avoir tout perdu dans l'incendie. Non, l'homme qui reviendrait chez lui serait, en quelque sorte, lui aussi bonifié. Oh! Jaquelin n'aurait pu employer exactement ces mots, mais au fond de lui, il sentait la différence, et l'envie de tenir les siens tout contre lui était bien réelle. Comme l'avait si bien dit Marie-Thérèse, rien ne lui ferait autant plaisir que de retrouver sa place au bout de la table familiale.

Et Jaquelin se jurait bien que, dorénavant, il y aurait des chansons plein la maison du cordonnier de Sainte-Adèle-de-la-Merci.

Jusqu'à maintenant, c'était une belle saison pour la drave. Le soleil chauffait, la rivière n'était pas trop grosse, et les hommes n'avaient pas eu à se battre contre de véritables embâcles. La dynamite n'avait été utilisée qu'à une seule reprise, au grand soulagement de tous.

— Il y a pas à dire, Lafrance, c'est une sacrée bonne saison pour t'accoutumer à la drave! Ça va tellement bien, cette année, que tu devrais être chez vous dans pas trop longtemps!

Jamais paroles n'avaient été plus douces aux oreilles du cordonnier.

Enfin!

Il allait revoir sa Marie et les enfants. Il allait découvrir leur nouvelle maison et préparer une belle affiche pour annoncer que la cordonnerie était rouverte. Il demanderait même la permission à Gustave Ferron pour la placarder au magasin général.

Enfin!

Jaquelin Lafrance allait rentrer chez lui pour reprendre sa vie en mains et, dès son retour, il écrirait une longue lettre à son père pour l'en aviser. Irénée Lafrance verrait bien que son fils n'était pas un manchot!

Tout en travaillant, un œil sur les troncs d'arbres et un autre tourné vers l'avenir, Jaquelin s'imaginait déjà chez lui. Il n'en pouvait plus d'attendre.

Depuis le matin, la rivière était particulièrement calme. «Comme en plein été», avait fait remarquer Matthias au réveil. Alors, les hommes avaient attaqué la journée dans la bonne humeur sous l'œil vigilant de Joachim Côté, qui était un peu partout à la fois!

En effet, par tradition, au camp de la Joffer's Company, et depuis plusieurs années déjà, c'était le grand Joachim qui servait de vigile. Ce n'était pas un rôle officiel, et il n'était pas payé pour cela, mais, entre Matthias, qui était le responsable des draveurs, et le grand Joachim, qui s'était octroyé le rôle de gardien, s'était créé un lien de confiance qui avait fait ses preuves à plusieurs reprises.

L'un veillait et l'autre réagissait rapidement. Comme ils le disaient entre eux, ils formaient un bon *team*!

Bien entendu, il y avait un éclaireur désigné qui, lui, devançait la charge. Il était là pour avertir les draveurs qu'un peu plus loin, il y avait des chutes ou un rétrécissement de la rivière, qui pourrait causer un embâcle. Tout comme il y avait aussi un homme à cheval qui longeait les berges. C'était lui qui voyait à la logistique des arrêts pour la nuit. Mais quand ils étaient sur l'eau, du haut de ses six pieds six pouces, Joachim était celui qui, machinalement, gardait un œil sur tout : la rivière, les rives, les hommes et les billots.

Jusqu'à maintenant, la journée avait été relativement facile. À l'arrêt de midi, ils avaient même pu retirer leurs manteaux, car le soleil était presque chaud.

— Par chez nous, les érables doivent couler à plein. J'ai hâte d'arriver.

Il y avait de la nostalgie, dans cette voix, et le frémissement d'un bel espoir heureux. Jaquelin n'était pas le seul à se languir de plus en plus des siens.

Présentement, la clarté fléchissait. Sous un ciel qui passait lentement du rose au violet, le soleil glissait à travers la dentelle noire des têtes d'épinettes qui se découpaient à contre-jour. Joachim savait que le bivouac n'était plus très loin et qu'ils auraient le temps de s'y rendre avant que la clarté disparaisse pour de bon. Chaque année, ils s'arrêtaient invariablement après le gros rocher qui surplombait la rivière, là-bas, un peu plus loin. L'éclaireur et le *cook* devaient déjà les attendre sur la rive de la petite crique, tout en préparant le souper. Joachim allait interpeller Matthias pour lui montrer le rocher qui venait d'apparaître dans son champ de vision, quand, soudain, il y eut un cri.

— Là-bas ! Un homme à l'eau !

Joachim tourna vivement la tête. Grâce à sa grandeur, il avait une vue d'ensemble sur la rivière, et il aperçut facilement une tache rouge, qui semblait flotter entre deux billots. Une tache qui faisait surface, puis disparaissait, refaisait surface et disparaissait encore, au gré des eaux.

— Là-bas, Matthias ! cria-t-il tout en s'élançant vers ce qui ressemblait à une tuque de laine.

Ce fut suffisant pour que Matthias, même s'il ne voyait rien d'autre que des troncs d'arbres et de l'eau, se dirigeât aussitôt vers l'endroit que Joachim avait pointé du doigt.

Les deux hommes aguerris couraient sur les troncs, sautaient de l'un à l'autre, si habilement qu'ils semblaient voler au-dessus de la marée de toutes ces « pitounes » flottant sur la rivière.

Matthias fut le premier à arriver à la hauteur de Jaquelin, qui avait perdu pied et qui était tombé à l'eau. Depuis quand ? Personne n'aurait su le dire. Le gargouillis des remous de la rivière avait avalé le bruit de sa chute et comme chaque seconde comptait... Sans prendre le temps de s'en vouloir pour avoir relâché sa surveillance, il aurait probablement toute une vie pour le faire, Matthias tendit sa gaffe vers Jaquelin et, avec une délicatesse de dentellière, il agrippa un pan du manteau et tira de toutes ses forces. Les clous de ses chaussures étaient bien arrimés au bois d'un gros billot qui perdait peu à peu son écorce, ce qui le rendait glissant.

Matthias maniait la gaffe avec adresse pour ne pas blesser Jaquelin. Il tirait et tirait encore, jouant de ruse avec les arbres qui semblaient vouloir lui arracher le corps du bûcheron. Matthias surveillait les troncs, et la tête de Jaquelin. S'il fallait qu'il reçoive un coup violent au crâne...

Mathias banda ses muscles. Il se battrait contre les troncs et l'eau vive qui l'éclaboussait jusqu'à l'ultime limite de ses forces, avec l'énergie du désespoir, tout comme Jaquelin lui avait confié l'avoir fait pour sauver ses enfants des flammes.

— C'était l'enfer, Matthias, mais jamais, tu m'entends, jamais j'aurais pu en laisser un seul à l'intérieur quand moi, j'étais dehors ! À ce moment-là, j'avais vraiment l'impression que ma propre vie valait ben moins que celle de mes enfants. Ça fait que je suis retourné dans la maison en flammes pour aller chercher Agnès, qui criait comme une possédée.

Aux yeux de Matthias, cet homme-là ne méritait pas de mourir tout de suite. De toute façon, personne sur Terre ne méritait de disparaître de cette façon, dans la fleur de l'âge.

— Je Vous en prie, pas lui ! gronda-t-il, ne s'adressant à personne en particulier, sinon à Celui qui était supposé veiller sur eux tous, depuis son Ciel.

Dieu dut entendre sa supplique car, lentement, le corps de Jaquelin s'approcha de lui sans qu'aucun tronc le frappe sérieusement. Matthias se pencha alors à la limite de la prudence et, à bras le corps, il souleva Jaquelin, qui se laissait manipuler comme un pantin désarticulé, un pantin difficile à sortir de l'eau, parce que très lourd.

Joachim arriva enfin à la hauteur de Matthias pour l'aider.

— Doucement, Joachim, doucement.

Ce fut à deux que les draveurs ramenèrent le corps détrempé et glacé jusque sur les berges de la rivière, marchant et glissant sur les billots, se retenant mutuellement pour ne pas tomber à leur tour. Ils avaient peur d'échapper Jaquelin, qui était si lourd dans ses vêtements mouillés, et le retour sur la terre ferme fut ardu et lent.

Au bout de longues minutes qui leur semblèrent interminables, Joachim et Matthias purent enfin déposer Jaquelin sur un rocher délivré de son carcan de neige. Complice de ce printemps idyllique, le rocher gardait même une certaine chaleur, procurée par les derniers rayons du jour.

Matthias y vit un signe du Ciel, car, en ce moment, l'unique besoin de Jaquelin était un peu de chaleur.

Sous le regard horrifié des autres draveurs, qui ne tardèrent pas à les rejoindre, Matthias tentait de détacher les boutons du manteau de Jaquelin. Ses doigts gourds étaient malhabiles.

— Comment il va ?

Dans un premier temps, Matthias ne se donna pas la peine de répondre. La moindre seconde occupée à autre chose qu'à tenter de réchauffer Jaquelin serait peut-être celle qui ferait la différence entre la vie et la mort.

Puis il leva furtivement les yeux et se heurta au regard de Joachim. Du coin de l'œil, il aperçut aussi les hommes qui approchaient, les uns après les autres, oubliant les billots pour un moment.

Personne, sur un chantier, n'aimait voir l'un des

siens se blesser, tomber dans les eaux glacées ni encore moins le voir mourir.

— J'sais pas encore, haleta donc Matthias, qui arrachait déjà son propre manteau... On va commencer par essayer de le réchauffer. Allez, les gars, donnez-moi vos vestes... Non, pas toi, Romuald, ni toi, Bédard. Faut quelqu'un sur l'eau... Allez, les gars, retournez sur la rivière...

Les deux hommes étaient déjà en train de rattacher leur manteau.

— On va s'arrêter à la petite crique, comme d'habitude, précisa Joachim, qui venait de prendre la relève de Matthias. Vous avez juste à guider les troncs, ils vont rentrer tout seuls dans la crique, comme des vaches rentrent à l'étable. C'est pas difficile. On va vous crier les nouvelles, craignez pas...

La voix autoritaire de Matthias était haletante.

— Pis toi, Joachim, tu vas m'aider à virer Jaquelin de bord pour finir de le déshabiller, exigea-t-il sur le même ton. Le pauvre garçon peut pas rester dans ses vêtements tout trempes. Envoyez, les autres ! Les manteaux, les chemises, vite ! Pis trouvez-moi du bois pour faire un feu. Y avez-vous vu la face ? Jaquelin est blanc comme un drap. Si au moins j'arrivais à sentir battre son cœur...

Du bout de ses doigts engourdis par l'eau glacée, Matthias tentait de percevoir le pouls de Jaquelin, dans le cou, au poignet.

— Baptême, il y a rien à faire, je sens rien. J'ai les mains tellement gelées que je sens pus rien.

En désespoir de cause, Matthias posa sa tête sur la poitrine de Jaquelin. Son visage s'éclaira aussitôt.

— C'est pas fort, ça bat pas vite, mais ça bat... On va se battre, nous autres avec! Non, non, non, fais pas ça, toi! Faut surtout pas le frictionner. C'est ça qu'on m'a appris... J'sais pas trop pourquoi, mais faut juste enlever ses vêtements mouillés pis l'envelopper avec du linge sec pour le réchauffer... Pis peut-être prier.

TROISIÈME PARTIE

———◄►———

Printemps 1923

CHAPITRE 6

Au village de Sainte-Adèle-de-la-Merci, au déclin
d'une superbe journée qui s'était étirée joyeusement
sous les tièdes rayons d'un soleil de printemps

————◆————

Le jeudi 12 avril 1923, à l'heure du souper,
dans la grande cuisine de la tante Félicité

À quelques jours de l'accident et, à vol d'oiseau, à plus d'une centaine de milles de la rivière Saint-Maurice, Marie-Thérèse avait commencé à compter les jours la séparant du retour de son mari.

Depuis plus d'une semaine, la neige fondait à vue d'œil.

Il ne faisait donc aucun doute que les hommes reviendraient bientôt des chantiers.

Marie-Thérèse n'y connaissait pas grand-chose, bien sûr, et elle n'avait personne auprès de qui se renseigner, mais il n'en restait pas moins que le gros bon sens allait dans cette direction : Jaquelin allait revenir très bientôt, puisque l'hiver était fini. La jeune femme avait donc toutes les raisons de se réjouir et c'est ainsi que chaque fois qu'elle y pensait, son cœur faisait un drôle de petit bond dans sa poitrine et, invariablement, un large sourire la transfigurait.

— Savez-vous quoi, matante ?

Les deux femmes étaient à la cuisine en train de fricoter le repas du soir.

— J'avais déjà entendu dire, poursuivit Marie-Thérèse sans attendre de réponse, qu'il y avait rien de mieux qu'une longue absence pour savoir si on aimait quelqu'un…

— Ouais, pis ?

Le ton employé par la tante Félicité était malicieux. Elle se doutait bien où sa nièce voulait en venir. Comme de fait, cette dernière précisa, dans la foulée de ses derniers mots :

— Pis c'est vrai !

La tante Félicité était en train de casser les coquilles d'une bonne douzaine d'œufs pour en faire une grosse omelette, qui serait le dernier repas de la journée.

Les enfants en raffolaient.

La vieille dame s'empara donc d'un batteur à main, et, sans attendre, elle se mit à tourner la manivelle avec énergie pour faire gonfler et mousser la préparation. Quand la battue d'œufs commencerait à monter, elle ajouterait un peu de crème, de temps en temps, pour donner du corps à son omelette, tandis que Marie-Thérèse, de son côté, coupait une montagne de légumes d'automne, ceux qui avaient réussi à traverser l'hiver sans trop flétrir. Elle les taillait en tout petits morceaux pour les mettre ensuite à rissoler avec des cubes de lard salé.

— Jamais, vous entendez, jamais j'aurais cru m'ennuyer de Jaquelin comme maintenant, poursuivit-elle, tout en secouant les légumes contenus dans un grand poêlon en fonte qu'elle tenait à deux mains, tellement il était lourd. Pourtant, avant que mon mari parte pour le chantier, il pouvait se passer ben des journées sans qu'on se voye autrement qu'à l'heure du souper. C'est déjà arrivé qu'on se retrouve juste le soir tard, quand on montait se coucher. C'est vrai que certains jours, on était ben trop occupés tous les deux chacun de notre bord pour prendre le temps de jaser. Même que des fois, j'avais vraiment l'impression que Jaquelin était pas là, tellement il passait d'heures à la cordonnerie sans faire de bruit. Mais c'était pas pareil que maintenant. Je savais qu'il était pas trop loin, pis que j'avais juste à l'appeler pour le voir retontir dans ma cuisine… Voyez-vous, matante, juste de savoir ça, ben ça mettait du vent dans les voiles pis du cœur à l'ouvrage. Il a fallu que mon homme parte pour un long bout de temps pour me faire comprendre à moi, Marie-Thérèse Gagnon, que j'avais besoin de lui, que j'avais besoin qu'il soye là, en personne, pas trop loin. Ouais… Toute ça pour vous dire que depuis l'automne, me semble que j'ai moins d'allant qu'avant, pis je dirais que c'est juste parce que mon Jaquelin est pas là.

À ces mots, Félicité esquissa un sourire à la fois tendre et espiègle.

— C'est plein de belles choses, ce que tu viens de

dire là, ma Thérèse. Va falloir que tu les répètes à Jaquelin, un bon jour. Mais, si tu veux mon avis, il y a pas juste de l'ennui dans ton affaire. Non, pas vraiment… Je dirais qu'au-delà de l'absence de son mari, une certaine Marie-Thérèse Lafrance aurait ben d'autres raisons pour avoir un peu moins d'allant… Tu penses pas, toi?

— Des raisons pour… Ah ça?

Tout en frôlant doucement son ventre, qui commençait à arrondir, Marie-Thérèse éclata de rire.

— Non, matante, c'est pas le fait d'être en famille qui me fait filer un mauvais coton. C'est tout le contraire. Quand j'attends du nouveau, j'suis toujours en forme. Non, je vous le dis, c'est l'absence de mon homme qui me rend un brin caduque. Vous allez voir! Quand Jaquelin va être revenu, ma bonne humeur va revenir, elle avec, j'en suis sûre. Pis juste d'une traite, à part de ça!

— Ben tant mieux, ma belle! C'est de ça qu'il va avoir besoin, notre Jaquelin. Après un long hiver, tout seul sans sa famille, au fin fond des bois, comme je le connais, ton mari s'est sûrement beaucoup ennuyé, lui avec. Il va sûrement avoir envie de voir plein de sourires, pis de bonne humeur, autour de lui. En plus, vous allez vous retrouver toutes ensemble dans votre belle maison… Ça va sûrement être ben agréable pour toute la famille, ça là!

Tout en parlant, la tante Félicité avait levé les yeux du bol en faïence où elle continuait de battre vigoureusement l'omelette, et, présentement, elle contemplait sa nièce avec un regard affectueux.

Dire que l'hiver lui avait semblé trop long serait mentir. Malgré la présence envahissante de tous ses neveux et nièces qui, par moments, prenaient beaucoup d'espace dans sa minuscule maison, Félicité Gagnon avait eu l'impression de rajeunir, au cours des derniers mois.

— Il faut que ça bouge, des enfants! lançait-elle à Marie-Thérèse, lorsque cette dernière ne savait plus à quel saint se vouer pour arriver à tranquilliser sa marmaille. Laisse-les faire, ma Thérèse, insistait la tante Félicité. Ça me dérange pas une miette de les voir courir un peu. Quand ça bouge, des enfants, ça veut dire qu'ils sont en santé.

— Vous parlez comme Jaquelin, matante! Lui avec, le bruit des enfants l'a jamais vraiment dérangé. Faut pas qu'ils aillent dans son atelier, par exemple. Surtout quand il est pas là. Ça, Jaquelin le tolère pas. C'est déjà arrivé que Cyrille lui aye désobéi, pis assez souvent, à part de ça. Laissez-moi vous dire que Jaquelin a piqué une colère noire à chaque fois!

— Pis ton mari avait raison d'agir de même. Il y a plein d'outils dangereux d'accrochés sur son mur... Pis c'est son gagne-pain, la cordonnerie. Faut que les enfants prennent ça au sérieux. J'ai pour mon dire que, dans une famille, les enfants doivent apprendre à respecter le travail des parents! Celui du père, comme de raison, parce que c'est lui le pourvoyeur, mais celui de la mère aussi, parce que sans elle, ils mangeraient pas gros... Tout ça pour te dire que s'il faut leur crier après pour qu'ils comprennent le bon sens, ben, faut surtout pas se gêner.

Des discussions comme celle-là, il y en avait eu à la pelletée, tout au long de l'hiver, et ce fut ainsi, malgré un manque flagrant d'habitude, que Félicité Gagnon avait été d'une patience d'ange avec la famille de Marie-Thérèse. Il faut dire, cependant, que la maternité de sa nièce y était pour beaucoup dans cette attitude on ne peut plus conciliante.

Vivre sous le même toit que cette nièce qu'elle aimait comme une fille, partager son quotidien durant ces mois de l'attente, avait permis d'adoucir bien des irritants propres à la vie commune et avait même réussi à aplanir les petites aspérités du caractère de Félicité Gagnon. Vraiment! Malgré les cris, les bousculades, le surplus de travail et quelques nuits écourtées, la vieille dame n'avait pas vu le temps passer et elle avait gardé, au fil des mois, une humeur, ma foi, plutôt sémillante, pour une femme de son âge.

C'était plutôt l'arrivée du printemps qui rendait Félicité Gagnon morose, depuis quelque temps. Pourtant, elle aimait bien le printemps, la tante Félicité, alléguant en riant que le soleil lui allait bien au teint! Cependant, cette année, elle savait que le jour où Marie-Thérèse quitterait sa maison n'était plus très loin, et elle craignait ce moment. Oh! Félicité était encore capable de se réjouir pour sa nièce, quand même! Il était normal, n'est-ce pas, que les époux se retrouvent enfin, et personne ne lui ferait dire le contraire. N'empêche qu'une pointe de mélancolie venait ternir l'habituelle générosité de Félicité, qui n'arrivait pas, cette fois-ci, à s'oublier complètement devant le bien-être de l'autre. Mais comment lui en vouloir ? En tant que vieille fille, elle avait été fort peu sollicitée par les futures mères de la famille ou par celles du village. Pourtant, même si Félicité n'était pas mariée, c'était tout de même un cœur de femme qui battait dans sa poitrine. Une femme qui avait vu ses amies, ses sœurs, ses belles-sœurs, ses cousines et ses nièces enfanter à tour de rôle, sans que personne, jamais, songe qu'elle-même aurait peut-être aimé se retrouver à leur place.

Sauf cette fois-ci.

Grâce à Marie-Thérèse, Félicité ne se sentait plus tenue à l'écart, sous prétexte qu'elle n'y connaissait rien. Les malaises, les petites douleurs et les inconforts, tout comme les brusques fringales et les tout premiers mouvements du bébé à naître, Félicité les avait partagés au jour le jour.

Aux yeux de la vieille dame, la maternité de Marie-Thérèse était en quelque sorte un petit clin d'œil décoché par la vie, une sorte de cadeau bien mérité, offert à la célibataire qu'elle était restée, par choix, il faut cependant l'avouer.

La maternité de Marie-Thérèse, c'était la façon un peu inusitée que Félicité avait trouvée de vivre enfin une grossesse, même si c'était par personne interposée.

Voilà pourquoi l'hiver avait paru si court aux yeux de la tante Félicité, qui aurait bien aimé être capable d'arrêter la course du temps, du moins jusqu'à l'accouchement.

Malheureusement, il n'y avait que dans les contes

de fées que la chose aurait été possible, n'est-ce pas ? C'est donc pour cette raison que Félicité Gagnon anticipait le moment où elle se retrouverait seule dans sa maison.

Bien que minuscule, celle-ci allait sûrement lui paraître immense. Les cavales dans l'escalier, les petites chicanes du déjeuner, tout comme les grands éclats de rire du souper, sans parler des confidences faites à la lueur de la lampe à l'huile, tous ces petits riens du quotidien allaient sûrement beaucoup lui manquer.

C'était donc le cœur lourd que la tante Félicité avait, à sa façon, commencé elle aussi à compter les jours la séparant du retour de Jaquelin. Toutefois, elle ne laissait rien transpirer de sa mélancolie. Marie-Thérèse avait le droit de préparer le retour de son mari dans la joie, dans l'allégresse même, sans avoir à souffrir de l'ombre déployée par la tristesse d'une vieille femme qui avait le vague à l'âme.

Une vieille femme qui prenait brusquement conscience que sa jeunesse s'était envolée drôlement vite et bien loin.

Alors, en ce moment, Félicité s'obligeait à bavarder avec Marie-Thérèse sur un ton léger, comme elle l'avait toujours fait, par respect pour sa nièce.

— ...Pis j'ai ben hâte de voir la face de notre Jaquelin quand il va visiter la maison, disait justement Félicité, avec juste ce qu'il fallait d'enthousiasme dans sa voix rauque. Il y a pas à dire, ma Thérèse, ton père pis tes frères, Ovila en tête, ont faite de la belle ouvrage.

— C'est vrai, ça… Vous avez ben raison de parler de même. C'est en plein ce que je pense, moi aussi. J'espère juste que Jaquelin va être content du résultat, lui avec.

— Ben voyons donc, toi! C'est quoi cette crainte-là? Pis d'abord, explique-moi donc pourquoi ton mari serait pas content?

Marie-Thérèse esquissa une moue.

— Je sais pas trop…

Brusquement, la jeune femme semblait incertaine, elle qui, depuis ces dernières semaines, manifestait pourtant une grande fierté devant les résultats obtenus, à la suite de la reconstruction de la maison.

— Me semble, expliqua-t-elle enfin, que j'ai pris ben des décisions tuseule, sans jamais pouvoir le consulter. Pour le faire, il aurait fallu attendre le retour de ses lettres, pis ça aurait pris bien trop de temps. Ça fait que ça m'achale un brin d'avoir été obligée de toute faire sans avoir son avis. Ça me fait un peu peur, aussi. Des fois que la manière que j'ai arrangé les pièces lui plaisait pas, hein? Avez-vous déjà pensé à ça, vous, matante? Que c'est qu'il va dire, mon Jaquelin, quand il va voir où j'ai décidé de mettre notre chambre? Des fois, je me demande si c'est vraiment une bonne idée de l'avoir mis en bas, à la place d'un salon…

Félicité balaya l'objection d'un petit coup du batteur à main dans le fond du bol en faïence.

— Tu t'en servais pas, de ton salon, nota-t-elle en même temps, catégorique.

— Je sais ben, matante, mais quand même… Ça se

fait-tu, ça, une chambre en bas, à la place d'un salon ? J'ai pas vu ça souvent, en tous les cas, même si cette pièce-là nous servait pas ben ben... À part la visite annuelle de monsieur le curé, pis des fois à Noël, la porte restait fermée tout le temps, parce que je voulais pas que les enfants aillent jouer là, pis qu'ils me la virent toute à l'envers.

— Bon ! Tu vois ben que c'est pas une méchante idée d'avoir fait une chambre à la place d'un salon ! Ça fait juste un peu plus d'espace en haut pour vos enfants.

— C'est vrai. C'est justement pour que les grands ayent une petite place juste pour eux autres que j'ai pris cette décision-là. Comme ça, à l'autre bout du corridor, il y a un espace assez grand pour mettre une table pour faire les devoirs. Juste en dessous de la fenêtre, par-dessus le marché ! Ça va être pas mal mieux que de toujours s'installer au bout de la table de la cuisine dans les cris pis les courses des plus jeunes.

— C'était une très bonne idée, confirma Félicité d'une voix catégorique, pis c'est pour ça que je te dis que tu t'en fais pour rien. J'suis sûre que Jaquelin va voir les choses de la même manière que toi. Pis si c'était pas le cas, pis qu'il chialait pour la forme, parce que c'est la manie des hommes de toujours vouloir avoir raison, ben, tu lui expliqueras ta pensée. Il va comprendre... Arrête donc de t'en faire avec ça, ma belle ! De toute façon, les hommes s'intéressent pas vraiment à ces affaires-là.

— Ça, c'est vrai, approuva Marie-Thérèse. Jaquelin

me dit souvent que c'est moi qui connais ça, les affaires de la maison! Pis il ajoute aussi que c'est à moi de décider, pour tout ce qui concerne les enfants.

— Bon, tu vois! répéta Félicité. Pis quand ben même ça serait pas le cas, cette fois-ci, pis que Jaquelin était pas d'accord avec tes choix, il sera pas différent des autres : il va dire un peu n'importe quoi, s'imaginant qu'il a raison, pis il va se dépêcher d'oublier toute ça. C'est souvent de même, les hommes! Que c'est que tu veux qu'on y fasse? On changera pas le monde, icitte à soir. Dis-toi ben que ton Jaquelin, c'est pas n'importe qui! C'est un gars sensé. En autant qu'il trouve que ce que t'as faite a du bon sens, pis que lui, il y trouve son confort, ça va faire son affaire, j'en suis certaine... Pense plutôt à la cordonnerie.

À ces mots, Marie-Thérèse se mit à rougir de fierté.

C'est qu'elle en avait mis du temps à tout planifier, à tout organiser, à choisir de beaux manches en bois verni pour les outils de son mari, dans le gros catalogue de monsieur Touchette, parce qu'il fallait bien remplacer ceux qui avaient brûlé dans l'incendie. Elle avait passé des heures et des heures, aux côtés de son père et de son frère Ovila, à analyser le plan de la maison que son père avait pris le temps de dessiner sur une belle grande feuille blanche, achetée exprès à monsieur Touche-à-Tout. Au bout du compte, c'était elle qui avait décidé avec Ovila que la cordonnerie serait bien mieux à l'arrière de la maison.

— Tant qu'à y passer de nombreuses heures, à peu près tous les jours, aussi ben que Jaquelin puisse profiter du soleil, avait-elle argumenté pour faire valoir son point de vue.

Toute la famille Gagnon avait été d'accord avec elle !

Ainsi, maintenant, la clarté du jour allait pouvoir entrer dans la pièce à pleines fenêtres. Deux fenêtres. Marie-Thérèse avait exigé qu'il y ait deux fenêtres pour égayer l'atelier de son mari. Une donnant au sud, pour la matinée, et l'autre vers l'ouest, pour l'après-midi.

Ensuite, quand la pièce avait été prête, quand les murs avaient été enduits d'une couche de peinture d'un beau jaune soleil pour que la pièce reste gaie même par jour de pluie, Marie-Thérèse avait installé les outils sur le mur, exactement comme Jaquelin l'avait fait, à la seconde où son père avait quitté la maison.

— Chacun travaille à sa manière, avait-il grommelé pour expliquer son empressement. Pis ma manière à moi, ben, elle ressemble pas pantoute à celle de mon père. M'en vas toute changer ça pour que ça me convienne. Un point c'est toute !

Marie-Thérèse avait donc tenu compte des choix de Jaquelin. Sauf que cette fois-ci, la pièce était nettement plus vaste et ensoleillée.

— C'est vrai que c'est une belle grande pièce, approuva-t-elle avec enthousiasme, en tournant la tête vers sa tante. Ben plus grande que celle d'avant, où deux clients en même temps se marchaient sur les pieds.

— Ça, c'est quelque chose que Jaquelin va remarquer, pis qu'il devrait pas mal apprécier.

— Je penserais, oui… J'espère juste qu'il sera pas fâché que j'aye mis la cordonnerie à l'arrière de la maison.

— Pourquoi ?

— Parce que c'est moins visible… Mais en mettant la pancarte ben en évidence sur le bord du trottoir, avec la petite flèche que mon frère Bernard a taillée pis gossée dans le bois durant l'hiver, pis qu'Ovila a clouée ensuite juste en dessous du nom de Jaquelin, ça devrait suffire pour que le monde comprenne.

Tout en parlant avec sa tante Félicité, Marie-Thérèse avait tourné les yeux vers la fenêtre de la cuisine, comme si de là où elle se tenait, elle pouvait voir sa maison. Du moins, pouvait-elle l'imaginer, n'est-ce pas, et elle la trouvait très belle ! Avec les meubles qu'on leur avait donnés et les rideaux qu'elle avait suspendus aux fenêtres, la maison serait aussi bien confortable.

Dehors, le jour étirait nonchalamment ses dernières lueurs. À force d'attente et de prières, l'hiver avait fini par finir, et, dans quelques jours, fort probablement, Marie-Thérèse saurait enfin si toutes les décisions, prises toute seule durant la saison froide, trouveraient grâce aux yeux de son mari.

Elle était très fière des choix qu'elle avait faits, et elle avait grande hâte d'en jaser avec Jaquelin.

Marie-Thérèse esquissa un sourire. Aux cris disgracieux des corneilles s'étaient joints quelques oiseaux piailleurs et c'était bien suffisant pour se sentir le cœur en fête. Elle avait toujours aimé la cacophonie des roselins. Ce joyeux pépiement était pour elle synonyme de chaleur et l'été serait toujours, et de loin, sa saison préférée.

La jeune femme ramena alors les yeux sur ses petits légumes en train de grésiller et elle prit une longue inspiration en se demandant, pour la dixième fois peut-être depuis le matin, ce que faisait Jaquelin pour ne pas être encore arrivé. Incapable de répondre à cette interrogation, Marie-Thérèse revint à Félicité.

— Dans le fond, c'est vous qui avez raison, matante : je m'énerve pour rien… Jaquelin va nous arriver d'un jour à l'autre, pis on va déménager dans une maison qu'il peut pas faire autrement que d'aimer, parce qu'elle est encore plus belle que celle d'avant… Pis un dans l'autre, malgré toute, ça a pas coûté les yeux de la tête. Ça, c'est mon père qui me l'a dit, parce que c'est lui qui s'occupait des factures. Ça aussi, Jaquelin va sûrement l'apprécier… Bon, c'est ben beau tout ça, mais faudrait ben manger. Les légumes sont prêts, vous pouvez verser votre omelette dedans… M'en vas râper un peu de fromage pour mettre sur le dessus… Vous savez, celui que j'ai faite la semaine dernière pis qui commence à être un peu sec ? Comme ça, on le perdra pas. Le temps de mettre les assiettes sur la table, de couper du pain, pis j'appelle les enfants…

Quelques minutes plus tard, dans un immense soupir d'impatience, Marie-Thérèse répéta par-dessus son épaule, tout en se dirigeant vers la grande armoire pour prendre la vaisselle :

— Si vous saviez à quel point j'ai hâte que Jaquelin voye tout ça !

— Je te comprends, ma Thérèse. T'as travaillé fort, mais le jeu en valait la chandelle ! Pis en s'il vous plaît, à part de ça ! Jaquelin va l'aimer, cette maison-là, c'est certain. Pis ton beau-père avec, tant qu'à y être.

— Oh lui…

Les deux mains tendues devant elle, Marie-Thérèse revenait vers la table en portant une pile d'assiettes.

— Laissez-moi vous dire, matante, que si mon Jaquelin parle pas tellement, au point que des fois, on sait pas trop s'il est content ou pas, pis que ça m'agace un peu, le beau-père, lui, c'est tout le contraire. On sait toujours d'avance qu'il aimera pas ça ! Bonté divine ! Je l'ai jamais vu être vraiment content de quelque chose, ou accepter quelque chose sans critiquer. À ben y penser, j'ai jamais vu Irénée Lafrance sourire. Même les petits cadeaux qu'on y donne, des fois, ça fait jamais son affaire ! C'est une vraie manie de toujours dire non à toute. On se démène comme un diable dans l'eau bénite pour y faire plaisir, pis ça fait jamais. Faut toujours qu'il aye le dernier mot. C'est ben fatigant, vous saurez.

— C'est vrai qu'Irénée Lafrance a pas le caractère facile ! Mais dis-toi ben que c'est pas à cause de toi, il l'a jamais eu. Même petit, il était bougon tout le temps. Il y a ben juste du temps de sa défunte épouse qu'Irénée a été un peu plus avenant. Pis encore !

— Ça, je peux pas le savoir, j'étais pas là. Tout ce que je sais, moi, c'est qu'il a mauvais caractère ! C'est justement pour cette raison-là que je voulais avoir Jaquelin à côté de moi quand le beau-père va venir voir la maison pour une première fois... Ça me fait peur d'imaginer que je me retrouverais toute seule avec lui devant la maison... Ah pis, si on parlait d'autre chose? Ça me tente pas de gâcher une belle journée comme celle d'aujourd'hui. C'est ben plate à dire, mais quand on prononce le nom du beau-père devant moi, j'ai l'impression d'avoir une poussée d'urticaire.

Sur ces mots, qui n'appelaient aucune réponse, Marie-Thérèse jeta un regard avisé sur la table. Les assiettes, les verres, le gros pot de porcelaine ébréchée rempli de bon lait frais, la vieille conserve transformée en pot à ustensiles, le beurre, quelques pommes un peu ratatinées pour le dessert... Il ne manquait rien.

— Tout est prêt pour le souper, je crois ben, annonça alors Marie-Thérèse.

— L'omelette a reçu son fromage pis elle est dans le fourneau. Trois ou quatre minutes de plus, pis ça va être prêt.

— Dans ce cas-là, m'en vas chercher les enfants.

Ce fut à l'instant où Marie-Thérèse mettait un pied sur la première marche de l'escalier qu'on frappa à la porte.

— Veux-tu ben me dire, murmura-t-elle, agacée...

Haussant le ton, en équilibre instable, un pied sur la marche et l'autre sur le plancher de l'entrée, elle demanda :

— Avez-vous entendu, matante? Ça frappe à la porte d'en avant.

— Ouais, pis?

Félicité n'avait pas fini de répondre que les coups redoublèrent, et, aussitôt, le cœur de Marie-Thérèse bondit dans sa poitrine.

Et si c'était Jaquelin?

L'euphorie ne dura cependant qu'une fraction de seconde, car l'évidence sautait aux yeux: le jour de son retour, son mari ne se présenterait sûrement pas à la porte avant de la maison. Il allait faire le tour par le petit chemin de cailloux pour se rendre jusqu'à l'arrière afin de passer par la cuisine, comme il l'avait toujours fait.

Marie-Thérèse hésita encore un peu avant d'ouvrir la porte. Elle venait d'avoir une pensée pour monsieur Touche-à-Tout, qu'elle avait croisé tout à l'heure, en revenant du magasin général.

Gédéon Touchette avait-il oublié quelque chose quand il était venu voir Félicité, qui lui avait commandé une pommade spéciale, que Gustave Ferron, le marchand général, ne gardait pas en inventaire?

Marie-Thérèse n'avait pas tellement envie de voir le vendeur itinérant. Surtout pas à l'heure du souper.

Gédéon Touchette parlait beaucoup trop et il prenait toujours tout son temps.

Voilà pourquoi, avant de se décider à ouvrir, la jeune femme haussa le ton pour lancer en direction de la cuisine:

— Attendez-vous quelqu'un, matante?

— Pantoute, ma Thérèse… Pis il est trop tard pour que ça soye monsieur Touchette, si jamais c'est à lui que tu penses. J'ai jamais vu monsieur Touche-à-Tout passer chez les gens après cinq heures. C'est une grande langue, je te l'accorde, mais ça reste un homme avec des manières.

— Que c'est qu'on fait, d'abord? C'est l'heure du souper pis les enfants doivent avoir ben faim.

— Pis ça? C'est pus des bébés, ils sont quand même capables d'attendre un peu! Envoye! Ouvre, ma belle, ouvre, avant que l'omelette s'aplatisse comme une crêpe!

Ce que fit Marie-Thérèse, quand même étonnée de voir quelqu'un se présenter ainsi à leur porte, à l'improviste de surcroît, tout juste à l'heure où la plupart des gens passaient à table.

Habituellement, à Sainte-Adèle-de-la-Merci, passé cinq heures, on respectait l'intimité des familles.

Jugeant donc ces coups redoublés plutôt impolis, Marie-Thérèse affichait un visage réprobateur quand elle ouvrit enfin la porte.

Casquette à la main, un homme très grand attendait qu'on veuille bien lui ouvrir. À voir son sourire avenant, Marie-Thérèse en conclut qu'il devait être un homme d'une grande patience, puisqu'elle l'avait fait attendre plus que de raison.

À cette pensée, le regard de Marie-Thérèse s'adoucit.

L'homme qui se tenait devant elle était tout en jambes. Il était encore plus grand que Jaquelin, et

Marie-Thérèse dut se casser le cou pour que leurs regards puissent se croiser.

— Je peux quelque chose pour vous, monsieur?

— Peut-être oui…

Le grand homme triturait sa casquette sans ménagement, signe qu'il était un peu nerveux. Puis il détourna la tête une seconde pour jeter un regard à la ronde. Le village était bien calme et la rue principale était vide. Jaquelin avait eu raison de dire qu'il habitait dans une jolie paroisse. Sur ce, l'inconnu revint à Marie-Thérèse.

— C'est au presbytère qu'on m'a dit de venir ici, expliqua-t-il, quand leurs regards se croisèrent une seconde fois. Je cherche madame Jaquelin Lafrance.

À l'instant où elle entendit son nom, prononcé avec une espèce de politesse obligée dans la voix, Marie-Thérèse comprit que cet étranger n'était pas porteur d'une bonne nouvelle. D'une main fébrile, agitée dans son dos, elle fit signe à sa tante Félicité de venir la rejoindre.

— Venez, matante. Venez tout de suite à ras moi, dans l'entrée. Je pense ben que j'vas avoir besoin de vous.

La tante Félicité, attirée par la curiosité, n'avait pas attendu que Marie-Thérèse la demande pour venir à la porte. Elle était déjà à côté d'elle.

La vieille dame leva d'abord un regard inquisiteur sur le visiteur, le détailla rapidement, puis, mue par une sinistre intuition, elle posa lourdement sa main sur l'épaule de sa nièce, dans un geste éminemment possessif.

— On peut quelque chose pour vous, monsieur ?

Le timbre de voix de Félicité, naturellement froid et distant, surtout avec des étrangers, était en ce moment glacial.

L'homme sembla mal à l'aise, soupçonnant sans doute qu'il n'était pas le bienvenu. Son regard se promena un instant de Marie-Thérèse à Félicité, comme s'il ne savait trop où se poser.

— Ouais... Peut-être que vous pouvez quelque chose. Faut que je parle à madame Lafrance, madame Jaquelin Lafrance, pis j'ai ça à lui remettre.

À la main, l'homme tenait un havresac, que Marie-Thérèse n'avait tout d'abord pas remarqué. Elle baissa les yeux.

Un bref regard lui fut suffisant pour reconnaître le bagage de Jaquelin et l'effet fut foudroyant.

Marie-Thérèse eut la sensation que son cœur cessait de battre une fraction de seconde, pour se remettre à cogner comme un fou, l'instant d'après, dans un grand spasme douloureux.

La jeune femme porta une main à sa bouche, incapable d'articuler le moindre mot. Sans avoir besoin de réfléchir plus longtemps, elle comprenait instinctivement que si cet homme-là ramenait le paquetage de son mari, c'était que celui-ci n'était plus en état de le faire lui-même.

L'image de son mari étendu dans un cercueil en planches lui traversa l'esprit, comme pour la narguer, et Marie-Thérèse sentit aussitôt ses genoux fléchir. Si cela n'avait été de la tante Félicité, elle se serait effondrée sur le sol.

L'homme fit aussitôt un pas devant lui et, tout en laissant choir le sac de Jaquelin sur le plancher, il tendit un bras tout en muscles, pour soutenir Marie-Thérèse, lui aussi.

— C'est pas ce que vous pensez, se dépêcha-t-il d'ajouter, pour rassurer la jeune femme. Jaquelin a eu un accident, ça, c'est ben certain. C'est même un peu pour cette raison-là si j'suis ici, à sa place. Mais il est toujours en vie, madame.

À ces mots, la tante Félicité poussa un grand soupir de soulagement. La vieille dame aussi avait entrevu le pire.

Un bref silence entre eux trois permit alors aux émotions à vif de s'atténuer un peu.

Une main sous le coude de Marie-Thérèse, qui reprenait peu à peu ses couleurs, la tante Félicité recula d'un pas et, de l'autre main, elle sembla inviter l'inconnu à entrer.

— Dans ce cas-là, fit-elle en fixant le visiteur, si vous êtes venu jusqu'ici pour nous parler de notre Jaquelin, pis qu'en plus vous avez l'air de ben le connaître, vous êtes pas tout à fait un étranger.

Détournant la tête, Félicité interrogea Marie-Thérèse.

— Que c'est t'en penses, ma belle ? Ça aurait-tu un peu d'allure, ce que je viens de dire là ?

D'être ainsi interpellée fit sursauter la jeune femme. D'être consultée l'obligea à réagir.

— C'est sûr que si ce monsieur connaît Jaquelin, pis qu'il veut nous donner de ses nouvelles, c'est pas vraiment un étranger, approuva Marie-Thérèse d'une voix éteinte.

— C'est ben ce que je me disais...

D'un pas, Félicité s'effaça alors derrière le battant de la porte, qu'elle ouvrit un peu plus grand.

— Comme ma nièce est d'accord avec moi, vous pouvez rentrer, monsieur. Je m'appelle Félicité Gagnon. Jaquelin, c'est mon neveu par alliance... Pis elle, ajouta la tante Félicité, en pointant Marie-Thérèse avec le pouce, c'est sa femme. C'est elle, madame Jaquelin Lafrance... On allait justement passer à table pour le souper. On va vous mettre une place.

— Je veux surtout pas déranger.

— En autant que vous aimez les omelettes, mon bon monsieur, ça dérangera pas une miette. De toute façon, si vous avez des choses importantes à nous dire, on fera pas ça sur le perron de la porte, c'est ben certain. Je veux pas médire, mais il y a une couple de seineux pis d'écornifleux à Sainte-Adèle-de-la-Merci, comme partout ailleurs. Ça me tenterait pas d'être obligée de répondre à leurs questions demain matin, quand j'vas aller faire mes commissions... Envoyez! Entrez, avant d'attirer l'attention de tout le monde! Comme c'est l'heure du souper, les enfants doivent commencer à avoir faim, on va passer à table, tout de suite.

Alors le grand Joachim entra, et, se penchant vers Marie-Thérèse, il déclina son nom.

— Je m'appelle Joachim Côté, madame, pis j'ai passé toute l'hiver à bûcher avec votre mari. Un ben bon gars, comme vous devez le savoir. Un gars qui est devenu pour ainsi dire un bon ami.

À cause de cette précision, de cette espèce d'intimité qui semblait exister entre Jaquelin et l'étranger, Marie-Thérèse vit ce dernier d'un tout autre œil. La sensation lui paraissait cependant particulière. D'une certaine façon, Joachim Côté venait d'intégrer sa famille, puisqu'il disait être un ami de Jaquelin, mais, d'un autre côté, Marie-Thérèse ignorait encore tout de lui.

Néanmoins, la jeune femme lui adressa un petit sourire gêné, en guise de bienvenue, et ce fut elle qui tint à dresser son couvert.

Joachim s'installa à la cuisine, sans plus de façon, et il mangea, sans se faire prier. Il était en route depuis la veille au soir. Contraint de suivre le rythme des horaires de train, il était aussi fatigué qu'affamé.

Les enfants, alertés par le bruit des voix, s'étaient agglutinés au bas des marches de l'escalier depuis un petit moment déjà. Intimidés, ils y restèrent jusqu'à ce que Marie-Thérèse leur fasse signe de venir s'asseoir à la table avec eux.

— Allez, les enfants, venez manger! Cet homme-là travaillait dans le bois avec votre père. Il s'appelle Joachim Côté. Allons, que c'est que vous attendez? Soyez pas gênés, voyons! Il va nous parler des chantiers. Vous êtes pas curieux de savoir comment votre père a vécu durant l'hiver?

— Justement… Il est où popa?

La question de Cyrille, malgré toute sa légitimité,

suscita un moment d'inconfort, que Félicité tenta d'atténuer.

— Il va revenir bientôt, lança-t-elle laconiquement. C'est justement pour nous parler de tout ça que monsieur Joachim est là. Envoye, mon homme, assis-toi, ta mère est déjà en train de préparer vos assiettes.

Quand le grand Joachim avait confirmé que Jaquelin n'était pas mort, Marie-Thérèse avait éprouvé un soulagement si grand que le bébé qu'elle portait lui avait donné quelques coups plutôt vigoureux.

Les premiers coups vraiment ressentis, et Marie-Thérèse y avait vu un heureux pressentiment.

Mais la sensation n'avait pas vraiment duré. Après tout, Jaquelin avait tout de même eu un accident.

Malgré cela, Marie-Thérèse redressa les épaules. Les femmes de sa famille lui avaient déjà enseigné qu'une mère devait toujours donner l'image d'une femme forte devant ses enfants. Ce fut donc ce qu'elle se répéta, essayant de toutes ses forces de rester le plus calme possible. Sans rien laisser transpirer de son inquiétude, elle aida le petit Conrad à s'installer à sa place habituelle, sur une chaise garnie d'un gros coussin et judicieusement placée entre Cyrille et Agnès, les aînés de la famille.

Ensuite, le temps d'inspirer profondément, la jeune mère promena un regard attentif tout autour de la table, alors que les enfants se bousculaient pour regagner leur place.

Cyrille, Agnès, Benjamin, et le petit Conrad, qui était tout juste en première année, à l'école de la paroisse. Ses enfants, les enfants qu'elle avait eus avec Jaquelin, et dont ils étaient si fiers, tous les deux.

C'était là une belle couronne, comme le disait parfois la tante Félicité.

— J'espère que tu sais mesurer ta chance, ma belle! T'as une belle famille. Tes enfants sont toutes beaux pis en santé.

Oui, Marie-Thérèse savait mesurer sa chance et c'est pourquoi elle eut une pensée attendrie pour Ignace et Angèle, qui vivaient chez sa sœur Henriette.

Que faisaient-ils? À quoi jouaient-ils?

L'habituelle culpabilité qui envahissait Marie-Thérèse quand elle songeait à sa famille dispersée la submergea tout d'un coup, tandis que, d'un geste discret, sa main s'égara sur son ventre, à hauteur de taille. Cette sensation de culpabilité était parfois si intense qu'elle frôlait la limite du supportable et être forte pour deux avait souvent été très difficile…

Comme ça l'était présentement.

Marie-Thérèse se redressa en soupirant. Sa famille avait besoin d'elle, sans aucun doute, et c'était bien suffisant pour se tenir debout, sans rien laisser voir de son désarroi.

On avait dit que son mari avait eu un accident et, pour l'instant, elle devait faire comme si elle n'avait rien entendu, pour le bien de ses enfants.

— Assisez-vous comme il faut, les jeunes, ordonna-t-elle alors d'une voix qui se voulait apaisante. Matante Félicité pis moi, on va vous servir, les assiettes sont prêtes. Après, quand tout le monde va être devant son souper, pis que monsieur Joachim

Côté va avoir fini de manger, comme de raison, il va nous raconter ce qui s'est passé. Toute ce qui s'est passé durant l'hiver. D'après ce que j'ai cru comprendre, votre père a eu un accident, mais paraîtrait qu'il s'en est sorti. Hein, monsieur Joachim, c'est ben ça que vous avez dit ?

— Oui, en plein ça !

— Tu vois, Cyrille, c'est pour ça que ton père est pas encore là. Mais ce qui compte, c'est qu'il s'en soye sorti. Astheure, mangez pendant que c'est chaud.

Tout en engloutissant rapidement omelette et pain beurré, les enfants jetaient des regards furtifs vers l'étranger que Marie-Thérèse venait de leur présenter.

Joachim Côté...

C'était un drôle d'homme, dégingandé comme le pantin que Benjamin avait déjà reçu en cadeau et qui n'était plus qu'un souvenir.

De toute évidence, chacun des enfants de Jaquelin était dévoré par la curiosité.

Le grand Joachim décida donc de ne plus les faire languir. Le temps de quelques bouchées supplémentaires, puis il repoussa son assiette. Il y reviendrait plus tard.

S'accotant contre le dossier de sa chaise, Joachim promena à son tour un regard bienveillant autour de la table. C'était dans sa nature d'être calme et posé, d'analyser les choses et les gens avant d'agir.

Ce qu'il fit.

Les visages qu'il put observer étaient ouverts, les regards qu'il croisa ne se dérobèrent pas trop. Chacun d'entre eux semblait vif et intelligent.

De toute évidence, Jaquelin Lafrance n'avait pas exagéré, lorsqu'il avait parlé de sa famille.

Satisfait d'avoir pu mettre des visages sur tous ceux que Jaquelin leur avait longuement décrits durant l'hiver, Joachim ramena ensuite les yeux sur Marie-Thérèse. Après tout, c'était pour parler principalement à cette femme s'il avait fait toute cette route. Parler de la vie de chantier, certes, puisque c'était là ce que la femme de Jaquelin lui avait demandé, mais il devait aussi parler de l'accident. C'était pour lui un devoir, une obligation, malgré la lourdeur de la tâche. Et c'était par cela qu'il commencerait son récit. Après, si la femme de Jaquelin le voulait toujours, il parlerait volontiers de la vie de chantier.

— C'est pendant la drave que l'accident est arrivé, commença-t-il un peu brutalement, aussitôt interrompu par une Marie-Thérèse visiblement décontenancée.

Parlait-on vraiment de son mari?

— La drave? Comment ça, la drave? demanda-t-elle, sourcils froncés. Jaquelin m'a jamais écrit qu'il voulait devenir draveur.

Délaissant subitement l'inquiétude née de la présence de cet étranger au profit de l'étonnement qu'il venait de faire naître, Marie-Thérèse avait l'air de douter grandement des propos de Joachim, qui s'empressa de préciser:

— Une décision de dernière minute, je dirais ben. C'est probablement pour ça que vous le saviez pas. Jaquelin a pas eu le temps de vous l'écrire.

— Ah ouais? Hé ben... C'est quand même de

valeur, parce que si Jaquelin m'avait écrit ça dans sa dernière lettre, je lui aurais dit, moi, que j'étais pas d'accord avec son idée. Peut-être qu'il m'aurait écoutée, pis vous seriez pas là, à vouloir nous parler d'un accident qu'il aurait eu. Je comprends pas, monsieur. Me semble que ça ressemble pas à mon mari, ça, d'aller se promener sur des troncs d'arbres qui descendent une rivière. Qui c'est qui lui a mis une idée pareille dans la tête ? Pouvez-vous me le dire, vous, monsieur Côté ?

— Je dirais que c'est lui tuseul qui a décidé ça, madame. Comme ils disent dans l'armée : Jaquelin s'est porté volontaire.

— Ben voyons donc ! J'en reviens pas ! Avez-vous entendu ça, matante ? C'est quasiment pas croyable... Ça ressemble tellement pas à mon mari, une idée pareille. Mais continuez, monsieur, continuez votre histoire.

Marie-Thérèse voulait tout savoir.

Au moment de l'incendie, et dans les jours qui avaient suivi, elle avait eu l'impression de découvrir un nouvel homme en Jaquelin. Un homme plus ouvert, capable tout à coup d'exprimer ses émotions et ses désirs.

Elle en avait été séduite une seconde fois, et, depuis, Marie-Thérèse se morfondait et rêvait de le revoir.

Tout au long de l'hiver, elle avait donc prié pour le retour de cet homme nouveau, celui qu'elle avait cru apercevoir en son mari. Celui qui avait dit d'une voix grave et enrouée qu'à son retour, Marie-Thérèse

mangerait en face de lui, à la grande table familiale, parce qu'elle était son épouse et la mère de ses
enfants. Celui qui avait su lui écrire de belles, longues
et bonnes lettres.

À entendre les propos de Joachim Côté, Marie-
Thérèse se dit que ce dernier venait de confirmer
cette impression, à savoir que son Jaquelin avait
vraiment changé.

L'envie de son homme se fit alors encore plus
grande, plus brutale, et Marie-Thérèse se fit plus
attentive.

Elle avait besoin d'en entendre davantage pour se
faire une idée vraiment précise sur celui qui allait
bientôt lui revenir.

— Continuez, s'il vous plaît, pressa-t-elle une
seconde fois. Vous êtes en train de nous parler d'un
monde qu'on connaît pas ben ben, nous autres, ici, les
femmes. J'ai envie d'en savoir un peu plus. Comment
ça se fait qu'un jour, mon Jaquelin a décidé de faire
de la drave ? Parce que veut veut pas, c'est à ça qu'on
va revenir, non ? Comment il était, dans le bois, mon
mari, pour changer à ce point-là ? C'est quoi, pour un
homme, travailler dans le bois, monsieur ?

— Le bois ? C'est pas tellement compliqué à
expliquer...

La conversation avait dévié d'elle-même, et
Joachim comprit qu'il n'y échapperait pas : il devrait
parler du chantier avant d'en arriver à l'accident.

— Comme vous allez voir, c'est pas compliqué, la
vie dans le bois, répéta-t-il, tout en faisant un tour
de table pour être bien certain de capter l'attention

de tous les enfants. Ça va peut-être vous surprendre, mais ça ressemble à un village, à votre village, avec ses bâtisses pis ses trottoirs.

Joachim se lança alors dans une description du chantier et de la vie qu'une centaine d'hommes y menaient.

— Faut quand même admettre que c'est une vie difficile, madame, une vie de travail *rough*, dans le frette pis la neige. C'est une vie d'ennui des nôtres, aussi. Mais en même temps, de toujours être entre hommes, ça crée des liens assez forts. On se fait des amis, des amis pour la vie, pis ça aussi, ça a son importance. Malgré ça, quand arrive le soir, c'est pas parce qu'on jase, qu'on fume, pis qu'on joue aux cartes ou aux dames, que les gars ont pas le motton par bouttes. Ça fait que pour passer le temps, on espère la visite de l'aumônier, ou celle de certains conteurs, de quelques chanteurs, ceux qui ont pas peur du froid, pis qui montent nous voir jusque dans le bois. N'empêche que ces visites-là, ça tue pas l'ennui complètement, ça fait juste le tasser dans le coin. C'est pourquoi, quand le printemps arrive, on devient toutes comme un peu fous, parce que ça nous démange de redescendre dans le sud... Il y en a qui reviennent par la route, pis d'autres, par la rivière. C'est là que votre mari a décidé de prendre la rivière.

Marie-Thérèse avait écouté le récit de Joachim Côté avec avidité, le visage enfoui dans le creux de ses mains, les yeux fermés. Le grand homme racontait bien, et elle arriva assez facilement à imaginer le camp, les bâtiments, la forêt immense, tout autour.

Cependant, il lui fut impossible de voir Jaquelin maniant la hache et le godendard. Seule l'image de son mari penché sur une chaussure s'imposait à ses pensées.

Avec ses longs doigts habiles, Jaquelin Lafrance était fait pour les travaux à l'aiguille, pas pour les *jobs* qui demandaient des bras.

Quand Joachim se tut, Marie-Thérèse ouvrit les yeux et se tourna immédiatement vers lui.

— Mais que c'est qui lui a pris de vouloir faire de la drave ? Mon Jaquelin, il connaît rien là-dedans ! Déjà que d'aller bûcher…

— Là-dessus, je vous répondrais que c'est l'argent, ma pauvre madame, interrompit Joachim. C'est l'argent, pour votre maison, je pense ben, qui a faite la différence, pis qui a porté votre mari à choisir de revenir par la rivière. Je vois pas d'autre chose. Il parle pas tellement de ce qu'il pense, Jaquelin, vous devez le savoir, ça fait qu'il a pas expliqué dans le détail toutes les raisons qui lui ont traversé l'esprit, le jour où Matthias s'est mis à parler de la drave. Mais de la manière qu'il nous avait parlé de sa maison, le soir, à la veillée, je dirais que c'est pour avoir un peu plus d'argent que votre mari a décidé de se joindre à nous autres. Ouais, c'est ça que je pense… Pis en même temps…

Joachim se tut brusquement. Le temps de rassembler ses idées, de sourire aux enfants qui buvaient ses paroles, puis il reprit :

— Mais si vous voulez mon avis d'homme, madame, c'est peut-être aussi l'envie de faire quelque chose de différent. Quelque chose qui permet de te prouver à toi-même que t'es vraiment un homme.

— C'est ben stupide, ça là!

Marie-Thérèse n'avait pu s'empêcher d'intervenir.

— J'ai rarement entendu quelque chose d'aussi insignifiant.

— Si vous dites ça, madame, c'est parce que vous êtes une femme, répliqua Joachim du tac au tac.

Jamais voix d'homme n'avait paru plus catégorique aux oreilles de Marie-Thérèse, sauf peut-être celle de son beau-père, à l'occasion. Elle se fit donc tout ouïe tandis que Joachim Côté poursuivait.

— Nous autres, les gars, on voit pas les affaires de la même façon que les créatures. C'est pas nouveau qu'un homme aye envie de faire quelque chose de plus que ce qu'il fait d'ordinaire. Même si c'est dangereux. Votre mari, vous savez, il est peut-être ben calme de nature, mais il est pas différent des autres.

— Peut-être ben, ouais, admit alors Marie-Thérèse, certains passages des lettres de Jaquelin lui revenant à la mémoire. Si vous le dites... Mais d'un autre côté, on voit ce que ça a donné, hein? Nos idées de femmes sont peut-être différentes des vôtres, plus réfléchies, je vous l'accorde, mais elles sont pas mauvaises pour autant... Non, pas vraiment. Pis? C'est arrivé comment, l'accident?

— D'abord, laissez-moi vous dire que ça arrive quasiment tous les ans, qu'un homme se retrouve à l'eau, pis c'est pas nécessairement à cause de la négligence... Un accident, on peut pas toujours le prévoir parce que c'est souvent vite arrivé. Je veux que vous sachiez, aussi, que votre mari a toujours été un homme prudent. Dans le bois comme sur la rivière. Tout ça pour en venir à dire que j'ai l'impression que votre mari a glissé, comme dans la plupart des cas. Mais cette fois-citte, personne a rien vu aller, parce qu'on était toutes trop occupés. Ça fait qu'on a pas pu l'aider tout de suite. On voyait juste sa tuque qui ballottait au gré des remous. Ça a attiré l'attention d'un des jumeaux Galarneau, qui nous a lâché un cri. Une chance du Bon Dieu que la tuque de Jaquelin était rouge, sinon, il aurait ben coulé à pic sans qu'on le voye. C'est pas facile de se débattre quand l'eau vous gèle jusqu'à la moelle des os pis que vous êtes habillé comme un ours. Pis c'est encore plus dur de crier pour alerter les autres. C'est tellement frette, l'eau du dégel, qu'on en a le souffle coupé. Je le sais, j'suis déjà tombé à l'eau, moi avec. Laissez-moi vous dire qu'on fige dans le temps de le dire. Moi, il y avait quelqu'un juste à côté, pis avant que j'aye le temps de prendre peur, on m'avait déjà repêché. Jaquelin, lui, personne sait combien de temps il est resté dans l'eau. Ça fait qu'il était pus capable de s'aider, quand on l'a retrouvé. Il était même pus capable de nous tendre les bras pour qu'on puisse le sortir de l'eau rapidement.

Les mots de Joachim faisaient naître des images dans la tête de Marie-Thérèse avec une implacable vraisemblance. Elle se mit à trembler. Gênée, elle glissa les deux mains sur ses genoux, sous la table.

— Mais vous avez fini par le voir, pis vous avez fini

par le repêcher, murmura-t-elle, tandis que Joachim reprenait son souffle.

Tout en prononçant ces derniers mots, Marie-Thérèse avait affiché un regard vide, inexpressif.

— C'est pour ça que mon mari est toujours en vie, poursuivit-elle d'une voix à la fois oppressée et absente.

Puis elle secoua violemment la tête, dans un grand geste de négation, avant de promener un regard hébété autour d'elle.

Mais que faisait-elle ici, dans la cuisine de la tante Félicité, alors que son mari avait été victime de ce terrible accident ?

Marie-Thérèse se mit alors à se tordre les mains d'inquiétude, passant de Cyrille à Agnès, puis de sa tante à Conrad et à Benjamin...

Seul Joachim Côté échappa à son inspection, car Marie-Thérèse avait peur de voir trop clairement l'horreur dans son regard.

Les enfants n'étaient pas habitués de voir leur mère aussi désemparée. Même au moment de l'incendie, elle n'avait pas semblé aussi malheureuse, aussi démunie. Apeurés, ils retenaient leur souffle.

— Mon mari est toujours en vie, répéta alors Marie-Thérèse, d'une voix atone, comme si elle avait besoin de s'en convaincre. Il est en vie, Jaquelin est toujours en vie...

La jeune femme sursauta au son de sa propre voix et ce fut à ce moment précis qu'elle trouva le courage de regarder Joachim Côté droit dans les yeux.

— C'est ben ça que vous avez dit, non ?

demanda-t-elle alors. J'ai pas rêvé ça! Vous nous avez dit t'à l'heure, à matante pis moi, que mon mari Jaquelin était toujours vivant... C'est ben ça, non?

— Sûr que c'est ça que je vous ai dit, parce que c'est la vérité, madame. Jaquelin est en vie comme j'suis là devant vous.

Le soulagement de Marie-Thérèse se traduisit par un rire saccadé, suivi d'un long soupir. Elle était épuisée, n'en pouvait plus de balancer ainsi entre le désespoir et l'espérance.

— Pourquoi d'abord, il est pas ici avec vous? demanda-t-elle ensuite d'une voix étranglée. Pis dites-moi donc... Ça fait-tu longtemps que c'est arrivé, cet accident-là?

— En gros, je dirais une semaine, peut-être un peu plus.

— Une semaine? Ben voyons donc!

Marie-Thérèse, abasourdie, tourna la tête vers la tante Félicité, comme pour la prendre à témoin d'une telle négligence. Elle venait brusquement de reprendre pied dans l'instant présent et elle ne comprenait plus rien. Pourquoi avoir attendu tout ce temps avant de la mettre au courant de l'accident subi par son mari?

C'était insensé.

— Bonté divine, ça donc ben été long avant de me prévenir...

Puis, dans la foulée, elle ajouta:

— Pourquoi vous me l'avez pas dit avant? Les télégrammes, ça existe!

— Pas dans le bois, ma pauvre madame.

— C'est juste des excuses, ça là !

La voix chevrotante de tout à l'heure prenait de l'assurance. L'instant n'était plus aux remords ou à la culpabilité, et Marie-Thérèse sentait grandir en elle l'envie d'agir, de bouger. Jaquelin avait sûrement besoin d'elle, à l'heure où elle parlait avec ce Joachim Côté, et rien d'autre n'avait plus d'importance.

Tandis que son cœur consentait enfin à revenir à son rythme normal, et sans tenir compte de la présence des enfants autour de la table, Marie-Thérèse demanda alors :

— Vous êtes ben certain qu'il y a rien que vous me cachez, vous là ?

— Pantoute, madame ! lança Joachim avec conviction. Je vous mentirais pas sur quelque chose d'aussi important que la vie d'un homme. C'est vrai que sur le coup, on pensait ben qu'il était mort, le pauvre Jaquelin. Il bougeait pus, apparence qu'il respirait même pus. C'est Matthias qui s'est acharné avec ses manteaux, pis ses feux, pis les roches qu'il faisait chauffer juste un peu, qu'il disait, pour pas lui donner un choc. Matthias l'a veillé durant toute la nuit, sans dormir, pis le sacrament, il a réussi… Le lendemain, de peine et de misère, on a fini par être capables de l'emmener à l'Hôtel-Dieu de La Tuque. Avec le cheval à Caouette, pis une sorte de brancard qu'on a faite avec des branches d'épinettes. Ça a pris une grosse partie de la journée, juste pour le sortir du bois. Mais on se disait qu'on avait pas le choix de toute essayer pour aider Jaquelin, du fait qu'il respirait toujours… Il avait peut-être pas encore repris connaissance, mais il respirait, pis son cœur battait… Une fois sorti de la forêt, par exemple, ça a été plus facile. On a trouvé une charrette chez un colon qui demeurait dans le premier rang qu'on a croisé. Après, ça s'est ben passé jusqu'à l'hôpital. Malheureusement, il était pas question de rester en ville avec Jaquelin, même si on l'aurait ben voulu, Matthias pis moi. On avait même pas le temps de trouver un bureau de poste, pour vous prévenir, justement. Tous les deux, on étaient obligés de retourner à notre travail au plus sacrant, avant qu'il se mette à faire noir. Faut nous comprendre, madame : on pouvait pas se permettre de perdre toute ce bois-là… C'est de même que ça s'est passé, l'accident de votre mari… Une semaine après, les pitounes sont arrivées à l'usine de La Tuque en bon état, pis moi, ben, j'ai couru jusqu'à l'hôpital. Comme j'ai pas de femme qui m'attend, pis que c'est pas encore le temps d'offrir mes services à mon cousin pour l'aider sur sa ferme, j'ai décidé de venir vous voir en personne pour vous parler de toute ça. J'en ai jasé avec le *foreman*, qui était arrivé à La Tuque, lui avec, pis il était d'accord avec moi pour dire qu'il y a des affaires, de même, qui se racontent pas dans le téléphone. Même un télégramme, c'est pas correct pour annoncer un malheur. À tout le moins, c'est ce que moi j'ai toujours pensé. Ça fait que me v'là.

Marie-Thérèse resta silencieuse, le temps de laisser les mots et les émotions se frayer un chemin jusqu'à sa raison, parce que le cœur, lui, avait recommencé à battre la chamade depuis un moment déjà.

Lentement, elle leva la tête.

— C'est ben gentil de votre part, remercia-t-elle, confuse de s'être laissé emporter dans le cours de leur conversation. Ouais, c'est ben gentil... Pis, quand on y pense comme faut, vous avez raison. J'aime pas mal mieux vous avoir devant moi que de tenir une feuille de papier... Comme ça, je peux poser toutes les questions que je veux... Ouais... Pis? Comment c'est qu'il va, astheure, mon mari?

— J'suis pas docteur... Mais à première vue, comme ça, je vous dirais qu'il va mieux.

— Ça me dit pas grand-chose, ça là!

— Je viens de vous le dire, madame, j'suis pas docteur... Jaquelin est toujours à l'hôpital, pis c'est les Sœurs Grises qui s'en occupent encore. Je le sais, j'suis retourné le voir une autre fois, avant de prendre le train pour Trois-Rivières. Pis si je vous dis qu'il va mieux, votre Jaquelin, c'est vrai... Ouais, ça c'est sûr, il va beaucoup mieux!

Curieusement, le ton restait évasif et Marie-Thérèse y entendit comme une réserve qui n'était pas nécessairement encourageante. Même l'enthousiasme manifesté par Joachim Côté sonnait un peu faux à ses oreilles.

Ce fut un véritable coup au cœur.

La jeune femme détourna la tête pour cacher ses larmes naissantes, et ce fut à ce moment que son regard croisa ceux de ses enfants.

Bien sûr, il y avait les enfants. Même si elle les avait un peu oubliés, dans le feu de la conversation, autour de la table, il y avait aussi leurs enfants, à Jaquelin et elle...

Pour Marie-Thérèse, se redresser tint du réflexe. Ce fut aussi une seconde nature que de faire abstraction de l'immense inquiétude en train de lui gruger le cœur.

À tout prix, il lui fallait protéger ses enfants, restés bien fragiles à la suite de l'incendie.

En effet, depuis la terrible nuit, et Marie-Thérèse l'avait souvent observé, un rien les tracassait.

Pour donner le change, elle se releva aussitôt, en assenant une petite tape désinvolte sur la table. Elle fit même l'effort d'un sourire.

— Vous avez entendu ça, les enfants? Votre père va mieux. Beaucoup mieux! C'est une bonne nouvelle, vous trouvez pas?

Tout en parlant, Marie-Thérèse fixa Cyrille par habitude. S'il y avait des objections à venir, c'était de lui qu'elles arriveraient, c'était inévitable.

Comme de fait, le jeune garçon s'était redressé sur sa chaise, et, à son tour, il darda un regard lucide et angoissé vers sa mère.

— Vous êtes ben sûre de ce que vous dites, moman? Moi, voyez-vous, je le sais pas trop quoi penser. Me semble que j'aurais aimé mieux que ça soye popa lui-même qui nous raconte son histoire. Pourquoi il est pas là? C'est-tu parce que son accident a été vraiment grave? Je voudrais le voir en personne, moman, pis je voudrais aussi qu'on soye déjà rendus dans la nouvelle maison. Tout le monde ensemble.

— Moi avec, Cyrille, j'aurais préféré que ça se passe

comme tu viens de le dire. Tu dois ben t'en douter, non ? On en a tellement parlé.

Il arrivait de plus en plus souvent que Marie-Thérèse ait l'impression de s'adresser à un adulte, quand elle parlait avec Cyrille. Alors, elle n'allait surtout pas lui mentir, il le sentirait.

— T'as ben raison, mon Cyrille, reprit-elle, sur le même ton calme, de dire qu'on a hâte de déménager. C'était justement pour ça qu'on espérait voir revenir ton père, pis qu'on priait tous les soirs ensemble pour qu'il nous arrive au plus vite. Mais vois-tu, on dirait ben qu'il va falloir attendre encore un peu, parce que ça se passera pas tout à fait comme on l'avait prévu. Le pire, là-dedans, c'est qu'on peut pas y changer grand-chose. Du moins, pas pour l'instant... Je le sais ben, va, que vous êtes tannés de vivre à l'étroit, même si matante Félicité est ben fine avec nous autres. Pis j'suis pas mal fière de vous autres, les enfants. Vous vous êtes montrés pas mal patients dans tout ça, pis je vous dis merci. Malheureusement, va falloir continuer à vivre ici encore un petit boutte. Dis-toi ben, mon Cyrille, que moi avec, j'ai hâte qu'on s'installe chez nous.

— Pourquoi on y va pas tout de suite, d'abord ?

— Parce que c'est pas ça que je veux.

La voix de Marie-Thérèse avait rarement été aussi ferme.

— Je le sais ben qu'on aurait pu déménager depuis quelques semaines, expliqua-t-elle patiemment, c'est sûr. Mais pour moi, il était pas question de rentrer dans la nouvelle maison sans votre père, pis j'ai pas pantoute l'intention de changer mon idée. Vous étiez d'accord avec moi, pis j'espère que ça changera pas. Rappelle-toi, Cyrille, rappelle-toi le jour où on en a parlé ensemble : on avait dit qu'on ferait une belle fête avec un gâteau...

— Ouais, c'est vrai.

— Bon, tu vois ! C'est pour ça, malgré l'accident pis le délai que ça va apporter, qu'on changera rien à notre projet. Dis-toi ben, mon homme, que ton père, de son bord, il doit avoir aussi hâte que nous autres d'être chez eux. Après toute, c'est lui le pire, là-dedans. C'est sûrement pas une partie de plaisir que de vivre sur un lit d'hôpital pour un homme actif comme Jaquelin Lafrance. J'suis sûre de ça, pis j'suis sûre que tu peux le comprendre... Que vous pouvez toutes le comprendre, les enfants, précisa Marie-Thérèse en promenant le regard autour de la table. Ça fait qu'on va attendre encore un peu avant de déménager. Ça va être notre manière à nous autres de dire à votre père qu'on l'aime, pis qu'on est avec lui dans son malheur.

À bout de souffle, Marie-Thérèse s'arrêta un instant pour inspirer longuement avant de continuer.

— Inquiète-toi pas, Cyrille, le retour du cordonnier de Sainte-Adèle-de-la-Merci va ben finir par arriver un jour, pis le jour où on va être enfin toutes réunis, on va le faire, notre gâteau ! Ça sera pus ben ben long... Astheure, vous allez dire bonsoir à monsieur Côté, avant de monter en haut pour aller préparer vos paillasses pour la nuit.

— Déjà ?

Après un tel discours, Cyrille acceptait bien mal de se voir traiter comme un enfant et la réplique avait été spontanée.

— J'suis pus un bébé pour que vous m'envoyiez dans mon lit tout de suite après le souper. Je pense que...

— Cyrille !

La voix de Marie-Thérèse avait subitement retrouvé tout son aplomb. En elle, au-delà de l'épouse et de l'amoureuse, et même au-delà de la femme inquiète, il y avait la mère qui n'était jamais bien loin.

— J'haïs ça quand tu répliques de même ! lança-t-elle sévèrement. Que tu te poses des questions, pis que tu veuilles avoir des réponses, je trouve ça juste normal, pis dans le domaine du possible, m'en vas toujours essayer d'y répondre. Mais je veux pas t'entendre m'ostiner, par exemple. Ça, je l'accepte pas. Pas plus que ton père accepte que t'ailles fouiller dans son atelier. C'est-tu ben compris ?

— Ouais, moman.

— Tant mieux. Astheure, mon grand, tu montes comme les autres, pis j'veux plus entendre un seul mot... T'es le plus vieux, à toi de donner l'exemple. Quand notre visiteur va s'en aller, promis, j'vas aller vous rejoindre en haut.

— Promis ?

Cette fois-ci, c'était Agnès qui était intervenue. Depuis l'incendie, la petite fille vivait la moindre émotion avec une intensité peu commune. Elle répétait à l'envi que sans sa poupée Rosette, plus rien jamais, de toute sa vie, ne pourrait être comme avant.

Ainsi, savoir que son père était malade et à l'hôpital devait la bouleverser, encore plus que tous les autres.

— Promis, ma grande, répéta Marie-Thérèse sur un tout autre ton, alors qu'elle posait une main réconfortante sur l'épaule de sa fille. T'aides ton frère à préparer vos paillasses, vous vous lavez les mains pis la face dans l'eau fraîche que j'ai versée dans la bassine, vous mettez vos jaquettes, pis j'vas monter voir si vous m'avez ben écoutée. Si tout est correct pis qu'il y a pas eu de chamailleries, vous pourrez redescendre un peu, avec matante pis moi.

— On va pouvoir veiller?

— Un peu, j'ai dit. Faut quand même penser que demain, il y a de l'école. Mais si vous êtes sages, très sages, on pourra faire une petite exception.

Marie-Thérèse eut à peine le temps de terminer sa phrase que, déjà, les quatre enfants grimpaient l'escalier au pas de course, tous remplis de la meilleure volonté du monde pour plaire à leur mère, Cyrille en tête, parce qu'il arrivait encore à l'occasion que l'enfance réussisse à rattraper le jeune garçon. Après tout, obéir à leur mère était bien ce que leur père leur avait demandé avant de partir, non?

Marie-Thérèse profita du brouhaha dans l'escalier pour se tourner vers Joachim, afin de l'examiner.

C'était un bel homme, tout en aspérités, comme son Jaquelin. Un homme comme Marie-Thérèse les avait toujours aimés. Tandis que le bûcheron fourrageait dans l'une de ses poches, la jeune femme remarqua qu'il avait les yeux d'un bleu lumineux, comme un ciel d'été. «Un regard de marin», pensa-t-elle alors, et, selon elle, ce petit détail ajoutait à son charme. Elle se demanda alors pourquoi un si bel homme n'était pas marié, car c'était bien ce qu'il avait dit tout à l'heure, n'est-ce pas ? Aucune femme ne l'attendait.

À moins qu'il soit veuf ?

Tandis que Marie-Thérèse poursuivait son inspection, le grand Joachim repoussa son assiette jusqu'au milieu de la table. Il n'avait plus très faim. Même s'il n'avait pas la langue dans sa poche et qu'il aimait bien raconter des histoires, en ce moment, il était épuisé de s'être livré à ce long dialogue qui avait remué de vilains souvenirs. Les émotions étaient à fleur de peau, pour lui aussi.

Comme le faisaient plusieurs hommes en pareilles circonstances, afin de cacher son embarras, Joachim sortit une pipe de bruyère de la poche de son pantalon et il se tourna vers la tante Félicité.

— Vous permettez, madame ? lui demanda-t-il en soulevant sa pipe.

Félicité haussa les épaules dans un geste de grande indifférence.

— Ben sûr que vous pouvez, signifia-t-elle en même temps. Que c'est que vous croyez ? Il fait encore trop froid dehors pour que je vous envoye fumer sur la galerie. Gênez-vous surtout pas, ça me dérange pas une miette. Même que je trouve que ça sent bon, le tabac à pipe.

Alors, Joachim ouvrit une blague au cuir tout râpé et, à petits coups secs du pouce, il tassa les longs filaments odorants dans le fourneau, exactement comme le faisait Jaquelin.

Le souvenir que Marie-Thérèse gardait de ce geste bien masculin lui fit monter les larmes aux yeux.

C'en était trop.

Par pudeur, elle se détourna pour laisser couler un peu de son chagrin et de son inquiétude. Tout juste quelques larmes, qu'elle essuya machinalement du revers de la main. Puis elle inspira et expira longuement afin de se ressaisir.

— Maintenant, demanda-t-elle d'une voix posée, sans pour autant se retourner vers Joachim, astheure que les enfants sont pus là, si vous me disiez vraiment comment se porte mon mari.

Une brève toux rauque fut l'unique réponse de Joachim, comme s'il avait besoin de se préparer avant de se mettre à parler.

Marie-Thérèse entendit alors une allumette craquer, puis l'homme expira longuement, tandis qu'une bonne odeur de tabac sucré la rejoignait. Enfin, il y eut ces quelques mots.

— Je vous ai pas menti, Jaquelin se porte pas pire, rassura Joachim, d'une voix un peu bourrue. C'est le docteur qui me l'a dit quand je suis passé à l'hôpital, la dernière fois : tout est stable. Pour lui, ça avait l'air ben important que ça soye de même, ça fait que je me suis dit que c'était bon signe. Il m'a précisé que le cœur de Jaquelin battait comme il faut, pis que sa température était redevenue normale. Pour le reste, il a dit qu'il fallait attendre encore un peu, avant de se prononcer. C'est les mots exacts qu'il a choisis pour dire sa pensée. Je les ai appris par cœur pour vous les répéter en me disant que c'était important : il faut attendre encore un peu, avant de se prononcer... Après, le docteur m'a expliqué que quand un homme revenait de loin comme votre mari, ça pouvait être un peu long avant qu'il retrouve toutes ses forces.

Au fil des mots, Marie-Thérèse avait ramené son regard vers Joachim qui, s'il disait la vérité, restait tout de même un peu obscur.

— Que c'est que vous voulez dire avec ça? demanda-t-elle, anxieuse. Moi non plus, j'suis pas docteur, vous savez, pis j'suis pas sûre pantoute de ben comprendre ce que vous cherchez à m'expliquer...

— Ben là, je vois pas ce que je pourrais dire de plus.

— Comment je pourrais vous expliquer ça?... Voyez-vous, monsieur, j'aime pas vraiment me sentir comme je me sens en ce moment, comme si j'étais dans la brume. Ça fait que j'aimerais ça que vous me disiez clairement ce qu'il faut que j'attende encore de plus, vu que le cœur pis la température de mon mari sont revenus à la normale. C'est quoi qu'il faut espérer encore, monsieur?

Joachim tira longuement sur sa pipe et il exhala lentement la fumée. De toute évidence, il cherchait ses mots.

— Je pense, commença-t-il enfin, que ça veut dire qu'il faut attendre que Jaquelin se réveille pour de bon. Ouais, je pense que c'est ça que ça veut dire, parce que pour asteure, votre mari dort à peu près tout le temps... Il récupère, comme disent les bonnes sœurs. À tout le moins, c'est de même que la sœur Saint-André-Avellin parle de votre mari. C'est elle qui s'en occupe le plus, pis, ma foi, elle a pas l'air de s'inquiéter. Faut dire qu'elle sourit tout le temps, cette femme-là, comme si la bonne humeur lui avait été donnée dès la naissance. J'ai jamais vu quelqu'un comme elle, jamais. Toute petite, toute gentille, toute souriante, pis en même temps, on dirait une force de la nature… Moi, je pense que si elle sourit de même, ça doit vouloir dire que Jaquelin va ben, non? Elle m'a dit aussi, la sœur Saint-André, que votre mari parlait pas tellement quand il était réveillé, mais elle a ajouté que c'était pas vraiment grave. Elle m'a expliqué que votre mari est comme un coureur de marathon : il doit reprendre son souffle. Une manière de dire, je crois ben, qu'il est encore pas mal fatigué de son accident. Je peux le comprendre, j'suis un peu passé par là. Pour dire vrai, par contre, j'ai rien vu de tout ça. Les deux fois que j'suis allé voir Jaquelin, il dormait profondément.

Depuis un petit moment, Marie-Thérèse avait refermé les yeux pour ne rien perdre de ce que Joachim lui racontait. Portée par ses paroles, elle laissa donc l'image suggérée se frayer un chemin tout doucement jusqu'à son cœur.

Au cours de leur vie à deux, il lui était déjà arrivé de passer de longues minutes à regarder le sommeil de son mari. La fragilité qui se dégageait alors de son homme et cet abandon dans le sommeil l'avaient émue à un point tel qu'elle n'avait rien oublié de ces instants de pur bonheur. Présentement, il lui était donc facile de l'imaginer endormi, sur un lit d'hôpital.

Les derniers mots prononcés par le grand Joachim lui tirèrent même un petit sourire affectueux.

Même en pleine forme, son Jaquelin ne parlait pas tellement, alors que dire de lui quand il était malade...

Le sourire de Marie-Thérèse s'accentua.

Le connaissant comme elle le connaissait, la jeune femme était en train de penser que son mari était bien capable de faire semblant de dormir pour éviter les conversations.

Sur ce, Marie-Thérèse ouvrit les yeux sur la cuisine de la tante Félicité. D'une certaine manière, malgré l'inquiétude qui persistait en elle, et qui y resterait probablement jusqu'à l'instant où elle verrait Jaquelin par elle-même, elle se sentait rassurée. Selon monsieur Joachim, tout le monde autour de Jaquelin semblait dire que ça allait bien. Le médecin, les religieuses, Joachim lui-même qui, s'il ne connaissait rien à la maladie, semblait en revanche avoir une belle expérience de la drave...

Qui était-elle, grands dieux, pour oser mettre en doute la parole de tous ces gens ?

Impulsivement, Marie-Thérèse posa les deux mains sur son ventre et, d'un geste très doux, un geste que normalement elle aurait gardé pour l'intimité, elle le caressa en traçant de grands cercles, comme pour rassurer le bébé qu'elle portait. Tant pis pour la présence de Joachim, Marie-Thérèse avait besoin de cet effleurement qui la réconfortait. Cet enfant, elle l'avait fait avec Jaquelin, le soir avant son départ, elle en était certaine, et, par cette caresse lente et très douce, elle avait la sensation de rejoindre son mari dans ce qu'il y avait de plus secret entre eux.

Le besoin d'avoir Jaquelin immédiatement à ses côtés fut si brutal que Marie-Thérèse porta les deux mains à son cœur, tandis que certains mots s'échappaient de ses lèvres.

— Merci, monsieur, merci ben gros d'être venu jusqu'ici pour nous parler.

Curieusement, Marie-Thérèse haletait, comme si c'était elle qui avait couru le marathon.

— Vous aviez raison de croire qu'il y a certaines affaires comme ça qui se disent pas dans un téléphone, poursuivit-elle de cette voix saccadée et rapide... Merci encore, même si pour astheure, vous allez devoir m'excuser. Je pense qu'il est temps de monter voir les enfants.

La reconnaissance de Marie-Thérèse était sincère et cela se sentait. Néanmoins, sans vouloir paraître impolie, elle espérait faire comprendre à Joachim que si entre eux tout avait été dit, comme il le laissait entendre, sa présence était de trop dans la cuisine de sa tante Félicité. Non seulement Marie-Thérèse voulait-elle rejoindre ses enfants, mais auparavant, elle avait besoin d'un peu de solitude pour faire le point et Joachim Côté le comprit exactement dans ce sens.

— J'allais partir, madame...

Il avait repoussé sa chaise et il était en train de se relever.

— Juste pour que vous le sachiez, ajouta-t-il en secouant les cendres de sa pipe au-dessus de son assiette, avant de la remettre au fond d'une poche, il faut que je vous dise que dans le sac de votre mari, il y a sa paye de l'hiver passé. Avec le papier qui explique les calculs de la compagnie. C'est le *foreman* qui m'a donné l'enveloppe pour vous, en disant que vous risquiez d'en avoir besoin.

Marie-Thérèse hocha la tête.

— C'est gentil d'avoir pensé à ça, remercia-t-elle.

Puis elle jeta un coup d'œil sur le havresac resté dans l'entrée, près de la porte, et, lentement, le hochement approbateur de sa tête se transforma en négation.

— C'est gentil, mais je toucherai pas une cenne de cet argent-là. J'suis capable de me débrouiller autrement, fit Marie-Thérèse en repoussant sa chaise pour se lever de table, à son tour. Je l'ai faite durant tout l'hiver, je peux continuer encore pendant un boutte.

Présentement, elle se tenait droite et fière devant Joachim.

— C'est à mon mari, cette paye-là, pas à moi, expliqua-t-elle. C'est lui tuseul qui a travaillé pour la gagner, pis c'est lui qui va décider quoi faire avec. J'ai pas d'affaire à y toucher. Mais vous remercierez quand même votre *foreman* pour moi...

Marie-Thérèse resta debout à côté de la table, le temps que Félicité raccompagne le visiteur à la porte. Confrontée à un long moment de silence pendant le repas, la vieille dame se rattrapait en se confondant en remerciements. Elle se renseigna aussi de façon plus pratique sur la meilleure manière d'avoir des nouvelles de Jaquelin.

— Me semble que moi, je prendrais le téléphone, pour faire ça. Je demanderais à l'opératrice de me mettre en ligne avec l'Hôtel-Dieu de La Tuque, pis après, ben, je demanderais pour parler à la sœur Saint-André-Avellin. Il doit pas y en avoir des tonnes qui portent ce nom-là.

Ceci étant dit, Félicité Gagnon le remercia encore, puis elle resta un long moment à la porte, à fixer le dos du grand Joachim qui regagnait la rue.

— Pis gênez-vous surtout pas pour venir nous saluer, si jamais vous passiez par ici, un jour ou l'autre, lança-t-elle d'une voix forte, tandis que Joachim s'éloignait en direction de l'hôtel, où il avait dit avoir réservé une chambre. Vous serez toujours le bienvenu chez nous.

Le temps de voir Joachim Côté disparaître au tournant de la rue, de refermer la porte en soupirant, puis la tante Félicité se pencha pour attraper en passant le sac de Jaquelin. Quand elle entra dans la cuisine, elle le déposa sur la table devant sa nièce, qui s'était rassise.

— Comme ça, on oubliera pas de le mettre en lieu sûr, nota-t-elle tout en commençant à retirer les couverts. Même si tu veux pas toucher à cet argent-là, ma pauvre enfant, ça serait quand même un peu bête de le perdre ou de se le faire voler.

Marie-Thérèse était avachie sur sa chaise, un bras appuyé sur la table et le menton calé dans le creux de sa main droite. La jeune femme était visiblement vidée de toute énergie, et, maintenant qu'elle était enfin seule avec sa tante, elle pouvait se permettre de montrer sa vulnérabilité. Du moins, pour un instant. Après, il lui faudrait se ressaisir et se rendre à l'étage pour voir aux enfants, car Marie-Thérèse l'avait promis, deux fois plutôt qu'une, et elle tenait toujours ses promesses.

Par réflexe, la jeune femme détourna les yeux et jeta un regard indifférent sur le sac. L'envie de savoir à combien s'élevait le salaire gagné par Jaquelin ne l'effleura même pas.

Que valaient quelques dollars de plus si son mari n'était pas ici, avec elle, pour en profiter?

Marie-Thérèse promena un doigt nonchalant sur le tissu rêche du havresac, suivant une surpiqûre jusqu'à la lanière de cuir qui le tenait fermé, se rappelant soudainement que c'était Jaquelin, un jour, qui avait recousu cette lanière un peu lâche, prétextant que ça pourrait éventuellement être utile.

À ce souvenir, Marie-Thérèse retint le sanglot qui lui monta à la gorge, puis, d'une voix fatiguée, elle murmura:

— Si vous saviez, matante, à quel point j'aimerais ça être un petit oiseau pour pouvoir m'envoler jusqu'à La Tuque.

— Je peux comprendre ça, ma Thérèse. J'ai jamais été en amour, mais je peux comprendre ça.

Tout en parlant, la tante Félicité trottinait dans la cuisine, entre l'évier et la table, transportant les assiettes sales, les restes de pain, qu'elle enveloppa dans un linge propre, le pot de lait, qu'elle plaça dans la glacière. C'était sa façon à elle de maîtriser son anxiété, d'évacuer sa tristesse, de canaliser son inquiétude.

— On aime toujours mieux voir les choses par soi-même, hein? nota-t-elle en revenant vers la table, dans une question qui sonna pourtant comme une affirmation.

— Vous avez ben raison. Pis me semble que si j'étais à l'hôpital avec lui, Jaquelin se réveillerait pour de bon, rétorqua alors Marie-Thérèse, toujours aussi perdue dans ses pensées.

De toute évidence, l'esprit de Marie-Thérèse n'était plus vraiment à Sainte-Adèle-de-la-Merci. Elle avait le regard plutôt vague et, du bout du doigt, elle jouait machinalement avec quelques miettes de pain tombées sur le bois verni.

— Peut-être ben que t'as raison, admit spontanément la tante Félicité, tout en continuant de trottiner à travers la cuisine...

À ces mots, Félicité s'arrêta brusquement, au beau milieu de la pièce. Ce qu'elles étaient en train d'échanger, Marie-Thérèse et elle, ne rimait pas à grand-chose. La vieille dame avait la sensation qu'elles tournaient autour de l'essentiel sans oser s'en approcher. Elle revint alors sur ses pas, laissa tomber une poignée d'ustensiles sales, qui cliquetèrent sur le bois de la table, et, posant les deux mains sur le dossier d'une chaise, elle fixa intensément Marie-Thérèse.

— Peut-être ben que t'as raison, reprit-elle, pis que c'est juste ta présence que ton Jaquelin attend pour se réveiller... Mais peut-être pas non plus... Regarde-moi, ma belle.

La voix de la tante Félicité était enveloppée de chaleur, affichant ainsi une infinie tendresse. Néanmoins, Marie-Thérèse resta prostrée.

— Tu sais que je t'aime, hein ?

Surprise par ces derniers mots, Marie-Thérèse leva enfin la tête vers sa tante et la dévisagea. Dans la famille Gagnon, même si un amour sincère les liait tous les uns aux autres, on ne parlait jamais de ses sentiments profonds. On ne disait jamais des mots d'amour aussi directement. On se savait aimé, respecté, et cela suffisait pour se sentir bien. Toutefois, en ce moment, Félicité Gagnon estimait que sa nièce avait besoin de plus, d'infiniment plus qu'un simple regard ou une tape sur l'épaule. Alors, malgré sa maladresse à dire les choses du cœur, ce fut d'une façon tout à fait délibérée qu'elle répéta :

— Tu le sais que je t'aime, que j'ai toujours eu beaucoup d'affection pour toi. Je l'ai jamais dit comme ça, avec des mots, mais je pense te l'avoir montré clairement, au fil des années. T'es un peu la fille que j'aurais aimé avoir, t'es ma nièce préférée, pis ça aussi, tu le sais… Ouais…

Interdite, Marie-Thérèse buvait les paroles de sa tante. En ce moment, elle avait bien besoin d'une confession comme celle-là. Les mots de sa tante Félicité la réconfortaient comme une véritable déclaration d'amour.

— C'est pour ça que j'vas me permettre d'ajouter quelque chose, poursuivit Félicité. Quelque chose que tu seras peut-être pas contente d'entendre, mais je trouve ça important de te le dire quand même…

Quand tu penses à Jaquelin, ma Thérèse, faudrait pas que tu te fasses des accroires. Je veux vraiment pas te faire de peine, en parlant comme ça, mais je pense que ça serait plus prudent d'attendre de voir par toi-même où en sont les choses, avant de porter un jugement sur ce qui s'est passé, ou d'avoir des attentes sur toute ce qui peut s'en venir.

Ces quelques mots rejoignaient si intimement les craintes que Marie-Thérèse entretenait depuis le départ de Joachim Côté que sa réponse fusa sans la moindre hésitation.

— C'est justement pour ça que je voudrais être là tout de suite, matante. Je voudrais être avec Jaquelin. Lui donner la main pour voir si je peux l'aider à se réveiller. Lui parler dans le creux de l'oreille pour voir dans ses yeux où c'est qu'il en est rendu. J'en peux pus d'attendre. J'en peux pus de me contenter d'imaginer les choses sans être sûre de rien. Je veux voir mon mari. En dedans de moi, il y a comme une voix qui me crie d'aller voir Jaquelin, là maintenant, sans perdre une minute.

Marie-Thérèse se tut brusquement, car elle avait épuisé l'essentiel de ce qu'elle ressentait, l'essentiel de ce qu'elle voulait partager avec sa tante.

Le reste n'appartenait qu'à son mari et à elle.

Marie-Thérèse prit alors le temps de regarder autour d'elle, revoyant en pensée l'hiver difficile qu'elle venait de vivre, loin de son mari. Toutes ces heures à se languir de lui, de leurs habitudes, de leur intimité... Le regard de la jeune femme croisa alors celui de sa tante. Malgré toute la tendresse qu'elle pouvait y lire, ce n'était pas cet amour-là dont elle avait le plus besoin. C'était Jaquelin qu'elle voulait avec elle. Lui et personne d'autre.

Soudainement, Marie-Thérèse sentit un vent de colère monter du plus profond de son ventre. Colère contre la vie, qui semblait leur en vouloir beaucoup, contre ces incidents, qui se suivaient sans relâche. Colère contre l'attente, aussi, qu'elle n'avait pas voulue, mais qui s'était quand même imposée.

Marie-Thérèse respirait bruyamment, tandis que ses yeux noisette lançaient des éclairs. À Félicité Gagnon, la jeune femme pouvait tout confier, sachant qu'elle ne serait jamais jugée ou condamnée. Alors elle laissa éclater sa rage.

— J'ai passé un long hiver à attendre après toute! cracha-t-elle d'une voix exaspérée. J'ai attendu après mon mari pour qu'il revienne, après la maison pour qu'elle soye finie de construire, après la neige qui fondait pas assez vite, après le bébé pour qu'il soye enfin là. J'suis tannée, matante, j'suis tellement, tellement tannée d'attendre!

Cette seconde partie de réponse avait jailli avec une violence déroutante. Une violence qui disait l'immensité de la douleur ressentie et toute la lassitude vécue par Marie-Thérèse au cours des derniers mois.

Félicité n'entendit nul reproche dans ces quelques mots. Même si les deux femmes avaient vécu de beaux moments ensemble, Félicité se doutait bien de tout ce que sa nièce vivait de détresse et d'ennui, depuis l'incendie. Comment aurait-elle pu lui en vouloir? C'était toute sa vie que Marie-Thérèse avait vu s'arrêter sur un point de suspension.

Incapable de retenir le geste, la tante Félicité se pencha pour poser une main toute ridée sur celles de Marie-Thérèse, maintenant abandonnées sur la table.

— Malheureusement, ma pauvre fille, t'es pas un oiseau pour pouvoir rejoindre ton mari à tire-d'aile, pis revenir te coucher dans ton lit, rétorqua-t-elle malgré tout, en tapotant la main de sa nièce. Va falloir que tu te fasses à l'idée.

— Ben justement, il est là, le problème, matante. Je peux pas, pis je veux pas me faire à l'idée de pas voir Jaquelin pendant qu'il est malade. Je le sais qu'il a besoin de moi, pis moi, je veux y aller. Mais c'est tellement loin… J'sais pas trop comment m'y prendre pour me rendre à La Tuque. C'est le bout du monde. De toute façon, ça doit ben coûter une fortune, prendre le train jusque-là!

— Pis ça?

Tout en répondant du tac au tac, Félicité Gagnon avait posé un regard insistant sur le bagage de Jaquelin. Un regard qui n'avait pas échappé à Marie-Thérèse. Sa réaction fut immédiate.

— Pensez-y surtout pas, matante! Cet argent-là, il est pas à moi, je vous l'ai dit. Il est pas question que je prenne une seule cenne noire dedans sans avoir la permission de Jaquelin.

— T'as ben raison, cet argent-là est pas à toi, il est à Jaquelin…

— Bon! Vous voyez ben…

— Ce que je vois, surtout, c'est que ton mari est

pas ici avec toi pour prendre les décisions, ma pauvre Thérèse! T'auras pas le choix de le faire à sa place. Pour encore un boutte, du moins. Pis si jamais Jaquelin a autant besoin de toi que tu le dis, peut-être ben que ça le dérangera pas que tu prennes un peu d'argent pour aller le rejoindre.

Marie-Thérèse resta bouche bée devant la pertinence de ces derniers mots. Félicité Gagnon n'avait pas tort en disant qu'il y avait encore pas mal de décisions à prendre, et, bien qu'elle ne veuille pas l'admettre, Marie-Thérèse n'aurait pas le choix de les prendre seule, exactement comme sa tante le suggérait. La jeune femme poussa un long soupir d'accablement.

— Je veux pas, matante! Malgré toute ce que vous venez de dire, prendre l'argent que Jaquelin a gagné, ça serait comme... comme le voler. Je veux pus décider toute seule. J'en ai assez de toute faire toute seule.

— Je m'excuse, ma pauvre fille, mais t'auras pas le choix.

Le ton employé par Félicité, si chaleureux quelques instants auparavant, avait recouvré sa froideur habituelle et, devant tant d'insistance, la résistance de Marie-Thérèse s'effrita, se dispersa. La jeune femme éclata en sanglots face à ce qui venait d'apparaître devant elle comme un gouffre insondable.

— Je veux voir Jaquelin, matante! arriva-t-elle à prononcer entre deux crises de larmes. Je pense que tant que je l'aurai pas vu, je serai pas capable de dormir, pas capable de manger, pas capable de m'occuper des enfants comme il faut. J'ai une boule dans la gorge qui m'empêche de respirer, pis ça fait mal. Si vous saviez à quel point ça fait mal !

— Ben, vas-y, ma belle, si c'est ça que ton cœur te dit.

En encourageant Marie-Thérèse de la sorte, Félicité Gagnon avait repris la poignée d'ustensiles sales pour les porter à l'évier.

La jeune femme la suivit des yeux en reniflant.

— Mais comment ? demanda-t-elle alors. Comment je peux me rendre à…

— Laisse-moi faire, coupa Félicité, qui revenait vers elle. M'en vas essayer de trouver une solution pour que t'ayes pas à piger dans le salaire de ton mari.

— Ben voyons…

— Tut tut tut… Tais-toi, ma belle, pis laisse-moi faire ! Ça serait pas la première fois que j'aurais une idée pour régler un problème, hein ? Pis je pense que j'ai une bonne idée… Je finis de ramasser la cuisine, vite faite, pis j'vas aller me promener. On reparlera de tout ça quand j'vas revenir. Pendant ce temps-là, monte donc voir tes enfants. Dis-leur exactement toute ce que tu viens de me dire, sauf peut-être pour l'argent. Ça, ça les regarde pas. Mais dis-leur que t'as de la peine, par exemple, pis que t'as ben envie d'aller voir leur père. C'est pas parce que tes enfants sont encore jeunes qu'ils sont pas capables de comprendre ce que tu veux leur dire.

— Vous pensez ? Vous pensez vraiment que de montrer ma peine, ça leur fera pas peur ? Me semble qu'ils doivent plutôt avoir besoin d'une mère forte, non?

— Pourquoi ça leur ferait peur? demanda alors Félicité, en reprenant volontairement les premiers mots de Marie-Thérèse. Non, je pense pas, moi, que ça les dérangerait de voir que t'es inquiète pis que t'as de la peine... Ils doivent ressentir exactement la même chose que toi. Ça fait qu'ils vont te comprendre. De toute façon, j'ai pour mon dire que c'est pas être faible que de montrer qu'on a de la peine.

— Peut-être, oui.

— Bon, enfin, un peu de bon sens! Fie-toi donc sur ce que je te dis, Thérèse! J'ai peut-être pas eu d'enfants à moi, c'est vrai, mais j'en ai vu passer toute une trâlée, par exemple. Pis pas juste ceux à qui j'ai enseigné la musique... Ouais... Dis-toi ben, ma Thérèse, que j'en ai vu, des enfants, au fil des années... Pis des années, j'en accumule pas mal plus que toi en arrière de moi. Ça fait que quand je te dis qu'on peut presque toute partager avec un enfant, c'est que j'suis sûre de mon affaire. Faut juste savoir ben choisir les mots quand on leur parle. Bon, astheure que c'est dit...

Félicité Gagnon se redressa et glissa les mains dans son dos pour dénouer les cordons de son tablier.

— Je pense ben que j'ai pus rien à ajouter. Toi, ma belle, tu montes rejoindre tes enfants, pis moi, je m'en vas!

— Pis la vaisselle?

— Veux-tu ben! Inquiète-toi pas de la vaisselle. Elle se sauvera pas en attendant que je revienne.

Envoye, monte! Comme je les connais, tes enfants doivent avoir les oreilles étirées jusque dans le bas de l'escalier, pis ils ont probablement toute entendu ce qu'on a dit. M'est avis que c'est ben en masse pour se faire toutes sortes d'idées pas nécessairement roses pis que tu devrais ramener tout ça dans le bon chemin. C'est comme rien qu'ils doivent s'inquiéter, non? De toute façon, avec tout ce que t'es en train de vivre, ma pauvre Thérèse, ça va juste te faire du bien d'être avec ta marmaille... Rassure-les du mieux que tu peux, prends ta petite Agnès dans tes bras, parce qu'elle en a souvent besoin, depuis le feu, pis jasez ensemble. Parlez de votre belle maison neuve, tiens, pour vous changer les idées, pis nous deux, on se retrouvera dans ma cuisine dans une petite heure.

Quand Félicité Gagnon revint chez elle, les enfants de Marie-Thérèse dormaient déjà. Épuisés par les émotions, mais tout de même rassurés de voir que leur mère avait l'intention d'aller aux nouvelles, même si, pour ce faire, elle devait se rendre jusqu'à La Tuque, ils ne s'étaient pas fait prier pour se mettre au lit. Quant à Marie-Thérèse, incapable de rester en place, elle avait fini la vaisselle, et, depuis, les yeux fixés sur le poêle et l'horloge grand-père, mais le cœur déjà arrivé à La Tuque, elle attendait le retour de sa tante à la cuisine.

Au son des pieds de la vieille dame qui secouait la poussière de ses chaussures sur la catalogne de l'entrée, elle sut que cette dernière était de bonne humeur.

Marie-Thérèse tourna donc un regard curieux vers

l'entrée, où elle aperçut Félicité qui lui adressait un large sourire.

— Ben voyons... Vous avez donc l'air de bonne humeur, vous là! souligna-t-elle d'une voix intriguée. Pourtant, me semble qu'à soir, on a pas tellement de raisons d'être souriantes de même.

— C'est là que tu te trompes, ma belle! Donne-moi le temps de me dégreyer, pis m'en vas toute te raconter ça.

En moins de deux, Félicité rejoignait Marie-Thérèse à la cuisine.

— Maintenant, demanda cette dernière avant que Félicité ne soit assise, si vous commenciez par me dire où c'est que vous êtes allée.

— À l'Hôtel Commercial, ma belle. C'est là que j'étais.

— À l'hôtel du village? Ben voyons donc! Que c'est que...

— C'est pas dans mes habitudes, c'est vrai, coupa Félicité de sa voix la plus catégorique pour mettre un terme immédiat au chapelet de questions qui pourraient suivre. Pis ça le deviendra pas non plus, le Bon Dieu m'en est témoin! C'est pas une place pour une dame convenable, un hôtel de même. Pis ça pue sans bon sens la fumée de cigarette. J'en avais mal au cœur... Mais que c'est que tu veux que je te dise? C'était pour la bonne cause, pis...

— La bonne cause? interrompit Marie-Thérèse, qui ne voyait pas du tout où sa tante voulait en venir. Êtes-vous en train de me dire que votre bonne idée pour aller à La Tuque, c'est à l'hôtel que vous êtes allée la chercher?

— Ouais, on pourrait dire ça comme ça... C'est là que je pensais trouver une solution, pis on dirait ben que j'avais raison... Donne-moi deux minutes, j'vas mettre la bombe sur le rond pendant que le poêle chauffe encore assez fort. J'ai la gorge toute sèche pis j'ai le goût de me faire un bon thé.

Tout en parlant, Félicité Gagnon s'activait. Ensuite, une fois la tasse sortie et le thé mesuré, elle se tourna vers Marie-Thérèse et lui annonça:

— Astheure, ma belle, que c'est que tu dirais de partir pour La Tuque demain matin de bonne heure?

— Demain? demanda la jeune femme avec une pointe d'incrédulité dans la voix.

— Ouais, demain. Ça ferait-tu ton affaire, ma Thérèse?

Marie-Thérèse n'avait jamais vraiment mis en doute l'imagination fertile de sa tante. Quand venait le temps de trouver quelque solution aux différentes contrariétés qui se présentaient à Sainte-Adèle-de-la-Merci, il n'y avait guère mieux qu'elle pour le faire. Ajoutez à cela sa verve habituelle, son sens de la répartie inné et les arguments de poids qu'elle savait faire valoir juste au bon moment et on comprenait aisément pourquoi les gens s'en remettaient souvent à elle pour régler leurs petits problèmes. N'empêche que cette fois-ci, la proposition de sa tante Félicité était si invraisemblable, si inespérée aux yeux de Marie-Thérèse, que celle-ci prit un certain moment pour bien assimiler tout ce qu'elle venait d'entendre.

— Je partirais demain pour La Tuque ? répéta-t-elle pour être certaine d'avoir tout compris.

— En plein ça.

— Mais vous le savez, matante, je vous l'ai dit : j'ai pas assez d'argent pour me payer un billet de…

— Qui parle de payer quoi que ce soit ?

— Ça tombe sous le sens, non ? Ça prend de l'argent pour voyager, voyons donc ! Me semble que c'est ben clair. Pis de l'argent, vous le savez comme moi que j'en ai pas de lousse. D'autant plus que c'est pas demain la veille que mon mari va reprendre sa place à la cordonnerie pour renflouer nos économies… Pis avant que vous me le répétiez, il est pas question de prendre celui que Jaquelin a gagné durant l'hiver, je vous l'ai déjà dit. Ça me tente pas pantoute de m'ostiner avec vous sur ce sujet-là. Vous le savez que j'suis capable d'avoir la tête ben dure. Pis je…

— Bon, bon, bon ! As-tu fini, toi là ? Je peux-tu parler pis t'expliquer comment ça va se passer ? Je le sais, ma belle, que tu veux pas toucher à l'argent de ton mari. J'en ai tenu compte, pis je sais aussi que t'as la tête dure. On se ressemble, là-dessus. Mais crains pas, j'ai trouvé quelqu'un pour te conduire. Va juste falloir que tu penses à apporter une poignée de monnaie pour tes repas durant la journée, mais c'est à peu près toute. Pour le reste, j'ai tout arrangé.

— Ah ouais ? Pis vous m'avez arrangé ça comment ?

— Tu pars avec Gédéon Touchette.

Félicité Gagnon avait été rarement aussi éblouissante qu'en ce moment. Bien campée sur ses deux pieds, toute droite devant le poêle à bois et sa veste de laine de travers sur les épaules, la vieille dame avait les deux poings sur les hanches et elle dévisageait Marie-Thérèse en souriant. Cette dernière fronça les sourcils.

— Avec Gédéon Touchette? Ben voyons donc, matante, à quoi vous avez pensé? Je peux toujours ben pas partir en machine avec monsieur Touche-à-Tout!

— Pourquoi pas?

— Parce que... Parce que c'est comme ça! Parce qu'il parle tout le temps, pis que c'est ben fatigant. Parce que je le connais pas ben ben, cet homme-là, pis qu'en plus je saurais pas trop quoi y répondre. Parce que... Parce que ça me paraît ben évident que ça peut pas marcher. Monsieur Touchette pis moi! C'est ben tordu, cette idée-là! En plus, il a toujours dit que dans son beau camion tout neuf, toute était à vendre, sauf la poussière. Ça veut dire de quoi, ça, non?

Marie-Thérèse martelait ses arguments à petits coups d'ongle sur la table. Sans attendre de réponse, elle poursuivit, remontée comme un ressort de cadran.

— Ça veut dire que Gédéon Touchette est quand même un peu proche de ses cennes, non? précisa-t-elle d'un même souffle. Pis là, vous seriez en train de me dire qu'il va m'emmener au diable vauvert gratis?

— T'as toute compris.

— Non, je comprends pas. Va falloir mieux m'expliquer parce que non, je comprends pas.

— As-tu vraiment besoin de toute comprendre,

ma pauvre Thérèse ? L'important, pour toi, ça serait pas d'aller voir ton Jaquelin, par hasard ?

— C'est sûr, ça. Si vous saviez comment j'en ai envie.

— Bon ! Que c'est que tu veux de plus, d'abord ? C'est en plein ça que je t'ai arrangé : un voyage à La Tuque pour aller voir ton mari, un voyage qui te coûtera pas une cenne, parce que demain matin, à six heures tapant, Gédéon Touchette va se présenter à notre porte pour t'emmener jusque-là.

Marie-Thérèse restait sceptique.

— Pis pourquoi il ferait ça pour moi, monsieur Touche-à-Tout ? Il me doit rien pantoute.

— C'est vrai, à toi, il doit pas grand-chose. Pis c'est pas vraiment pour toi qu'il le fait, avoua la tante Félicité, conciliante. C'est pour ton mari, Jaquelin, qui se trouve à être un de ses bons clients…

Convaincue de tout ce qu'elle avançait, Félicité Gagnon avait retrouvé son allant habituel.

— J'ai pas eu besoin d'insister plus qu'il faut, tu sauras. À la quantité de cuir que ton mari achète, pis de lanières, pis de fil, pis d'agrafes, pis… J'ai-tu vraiment besoin de continuer, ma Thérèse ?

Marie-Thérèse exhala une longue expiration.

— C'est beau, matante, pas besoin d'en rajouter, j'ai compris. C'est vrai que Jaquelin est un bon client, un très bon client, même. Il y a pas un seul voyage de monsieur Touchette dans notre paroisse sans que mon mari achète quelque chose… C'est vrai, vous avez ben raison. Mais ça joue dans les deux sens, ça là.

Jaquelin aussi est ben content de pas avoir besoin de se rendre en ville pour trouver ses fournitures.

— Ça change rien au fait que Gédéon Touchette voudrait pas perdre un client comme ton mari. C'est pour ça qu'il est d'accord pour t'emmener à La Tuque. Il va en profiter pour aller voir quelques prospects, comme il a dit.

— Si c'est de même... Pis je reviens comment?

— De la même manière! Penses-tu vraiment que j'étais pour te laisser là-bas indéfiniment?

— Ouais... Pis si jamais Jaquelin pouvait revenir, lui avec?

Il y avait tellement d'espoir contenu dans cette toute petite question que la tante Félicité sentit son cœur se serrer.

— Hein, matante? En avez-vous parlé avec monsieur Touchette du fait que Jaquelin pourrait revenir avec nous autres?

Félicité éluda la question d'un bref haussement d'épaules, tout en affirmant avec tout l'aplomb nécessaire pour rassurer sa nièce:

— Pas vraiment... Fallait quand même pas y faire peur, au pauvre Gédéon. Tu sais ben comment sont les hommes devant la maladie: ça les fait paniquer, pis c'était vraiment pas le temps de faire ça... Je me suis dit que ça serait à toi d'y voir, une fois rendue là-bas...

— À moi d'y voir?

Une ombre d'appréhension traversa le regard de Marie-Thérèse, arrachant au passage un sourire à

Félicité Gagnon qui, pour sa part, ne s'en faisait pas outre mesure.

— Je te l'accorde, t'es d'un naturel gêné avec les étrangers, concéda-t-elle pour apaiser sa nièce. Là-dessus, tu ressembles un peu à ton Jaquelin... Mais quant à moi, la ressemblance s'arrête là. Quand vient le temps de défendre ta famille, par exemple, je sais que t'es capable de nous surprendre... Encore plus que ton mari. Si jamais l'occasion se présentait, pis que Jaquelin pouvait faire le voyage jusqu'ici, t'auras juste à faire valoir tes arguments, ma belle fille, comme de montrer l'importance de ramener le cordonnier à Sainte-Adèle-de-la-Merci. La paroisse a ben besoin qu'il revienne, tu penses pas? Avec toutes les bottines d'été qu'il va falloir rafraîchir... De toute façon, que Jaquelin soye capable de travailler ou pas, j'ai pour mon dire que ça serait peut-être une bonne affaire de le ramener par chez nous. Ton mari, c'est le genre d'homme à vouloir sa famille proche de lui, pis la Tuque, c'est pas la porte d'à côté. En train, ça aurait peut-être été plutôt difficile de le ramener, c'est ben certain, mais en camion... Me semble que si Jaquelin va aussi bien que monsieur Joachim l'a dit, le docteur de l'hôpital devrait être d'accord avec ça... Pis si jamais t'avais besoin d'insister pour convaincre le docteur de La Tuque, ma Thérèse, tu pourras y dire que dans la paroisse d'à côté, à Saint-Ambroise, on a un ben bon docteur, nous autres avec. Amédée Gosselin, qu'il s'appelle, des fois que les deux docteurs se connaîtraient... Il devrait être capable de voir à notre Jaquelin sans trop de problèmes. Après toute, ton mari a peut-être pas vraiment besoin de rester couché sur un lit d'hôpital pour se remettre d'aplomb. Que c'est qu'on en sait? Pis peut-être que...

— Je vous arrête, matante, coupa Marie-Thérèse, toute étourdie par le verbiage de Félicité. Ça fait ben des « si » pis des « peut-être », votre affaire. Je suis pas sûre, moi, que...

— Je le sais, coupa à son tour la tante Félicité, qui devinait aisément ce que Marie-Thérèse allait lui rétorquer.

— Bon, enfin! Pis les enfants, eux autres? Qui c'est qui va s'en occuper pendant que j'vas...

— Ben là, ma fille, t'es quasiment insultante! Voir que je peux pas m'occuper de ta famille pour une journée!

— C'est vrai. Je m'excuse, matante. Mais c'est tellement toute mélangé dans ma tête... Merci pour toute ce que vous faites pour moi. Mais que c'est qui nous dit que Jaquelin va assez bien pour revenir?

— On est sûrs de rien, là-dedans, je te l'accorde. Mais j'vas te répondre comme monsieur Joachim l'a fait, tout à l'heure: j'suis pas docteur pour tout connaître des problèmes de santé, c'est ben certain, mais d'un autre côté, me semble que ça vaut la peine d'essayer. Tu penses pas, toi? Mis devant le fait, si le docteur est d'accord, ben entendu, Gédéon Touchette pourra pas dire non. Pas devant Jaquelin en personne, en tous les cas. À ce moment-là, ça sera à toi de ben enligner tes flûtes, ma belle! Mais je te connais: pour ton mari, t'es capable de ben faire les choses, même soulever des montagnes, au besoin.

257

De toute façon, Gédéon Touchette est déjà d'accord pour repasser par le village pour te ramener, demain soir. Une personne de plus ou une de moins, dans son camion, ça devrait pas changer grand-chose pour lui...

Félicité Gagnon avait l'air tellement sûre d'elle-même que son attitude en devenait contagieuse.

— Pis, ma Thérèse? Que c'est que t'en penses, de mon idée?

Le regard que Marie-Thérèse tourna alors vers Félicité était pétillant d'amour et d'espoir, mais aussi empreint de sagesse et de ténacité. Malgré la grande fatigue qu'on pouvait y lire, ce regard-là éclipsa la nécessité des mots.

CHAPITRE 7

À Montréal, sur la rue Adam,
par une très belle journée de printemps

———◆———

Le lundi 16 avril 1923, sur l'étroite galerie arrière qui faisait bien toute la longueur de l'imposante maison grise, divisée judicieusement en quatre grands logements

Plus de doute possible, le printemps était bien là. Ce n'était plus une illusion, ou un souhait maintes fois manifesté. Non! Cette fois-ci, le printemps avait bel et bien gagné sa bataille sur l'hiver et ça se sentait.

Cela faisait plus d'une semaine maintenant qu'on soupçonnait que ça s'en venait. Le soleil était omniprésent et il gagnait indéniablement en intensité, de jour en jour, et voilà qu'aujourd'hui, ça y était! Même à l'aube, le fond de l'air avait de ces douceurs qui rendent heureux.

Comme Lauréanne l'avait décrété intérieurement, tout à l'heure, le premier lundi où elle pouvait enfin étendre ses draps sur la corde tendue à l'arrière de la maison, sans se geler les mains ni frissonner, était bien le véritable début du printemps sur son calendrier personnel.

Et ça remontait à loin !

Depuis qu'elle était toute petite, cette saison avait toujours été la préférée de Lauréanne Lafrance, et ce, pour toutes sortes de raisons.

Premièrement, la petite fille de jadis n'avait jamais aimé le froid. C'était de naissance chez elle. Raison suffisante, n'est-ce pas ? surtout au Québec, pour attendre le printemps avec impatience.

Il y avait aussi que, même enfant, Lauréanne n'avait jamais apprécié la neige, celle qui mouille et gèle les pieds, sauf en décembre, peut-être, à cause de Noël qui approchait à grands pas. Toutefois, même cette neige-là, toute blanche et légère, gage de vacances à venir et d'orange dans le bas de Noël, avait perdu tout attrait au moment du décès de sa mère.

À première vue, ces deux raisons pourraient sembler suffisantes pour entretenir une aversion marquée pour l'hiver. Néanmoins, si ça n'était pas le cas, on pourrait ajouter, en prime, que Lauréanne détestait porter un chapeau. Elle disait que cela la faisait ressembler à une potiche. Déjà qu'en été, elle devait s'y résoudre pour se présenter à l'église, mais quand l'obligation se répétait jour après jour, à cause de la température, ça l'exaspérait un peu.

Mais il y avait encore plus...

En fait, si Lauréanne détestait l'hiver à ce point, et depuis de si nombreuses années déjà, c'était d'abord et avant tout parce qu'elle avait en horreur la corvée d'étendre le linge sur la corde par temps glacial. Comme les vêtements humides collaient irrémédiablement à la laine des mitaines, elle n'avait pas le choix de les retirer pour s'acquitter adéquatement de la tâche, et cela devenait vite douloureux, voire parfaitement intolérable.

C'était il y a bien longtemps, cela va de soi, mais le souvenir perdurait, comme une tache indélébile sur ses jeunes années.

Aujourd'hui, plus personne n'obligeait Lauréanne à sortir le linge mouillé les journées de grands froids. Depuis qu'elle s'appelait madame Émile Fortin, elle était devenue seule juge en la matière et la troisième chambre de la maison servait régulièrement à cet usage durant l'hiver. N'empêche qu'il n'y avait pas une seule première journée de printemps qui n'échappât aux souvenirs désagréables qu'elle gardait de la longue corde à linge de son enfance, tendue entre deux poteaux solidement plantés au beau milieu de la cour, chez son père. Hiver comme été, dès qu'elle avait été en âge de le faire, la petite Lauréanne devait y accrocher le linge frais lavé, car son père alléguait qu'il était allergique à l'odeur du savon de pays s'infiltrant partout dans la maison.

— Ça me pique le nez, pis dans ce temps-là, j'arrive pas à travailler dans le sens du monde! Déjà que je dois endurer l'odeur des cuves de trempage, tu vas au moins me faire le plaisir de faire sécher le linge dehors. T'es rendue assez grande, astheure.

Voilà pourquoi, durant des années, il n'y avait eu que quelques lundis échappant à la consigne, ceux où il tombait une pluie diluvienne ou quand une forte tempête de neige s'abattait sur la paroisse. Mais alors, en contrepartie, Lauréanne et Jaquelin avaient droit à la mauvaise humeur paternelle.

Ces jours-là, chez les Lafrance, il valait mieux filer doux!

Cependant, et fort curieusement d'ailleurs, depuis qu'Irénée habitait à Montréal chez les Fortin, son allergie semblait avoir disparu, et jamais il n'avait osé se plaindre de l'odeur qui pique le nez. Pourtant, Lauréanne employait encore et toujours le même savon de pays pour détacher les vêtements. Curieux, n'est-ce pas?

N'empêche que jamais Lauréanne n'oublierait les jours de lessive de son enfance, les doigts engourdis et les mains crevassées qui faisaient si mal!

À cette époque, chaque soir d'hiver, elle tentait tant bien que mal de se soigner avec le liniment acheté au magasin général, car, selon son père, cet onguent valait bien celui du médecin, trois fois plus cher. Ainsi, avant de se coucher, la gamine souffrante enduisait ses doigts l'un après l'autre avec la gelée orangée qui piquait, et ensuite, elle les enveloppait de gaze, espérant de toutes ses forces que durant la nuit, le miracle se produirait, et qu'au réveil, ses mains seraient guéries de toutes leurs gerçures et qu'elles seraient redevenues toutes blanches et douces, comme en été.

Malheureusement, cela n'était jamais arrivé.

Lauréanne Lafrance n'avait alors que dix, douze

ou quatorze ans, et, dans le secret de son cœur, elle exécrait les lundis, d'octobre à avril…

Pourtant, dès que se pointait le printemps, le lavage perdait cette dimension de corvée.

En effet, à partir du jour où la chaleur du soleil arrivait à guérir ses mains, ou peu s'en faut, rien ne plaisait autant à Lauréanne que de pouvoir sortir de la maison afin d'accrocher le linge au grand soleil avec les longues pinces en bois. Ils étaient pourtant bien lourds pour ses bras d'enfant, les draps et les couvertures, les tentures et les pantalons de serge épaisse, et elle détestait avoir à toucher aux sous-vêtements de son père, grisâtres d'avoir été si souvent lavés ; mais au moins, sans surveillance, la petite fille pouvait prendre tout son temps en oubliant les autres corvées qui l'attendaient à l'intérieur de la maison.

Il y avait surtout que, durant quelques minutes, elle n'entendait plus les jérémiades et les grogne-ments d'Irénée Lafrance, toujours enclin à rouspéter sur une chose ou sur une autre ; ou encore ses cris et ses jurons, quand il tempêtait après Jaquelin, qui ne travaillait jamais assez vite, selon ses dires.

Parfois, en automne, son frère Jaquelin, haut perché dans son arbre, la taquinait en la bombardant de glands. Alors, au mauvais souvenir que Lauréanne gardait du lavage se greffait une infinie tendresse.

Aujourd'hui, bien entendu, le lavage était devenu une besogne comme toutes les autres. Il faisait partie de son travail de femme et jamais Lauréanne n'aurait osé s'en plaindre, car Émile Fortin était un bon mari, attentionné, facile à vivre, et le fait qu'elle doive s'occuper de l'ordinaire de la maison faisait partie du contrat qui existait entre eux, depuis le matin de leur mariage, célébré dans la plus stricte intimité, dans la sacristie de l'église, pour éviter les frais !

Émile, lui, partait travailler tous les jours à l'aube, beau temps mauvais temps, hiver comme été, toujours de bonne humeur. Le vendredi, heureux et satisfait de sa semaine, il rapportait l'argent de son salaire à la maison, plus quatre bières, qu'il dégusterait durant la fin de semaine.

Quant à Lauréanne, elle voyait à bien utiliser le petit pactole qui lui était alloué chaque vendredi, et elle s'employait à faire bon usage de son temps, afin que son mari Émile retrouve une maison agréable, du linge bien repassé et des repas copieux.

À vrai dire, si ça n'avait été de la présence de son père, venu s'installer chez elle sans préavis, il y avait de cela de trop nombreuses années déjà, Lauréanne aurait pu honnêtement déclarer qu'elle était une femme parfaitement heureuse, malgré le fait qu'Émile et elle n'avaient pas eu d'enfants.

Et ce n'était pas faute d'avoir essayé !

Mais envers eux, la vie s'était montrée capricieuse, refusant obstinément de ressembler à leurs rêves les plus légitimes.

— Ça arrive, avait dit laconiquement le médecin consulté à l'époque.

Lauréanne avait beaucoup pleuré, consolée à grand-peine par un mari tout aussi affligé qu'elle.

Chaque mois, durant des années, Lauréanne

Lafrance avait éclaté en sanglots et pleuré toutes les larmes de son corps.

Puis les années s'étaient accumulées et les larmes s'étaient taries. Toutefois, l'attachement mutuel et la tendresse que Lauréanne et son mari Émile ressentaient l'un pour l'autre n'avaient pas diminué pour autant.

Bien au contraire !

De ce qui avait été une cruelle déception et un terrible chagrin était née une véritable complicité, car c'était vraiment à deux qu'ils avaient été désolés de ce revers imprévisible. Ce serait donc à deux qu'ils passeraient par-dessus. L'un comme l'autre, ils auraient préféré une famille nombreuse, certes, mais la vie commune ne s'arrêtait pas uniquement au fait d'avoir ou de ne pas avoir d'enfants, n'est-ce pas ?

Ce fut ainsi, peu à peu, que d'un jour à l'autre, ils avaient appris à se contenter des mille et un petits plaisirs du quotidien qui pouvaient, à leur façon, pimenter une vie à deux.

De la lecture commentée du journal *La Presse* à l'écoute de la radio, en passant par le cinéma, à l'occasion, et grâce aussi à quelques soirées agréables passées en compagnie de certains confrères de travail d'Émile, Lauréanne et son mari avaient su bien occuper leur temps. Tous les deux, ils aimaient la bonne chère, les casse-têtes compliqués, et, si Lauréanne cousait par plaisir, Émile, lui, aimait le travail du bois. Certains fous rires devant les résultats obtenus, tant dans la guenille que dans la sculpture, n'étaient pas rares entre eux.

Finalement, tous les deux, ils étaient particulièrement sensibles aux changements de saison, y voyant là une occasion supplémentaire de se réjouir.

Voilà pourquoi, ce matin, Émile était parti travailler en sifflotant.

— Bientôt, on va recommencer à faire nos piqueniques du dimanche midi, avait-il justement déclaré, au moment où il s'apprêtait à quitter la maison en direction de la brasserie.

Il venait d'ouvrir la porte sur la cacophonie des moineaux et, incapable de résister, il s'était arrêté un instant.

Tout souriant, l'homme grisonnant, qui venait de fêter ses quarante-cinq ans, avait allègrement reniflé la brise en regardant tout autour de lui.

— Viens voir, Lauréanne, avait-il dit, tout en joignant un geste de la main à sa demande. Sens, sens comme ça sent bon... C'est pas des farces, on dirait quasiment l'été, à matin ! Nom d'une pipe que c'est ben tentant d'en profiter.

— C'est vrai qu'on est pas mal bien, avait apprécié Lauréanne, à l'instant où elle l'avait rejoint sur le perron.

Pieds nus et en robe de chambre, elle avait longuement inspiré l'air doux du matin, puis elle s'était redressée sur le bout des orteils pour embrasser Émile sur la joue.

— Si c'est de même, mon mari, avait-elle ajouté, pis que la journée continue d'être belle comme ça, on va manger de bonne heure, pis on ira prendre une grande marche après le souper, toi pis moi.

—Bonne idée, ma femme! Passe une belle journée.

Et c'était exactement ce que Lauréanne était en train de faire : elle passait une excellente journée en vaquant à ses obligations habituelles, tandis qu'en pensée, elle planifiait leur soirée.

Elle était justement en train de transformer quelques heures de routine en un petit moment de bonheur tout simple avec son mari Émile, se disant qu'après le repas, qu'elle voyait sans prétention, mais soigné, ils dirigeraient leurs pas vers la rue Ontario pour voir si, par hasard, leur petit casse-croûte préféré n'aurait pas un peu de crème glacée à leur offrir. Elle estimait que ça serait bien agréable pour terminer une journée aussi belle que celle d'aujourd'hui. Ça lui éviterait d'avoir à confectionner un dessert, et ça soustrairait une ou deux heures au registre des lamentations de son père, qui refuserait probablement de les accompagner, même s'il n'était pas vraiment invité à le faire.

Au casse-croûte, Lauréanne choisissait toujours la crème glacée au chocolat, tandis qu'Émile préférait celle à la vanille.

Voilà donc ce à quoi elle pensait plaisamment, Lauréanne, tout en retirant les draps qu'elle avait mis à sécher plus tôt dans la journée, la gourmandise n'étant jamais bien loin de l'ensemble de ses réflexions domestiques.

En effet, si on était lundi et qu'elle ne pouvait décemment échapper à la corvée du lavage, il n'en restait pas moins qu'en ce moment, elle l'agrémentait d'une joyeuse perspective et que la journée lui semblait très belle.

D'un coup sec, Lauréanne secoua machinalement le drap par-dessus la rampe ceinturant la galerie, avant de l'enrouler sur lui-même pour le remettre dans le panier d'osier, où il attendrait jusqu'au lendemain afin d'être repassé, pour ensuite être rangé dans la grande armoire située dans la salle de bain.

Dans quelques instants, quand elle aurait fini de ramasser la lessive, Lauréanne irait tout de suite préparer le repas. Deux longues heures dans la cuisine n'étaient pas pour lui déplaire et, s'il fallait passer par l'épicerie du coin avant de cuisiner, ce serait avec plaisir qu'elle le ferait.

Lauréanne poussa un long soupir heureux.

Qu'allait-elle bien pouvoir préparer afin de célébrer dignement le retour du beau temps ?

Du poulet, du porc ?

Tout en réfléchissant, Lauréanne esquissait toutes sortes de mimiques, comme si elle s'adressait à un interlocuteur. À force de vivre seule du matin au soir, sans enfants, elle s'était inventé toute une panoplie d'intervenants avec qui elle pouvait s'entretenir à l'occasion, car ce n'était pas son père qui était le vis-à-vis le plus intéressant. Autant que possible, Lauréanne essayait de l'éviter !

Tout à coup son visage s'éclaira.

Elle allait faire des galettes de bœuf haché ! Bien rôties dans le beurre, ça ferait sans doute l'affaire d'Émile, et même celle de son père, tant qu'à y être, surtout si elles étaient noyées dans la sauce au thé.

Il en restait justement une bonne quantité, à la suite du déjeuner, et Lauréanne détestait gaspiller la nourriture. Elle y ajouterait quelques carottes en rondelles et peut-être aussi des bouts de navet, s'il en restait dans la glacière. Puisque tout le monde les aimait bien, ça éviterait les bouderies inutiles et les remarques désobligeantes.

Et pour dessert, son père pourrait vider la boîte de biscuits achetés. Lui qui les prétendait meilleurs que ceux cuisinés à la maison, serait bien mal venu de critiquer !

Tout en pliant sommairement le dernier drap, Lauréanne en était à se demander si elle préférerait des pommes de terre pilées ou bouillies, quand, depuis l'autre bout du long corridor qui scindait le logement en deux, elle entendit les vociférations d'Irénée Lafrance, qui semblait venir vers elle.

— Veux-tu ben me dire où c'est que t'es rendue, toi là ? criait-il pour être bien certain d'être entendu. Lauréanne ? Où c'est que tu te caches encore, maudit batince ? Chaque fois que j'ai besoin de toi, t'es jamais là. À croire que tu le fais exprès, sacrament.

Par la porte qu'elle avait laissée grande ouverte pour faire aérer la maison, en attendant qu'Émile installe le battant à moustiquaire, Lauréanne sut que son père venait d'entrer dans la cuisine, puisqu'il avait bousculé une chaise au passage. Il lâcha aussitôt une bordée de jurons, que Lauréanne accueillit en fermant les yeux. Puis elle poussa un long soupir de lassitude.

Comment son père pouvait-il arriver à être de si

mauvaise humeur quand on avait droit à une journée aussi parfaite ?

Néanmoins, sans chercher d'explication, car la plupart du temps, il n'y en avait aucune, elle s'empressa de répondre sur un ton qui se voulait enjoué afin de freiner d'éventuelles tensions entre eux :

— J'suis sur la galerie, son père. Je me cache pas pantoute.

Les pas lourds approchèrent.

— Facile à dire, ça, vociféra Irénée, en arrivant dans l'encadrement de la porte. C'est quand on a justement quelque chose à cacher qu'on prétend le contraire.

— Quelque chose à cacher ? Ben voyons donc !

Visiblement, Lauréanne tombait des nues, car cette fois-ci, elle n'avait vraiment rien à se reprocher. Toutefois, son père ne l'entendait pas de cette oreille.

— Arrête de faire ton hypocrite, Lauréanne Lafrance, pis viens pas me dire que tu le savais pas. J'haïs ça quand tu me racontes des menteries grosses comme le nez au milieu de la face, en me prenant pour un cave.

— Des menteries grosses comme… ? Voyons, son père ! C'est quoi ça, encore ? Pis que c'est que je serais supposée savoir comme ça ? Sainte-Bénite ! Combien de fois va falloir que je le répète ? Premièrement, je vous prends pas pour un cave. Jamais. Pis deuxièmement, je vous ai rien caché pantoute, pas plus que je vous ai menti. Je comprends même pas de quoi vous voulez parler !

— Ah ouais? C'est ce que tu dis... Moi, vois-tu, depuis l'histoire du feu, je te crois pus...

Devant cette réplique trop souvent entendue depuis l'automne, Lauréanne haussa les épaules avec fatalisme. Elle n'avait pas la moindre envie de gâcher le reste de sa journée avec une discussion interminable et surtout tout à fait inutile, alors elle se permit d'interrompre Irénée, malgré les risques qu'elle encourait à le faire.

— Pensez ben ce que vous voulez, son père, trancha-t-elle brusquement. Si vous voulez pas me croire, je peux rien rajouter à ça. Chose certaine, par exemple, c'est que cette fois-ci, c'est vraiment vrai que je comprends rien pantoute à ce que vous êtes en train de me dire.

Le ton ne pouvait mentir et Irénée n'eut d'autre choix que de l'admettre intérieurement. Il soupira néanmoins avec impatience, question de garder un certain contrôle sur la conversation.

— Ben sacrament, c'est moi qui comprends pus rien! Veux-tu ben m'expliquer, d'abord, pourquoi c'est faire que les mauvaises nouvelles du village nous arrivent toujours par notre voisin Gédéon?

— Peut-être que c'est parce qu'il est plus rapide qu'un télégramme, rapport qu'il passe par le village assez souvent.

Ne voyant aucune mauvaise nouvelle susceptible de les affecter en ce moment, il faisait bien trop beau pour le malheur, Lauréanne avait dit un peu n'importe quoi pour se débarrasser de son père. Mal lui en prit! Cette réponse ne fit qu'attiser la colère d'Irénée.

— Maudit batince que t'es niaiseuse, toi, des fois! trancha-t-il en tapant du pied. Il y a rien de plus vite qu'un télégramme, tu devrais le savoir! Non, moi je dirais plutôt que c'est juste qu'à l'autre boutte, au village, par où Touchette passe souvent, je te l'accorde, ils sont trop sans-dessein pour nous avertir quand c'est le temps de le faire. À croire qu'icitte, en ville, on existe pas. Ni pour les bonnes ni pour les mauvaises nouvelles.

Irénée remettait ça! Lauréanne fronça les sourcils.

— Parce qu'il y aurait encore une mauvaise nouvelle?

— C'est le moins qu'on puisse dire... Au boutte du compte, c'est moi qui avais raison, pis la cordonnerie pourra pas rouvrir de sitôt.

À ces mots, même si elle avait d'abord été déboussolée par les propos de son père qui lui paraissaient échevelés et sans grande logique, Lauréanne sentit une certaine crainte l'envahir.

Que se passait-il encore à Sainte-Adèle-de-la-Merci pour que son père en parle sur ce ton emporté?

— Ben voyons donc, son père... De quoi c'est que vous voulez parler, vous là? Toujours ben pas un autre feu?

Le vieil homme roula les yeux qu'il leva ensuite au ciel dans un geste de grande exaspération.

— Encore des niaiseries! lança-t-il avec une pointe de dédain dans la voix. Coudonc, Lauréanne, t'as-tu juste ça à dire, aujourd'hui, des niaiseries? Maudit sacrament que tu peux m'énerver, des fois. Non, il y a pas eu d'autre feu, ça serait ben le boutte de la marde ! Non, cette fois-citte, c'est ton cher frère qui a eu un accident…

La crainte ressentie fut aussitôt balayée par une grande inquiétude et Lauréanne en perdit ses mots pour un instant. Irénée en profita pour continuer sur le même ton excédé.

— Je le savais, je le savais donc que c'était une sacrament de mauvaise idée de partir pour les chantiers. Surtout pour un pas de tête comme ton frère Jaquelin… Avec un empoté comme lui, pis son mauvais jugement, c'était ben clair qu'une affaire de même risquait d'arriver… Je l'avais dit ! Je l'avais donc dit, maudit sacrament de baptême !

Cette enfilade de jurons eut l'avantage de faire sortir Lauréanne de sa torpeur. Oubliant momentanément tout ce qu'elle venait d'entendre, elle fixa son père avec humeur. Les jurons étaient bien la seule chose qui la faisait sortir de ses gonds, sans égard aux conséquences.

— Son père ! Quand même, fit-elle à mi-voix. Arrêtez de parler de même ! Tout le monde du quartier va vous entendre pis on va passer pour une famille de mal élevés.

D'un geste discret de la main, Lauréanne désigna l'enfilade des cordes à linge, aujourd'hui lourdement chargées de l'intimité de toutes ces familles qui partageaient la succession des cours, depuis la grande maison grise jusqu'à la ruelle.

— Essayez de vous retenir un peu! exhorta-t-elle finalement sur le même ton étouffé.

— M'en fiche pas mal de ce que le monde peut penser de nous autres... C'est pas nos voisins qui vont venir régler mes problèmes, hein? Ça fait que je parlerai ben comme j'ai envie de parler... As-tu pensé, toi, à ce que la cordonnerie va devenir, pas de cordonnier? Parce que c'est ça qui va arriver, j'en suis sûr... Sais-tu ce qu'il a imaginé, le maudit Jaquelin?

Ces quelques mots ramenèrent Lauréanne à son inquiétude, tandis qu'Irénée Lafrance était écarlate de colère. Non seulement il trouvait inconcevable que personne n'ait eu la présence d'esprit de le prévenir au sujet de l'accident de son fils, et, à ses yeux, c'était d'une grossière inconvenance, mais en plus, pour la seconde fois en quelques mois à peine, il avait la pénible sensation que tout son univers venait de s'écrouler. Sans donner la chance à Lauréanne de le questionner ou de lui répondre, il prit une longue inspiration et reprit là où il s'était interrompu.

— Imagine-toi donc que ton imbécile de frère a décidé de revenir des chantiers en faisant de la drave...

En entendant ce dernier mot, les yeux de Lauréanne s'arrondirent de surprise. Cette audace ressemblait si peu à Jaquelin.

— Ouais, de la drave, t'as ben entendu. Faut-tu être cave en sacrament pour faire ça? C'est ce que Touchette m'a appris, figure-toi donc! Ton frère était au chantier à attendre le printemps comme tout le monde, pis un bon matin, il a décidé de repartir par la rivière… Maudit imbécile !

Ça y était ! Irénée Lafrance venait de repartir pour un de ces discours-fleuves remplis de fiel dont lui seul avait le secret, mais, dans l'immédiat, Lauréanne ne l'écoutait plus.

Son frère avait eu un accident et son père prétendait que la cordonnerie ne pourrait rouvrir comme prévu. C'était donc que l'accident avait été grave, n'est-ce pas ? Très grave ! On n'arrête pas de travailler pour des broutilles, surtout pas quand on s'appelle Jaquelin Lafrance et qu'on est un acharné du travail.

Au fil des réflexions de Lauréanne, son inquiétude allait croissant. Plus encore qu'au moment où elle avait appris l'incendie, alors que personne n'avait été blessé. Présentement, la sœur de Jaquelin se sentait oppressée et elle avait le cœur lourd.

Et son père qui continuait de crier comme si Jaquelin avait délibérément choisi son sort…

Les cris d'Irénée rejoignirent enfin Lauréanne dans le secret de ses réflexions. Elle sursauta et secoua vigoureusement la tête.

Mais en fait, que s'était-il vraiment passé ?

D'une main fébrile agitée devant elle, Lauréanne tenta d'endiguer le flot continu des paroles d'Irénée Lafrance. Ici, sur la galerie, entourée des vêtements de tous ses voisins, elle se sentait en relative sécurité. À ses yeux, les cordes à linge dressaient un rempart infranchissable, même pour une colère comme celle qui habitait son père, en ce moment. On était lundi, il y avait un va-et-vient constant sur les galeries, et, à tout moment, il pouvait y avoir quelqu'un pour les voir, pour tout entendre, et pour une fois, cela donna à Lauréanne l'audace d'insister.

— S'il vous plaît, son père...

Ce dernier sursauta à son tour. Contrarié d'avoir été interrompu, il tourna un regard mauvais vers sa fille.

— Que c'est que tu veux encore, toi?

Tout de même épuisé par la colère qui bouillait dans ses veines et le long monologue qui l'avait accompagnée, Irénée parlait présentement d'une voix haletante. Curieusement, Lauréanne se dit que ce serait la colère, un jour, qui finirait par emporter son père. Les yeux mi-clos, Irénée Lafrance continuait de pomper l'air à grandes inspirations, car, visiblement, il n'avait pas fini de discourir.

Mais peu importait pour Lauréanne. Elle était inquiète pour son frère, et elle venait de comprendre qu'elle non plus n'avait pas fini de parler. Il lui fallait savoir exactement ce qui s'était passé.

— S'il vous plaît, écoutez-moi... Vous parlez d'un accident, c'est ben beau, mais vous m'avez pas dit pantoute ce que c'était... Que c'est qu'il a eu comme accident, Jaquelin?

Quelques mots à peine, et Irénée sembla reprendre ses esprits. Il ouvrit brusquement les yeux.

— Voir que ça a de l'importance! cracha-t-il en sifflant les mots. C'est la cordonnerie qui est importante, dans tout ça, pas ton frère, rapport que lui, il est pas mort... Mais si tu veux toute savoir, Jaquelin est tombé dans l'eau d'une rivière. Paraîtrait qu'il a failli se noyer, mais c'est pas le cas.

— Mon doux...

Lauréanne, imaginant la scène sans difficulté, avait porté les deux mains à son cœur.

— Pauvre Jaquelin... Pis?

— Pis quoi, sacrament? Me semble que ça dit ce que ça doit dire, non? Quand tu tombes à l'eau, tu tombes à l'eau!

Lauréanne dut faire un effort surhumain pour ne pas crier après son père.

— Mais encore, dit-elle d'une voix qu'elle tentait désespérément de retenir... Il est comment, aujourd'hui, Jaquelin?

— Comment tu veux que je le sache, maudit baptême, je l'ai pas vu! Pis toi, comment tu fais pour toujours finir par poser des questions imbéciles? Me semble que c'est pas de même que je t'ai élevée. Les niaiseries, j'ai jamais toléré ça, pis tu le sais... Pour ton frère, que c'est que tu veux que je te raconte de plus? Je fais juste répéter ce que Gédéon m'a raconté.

« Ce que Gédéon m'a raconté... »

En soi, ces quelques mots disaient tout, et, aussitôt qu'elle les entendit, Lauréanne esquissa l'ombre d'un sourire soulagé.

— Ah oui, c'est vrai... Il y a Gédéon, derrière tout ça, murmura-t-elle, pour elle-même.

Un simple rappel, un élément banal à travers la discussion, et Lauréanne sentit sa tension diminuer de beaucoup. Pourquoi s'en faire autant? Tout ce qu'elle venait d'entendre dans la bouche de son père venait des dires de Gédéon Touchette. Ça permettait de relativiser les choses, n'est-ce pas ? Elle aurait dû y penser depuis le début !

— Allons, son père, faut pas trop vous en faire avec ça, arriva-t-elle à déclarer sur un ton apaisant. Ça arrive souvent, vous savez, que notre cher voisin Gédéon exagère un peu.

— Ben pas là !

Curieusement, alors qu'il était d'un naturel sceptique, cette fois-ci, Irénée Lafrance avait l'air tout à fait convaincu, ce qui intrigua Lauréanne. Ça n'était pas dans ses habitudes.

— Pourquoi vous dites ça, son père ? demanda-t-elle d'une petite voix, avec la désagréable sensation de marcher sur des œufs.

— Parce que, pour une fois, il fait pas juste répéter ce qu'il a entendu, le Gédéon… Pour qui tu me prends, baptême ? Moi avec, je le connais notre voisin, pis laisse-moi te dire qu'il arrive rarement à me passer un sapin… Mais cette fois-citte, par exemple, je le sais que c'est pas pareil, parce que pour une fois, c'est pas juste du racontage, son affaire. Imagine-toi donc que notre cher voisin était là en personne. Ouais, il était là, Gédéon Touchette, avec Marie-Thérèse, quand elle est partie pour La Tuque. Il a même faite le voyage avec elle, dans son camion, jusqu'à l'hôpital de La Tuque. Pis, par après, c'est encore lui qui a ramené Marie-Thérèse pis Jaquelin jusqu'au village de Sainte-Adèle-de-la-Merci.

Brusquement, la véracité des propos n'avait que

peu d'importance aux yeux de Lauréanne. C'était plutôt le geste en soi qui la laissait médusée.

— Hé ben… Notre voisin Gédéon a faite ça, lui?

— Comme je te dis. Ça t'en bouche un coin, hein? Tu vas peut-être finir par me croire, sacrament! C'est pour ça que je dis que, pour une fois, on peut vraiment le croire quand notre voisin dit que Jaquelin en mène pas trop large.

Lauréanne n'avait aucune difficulté à imaginer monsieur Touche-à-Tout, bavant de plaisir en racontant son histoire, surtout s'il avait été partie prenante de ladite histoire. Néanmoins, sans vouloir mettre la parole de son père en doute, elle continuait d'avoir bien de la difficulté à concevoir que leur voisin ait accepté de faire ce voyage. Cette grande générosité ne lui ressemblait pas tellement.

Durant un bref instant, Lauréanne soupesa mentalement le pour et le contre contenus dans les propos de son père. Elle arriva à la conclusion qu'à moins d'avoir été payé, ce qui ne semblait pas être le cas, Gédéon Touchette avait probablement accepté de faire ce voyage jusqu'à La Tuque avec Marie-Thérèse pour la simple et bonne raison qu'il aurait enfin un événement inédit à raconter. Elle ne voyait pas autre chose. À cette dernière pensée, Lauréanne inspira bruyamment, subitement en colère, elle aussi. Depuis l'automne dernier, elle avait beaucoup de difficulté à trouver chez Gédéon Touchette ne serait-ce que l'ombre d'une qualité et cette subite générosité lui semblait tout à coup entachée d'avidité et d'égoïsme.

Le sourire que son charmant voisin avait affiché

en parlant de l'incendie lui était resté en travers de la gorge…

La réplique de Lauréanne fut alors à l'avenant.

— Quand ben même il serait parti pour la lune avec Marie-Thérèse, le Gédéon, ça changerait rien, quant à moi, grommela-t-elle, avec humeur. À mon avis, d'avoir fait le voyage à La Tuque, ça veut rien dire pantoute. Ça veut surtout pas dire que tout est aussi dramatique que ce cher monsieur Touchette veut ben le laisser croire.

— Ben moi, ma pauvre Lauréanne, je le crois. C'est ben beau savoir qu'il exagère plus souvent qu'autrement, Gédéon Touchette peut pas avoir inventé tout ça, juste pour se rendre intéressant.

Lauréanne haussa les épaules avec indifférence.

— Libre à vous de penser ce que vous voulez, son père, laissa-t-elle tomber. Mais en attendant de savoir exactement ce qui s'est passé, pis surtout ce qui s'en vient, vous vous rendez peut-être malheureux pour pas grand-chose.

Mine de rien, Lauréanne essayait d'amadouer son père, tentant de l'amener à voir la situation avec un certain recul, une certaine lucidité. Après tout, malgré toutes les exagérations que Gédéon Touchette avaient pu apporter à son récit, il semblait évident qu'un incident d'importance avait eu lieu. Irénée Lafrance, à titre de père de Jaquelin, n'aurait pas vraiment le choix de se rendre à Sainte-Adèle-de-la-Merci pour constater par lui-même de quoi il retournait. Aussi bien qu'il le fasse l'esprit tranquille.

Ça éviterait peut-être à son pauvre frère Jaquelin de passer un fort mauvais quart d'heure.

— Malheureux, malheureux, reprenait justement Irénée... C'est vite dit, ça là. Mettons que ça me choque plus que ça me rend malheureux... Pis pourquoi je serais malheureux, je me le demande un peu ? Ton frère avait juste à faire attention pis à pas se tirer dans des projets qui ont pas d'allure. De toute façon, il est pas mort, c'est ça le principal... Non, depuis t'à l'heure, c'est à la cordonnerie que j'arrête pas de penser, pas à ton frère. C'est comme rien qu'à l'heure où on se parle, elle doit être prête à fonctionner, mais il y a personne pour s'en occuper, maudit calvaire... Du moins, c'est ça que Gédéon avait l'air de penser, même s'il est pas rentré dans toutes les détails. Ça me met les nerfs en boule, tu sais pas comment ! M'as-tu pouvoir finir par me reposer tranquille un jour ?

— Son père ! Là c'est vous qui exagérez un peu. Votre vie à Montréal est quand même pas si dure que ça.

Lentement, l'inquiétude cédait le pas à l'exaspération et le ton employé par Lauréanne le montrait. Cependant, au lieu de s'en offusquer, ce fut comme si Irénée se reconnaissait dans les propos de sa fille et il esquissa l'ombre d'un sourire. Lauréanne aurait voulu toucher son père, faire vibrer ses émotions, qu'elle n'aurait pu mieux réussir qu'en ce moment, alors qu'elle laissait filtrer un peu de sa propre colère.

— Me semble que je vous traite ben, non ?

Le ton de Lauréanne était toujours aussi indigné, chargé d'impatience, et, là encore, Irénée resta très calme, puisque c'était là un langage qui le rejoignait mieux que n'importe quelle parole gentille.

— C'est vrai que j'suis pas trop mal icitte, concéda-t-il finalement, tout en soupirant. Je pourrais même dire que ça va pas trop pire, c'est sûr.

Lauréanne n'osa répondre, par crainte de voir ce semblant de bonne humeur s'envoler. Irénée en profita pour s'offrir le temps d'une courte réflexion en hochant sa tête grisonnante, aux cheveux jaunis par le tabac. Mais alors que Lauréanne s'attendait à un retour au calme et à la bonne volonté, son père repartit malheureusement de plus belle.

— Mais ça pourrait aller pas mal mieux si ton frère arrêtait de faire l'imbécile, par exemple ! C'est quoi l'idée de toute massacrer ce que j'ai mis des années à bâtir, après le décès de mononcle Ferdinand ? gronda-t-il, de toute évidence toujours aussi emporté par la colère.

Irénée Lafrance fulminait.

— Pis viens pas m'ostiner, ordonna-t-il en plantant son regard décidé dans celui de sa fille, à l'instant où celle-ci ouvrait la bouche pour se glisser dans le discours de son père. J'suis vraiment pas d'humeur à discuter avec personne. Surtout pas avec toi !

Qu'importe l'avertissement, Lauréanne n'avait pas l'intention d'en rester là. Toutes ces années d'injustice à l'égard de Jaquelin venaient de trouver leur exutoire. À entendre Irénée déblatérer, c'était comme si Jaquelin avait été responsable de son propre accident ! Aux yeux de Lauréanne, l'attitude de son père dépassait les bornes. Allons donc ! Personne ne se jette volontairement dans l'eau glacée d'une rivière, et si son frère avait choisi de faire la drave, il y avait sûrement une bonne raison à cela.

Profitant de l'instant où Irénée Lafrance prenait une longue inspiration, Lauréanne fit donc valoir son point de vue. Les draps de sa voisine d'en face claquant au vent restaient un rempart valable, pour l'instant.

— N'empêche, son père! Jaquelin peut pas avoir tous les torts, tout le temps!

Irénée se contenta de regarder sa fille sans répondre. Décidément, être sur la galerie, au vu et au su de tous leurs voisins, donnait à Lauréanne un aplomb qu'elle aurait dû avoir depuis longtemps.

— Moi, à votre place, j'irais voir par moi-même de quoi il retourne...

Si Lauréanne croyait que cette proposition mettrait un terme à la discussion, elle s'était lourdement trompée. Il en aurait fallu pas mal plus pour désamorcer la colère d'Irénée Lafrance. Il dévisagea sa fille d'un regard mauvais.

— Voyez-vous ça! En fait de tête folle, aujourd'hui, tu bats des records, ma pauvre enfant! Non, j'irai pas à Sainte-Adèle-de-la-Merci. Ça me tente pas d'avoir l'air d'un seineux, pendant qu'eux autres, à l'autre boutte, ont même pas pensé à me prévenir... Comme si ça me regardait pas, tout ça... Maudit batince de gang de sans-cœur. La cordonnerie comme elle était avant le feu, c'est moi qui l'avais bâtie, pis je pense que celle d'aujourd'hui m'appartient encore un peu. Comme la maison, tiens... Pis parlons-en, de la maison ! Comment ça se fait que j'ai pus de nouvelles de la construction ? C'est comme rien qu'elle doit être prête, cette maison-là, pis personne m'en a parlé. Pas un mot ! Après ce qui vient de se passer, laisse-moi te dire que ça me tente pus pantoute d'aller voir la maison. Qu'ils s'arrangent avec leurs troubles, si c'est ça qu'ils veulent. Moi, je lèverai pas le petit doigt pour les aider, maudit sacrament de baptême ! Ça leur apprendra à faire comme si j'existais pas…

Au fur et à mesure qu'Irénée alignait les raisons de ne pas se rendre dans son ancien patelin, le ton montait à nouveau.

— Ça me tente surtout pas d'avoir à expliquer toute l'affaire à tout un chacun si jamais on me demandait quand c'est que la cordonnerie va rouvrir. J'aurais l'air de quoi, moi, quand je serais obligé de dire que je le sais même pas, maudit sacrament ?… Hein, que c'est que tu veux que je réponde à ça, si je le sais pas, parce que personne a jugé bon de m'en parler ? Non, non, non, Lauréanne, dis rien, gronda-t-il à l'instant où sa fille tenta, encore une fois, de placer un mot pour lui répondre.

Au même instant, Irénée Lafrance avait levé la main, comme s'il voulait frapper quelqu'un ou quelque chose. Heureusement, d'un coup de poing dans la paume de sa main gauche, il tenta de calmer ses pulsions. Vite emporté et facilement en colère, Irénée n'avait cependant jamais frappé une femme. Ce n'était pas aujourd'hui qu'il allait commencer.

— Même si je vois ben que ça te démange de me donner des conseils, dis rien, répéta-t-il d'une voix assourdie. Je le prendrais pas. Pis essaye surtout pas de me faire changer d'idée, parce que là, je pense que je serais pas capable de me retenir, maudit batince !

Tout en parlant, Irénée continuait de se frapper la main et, lentement, Lauréanne se tassait sur elle-même.

— Pas question pour astheure que j'aille voir qui que ce soit au village. Un point c'est toute. S'ils ont besoin de moi, ils me le feront savoir, pis je verrai ben en temps et lieu si ça me tente de faire quelque chose. Mais que Jaquelin aille pas s'imaginer, par exemple, qu'à cause de l'accident, il me doit pus une cenne sur la maison. Au mois de mai, j'suis mieux de recevoir ma lettre comme d'habitude, avec mes cinquante cennes collés sur le carton, parce que m'en vas avoir des petites nouvelles pour lui !

Sur ce, Irénée Lafrance rentra dans la maison en claquant la porte, tandis que Lauréanne jetait un regard discret sur les balcons qui surplombaient la cour. Heureusement, personne n'avait été témoin de ce moment disgracieux. Elle poussa alors un long soupir de soulagement.

N'empêche que la peur de son père lui était revenue tout entière.

Et l'inquiétude pour son frère aussi.

CHAPITRE 8

À Sainte-Adèle-de-la-Merci, le samedi 21 avril 1923,
par un midi un peu gris et frais

———◆———

Sur le quai de la gare de Sainte-Anne-de-la-Pérade,
tandis qu'Émile Fortin et son épouse Lauréanne
arrivent de Montréal, en route pour se rendre
à Sainte-Adèle-de-la-Merci

Lauréanne n'avait eu aucune difficulté à convaincre son mari d'aller passer une journée ou deux dans son ancien village.

— C'est sûr, ma femme, qu'on doit aller voir ton frère... Après tout ce que tu viens de me raconter, c'est ben la moindre des choses qu'on se montre la face là-bas... Il y a ben juste ton père pour voir les affaires autrement, mais inquiète-toi pas, c'est pas lui qui va venir me faire changer d'idée. De toute façon, je l'aime ben, moi, le beau-frère, pis savoir qu'il file un mauvais coton, ben, ça me fait ben gros quelque chose. Il y a la belle-sœur avec, qui doit trouver ça difficile... Même s'ils sont ben chanceux d'avoir une belle grosse famille, il en reste pas moins que ça doit être dur, ce qu'ils sont en train de vivre là, ben dur. Les enfants, ça doit être un beau contentement dans une vie, mais ça règle pas toute, ciboulot! Ouais, ma femme, compte sur moi, on va y aller, pis vite, à part de ça. *Anyway,* ça va nous permettre de voir notre filleul, pis ça me fait toujours plaisir de voir les enfants de ton frère… Bateau d'un nom! On la voit pas assez souvent, ta famille. Surtout que c'est tellement toute du bon monde. Ouais, samedi prochain, tiens-toi prête, ma femme. Beau temps mauvais temps, on va à Sainte-Adèle-de-la-Merci! Tu nous feras quelques sandwichs pis plein de petits gâteaux pour manger dans le train, parce que je trouve ça long, rester assis à me faire barouetter pendant une couple d'heures. Pis si t'as le temps, ça serait peut-être une bonne idée de faire quelques nananes pour les petits. Ça devrait leur faire plaisir… Ouais, t'as ben raison, ma Lauréanne, faut aller prendre des nouvelles de Jaquelin. On va se lever de bonne heure, samedi matin, pis on va essayer d'attraper le premier train en partance pour Québec. On descendra à Sainte-Anne-de-la-Pérade, comme d'habitude. Mais on revient coucher ici, par exemple, ça me tanne d'être obligé d'aller à l'hôtel. Ça coûte cher, pis les lits sont jamais ben confortables. Ça va nous faire une saprée grosse journée, mais c'est pas grave, c'est pour la bonne cause. C'est pour ton frère pis sa famille.

Émile était un habitué des longs monologues, puisqu'il semblait devoir en faire régulièrement à son travail, quand venait le temps d'initier de jeunes nouveaux, et, ma foi, il en abusait un peu. Toutefois, Lauréanne aimait bien l'entendre discourir de la sorte. Ça la changeait agréablement des diatribes de son père.

— T'es ben fin, mon mari, d'accepter d'aller voir Jaquelin. C'est pas juste à lui que tu vas faire plaisir, tu sais, c'est à moi aussi... Je m'ennuie ben gros de lui pis de Marie-Thérèse... Par contre, si tu vois pas d'inconvénient, j'aimerais mieux que ça soye toi qui en parles au père.

— Pas de trouble, ma femme. M'en vas même faire ça tout de suite, pour m'en débarrasser.

Malgré les regards critiques et furieux qu'Irénée avait braqués sur lui tout au long de ses explications, Émile n'avait pas flanché.

— Jaquelin va sûrement être heureux d'avoir l'appui de sa sœur, pis Marie-Thérèse aussi, avait-il ajouté en soutenant résolument le regard noir de son beau-père.

Il n'alla pas à le dire ouvertement devant Irénée, mais Émile jugeait important de se serrer les coudes au sein d'une famille, quand le besoin s'en faisait sentir. Il y croyait au point d'en venir aux invectives avec son beau-père, s'il le fallait, pour mener le projet à terme, mais il ne céderait pas d'un pouce.

Crainte inutile puisque, au ton employé par son gendre pour annoncer l'escapade d'une journée, Irénée avait vite saisi qu'il ne servirait à rien d'insister. Alors, il s'était tu, se contentant de darder vers Émile des regards lourds de reproches, à chacun des repas de la semaine où ils s'étaient croisés.

Fort occupée à cuisiner, Lauréanne n'avait pas vu le temps passer et l'aube du samedi fut vite arrivée. Alors, en ce matin tout gris et frisquet, il y eut le train, depuis la gare d'Hochelaga jusqu'à celle de Sainte-Anne-de-la-Pérade, d'où Émile ressortit en grommelant.

— J'ai l'impression, ma femme, que j'arriverai pus jamais à me déplier, ciboulot! Les trains, c'est pas faite pour les hommes de ma corporence, avec des grandes jambes!

Accueilli sur le quai de la gare par quelques bonnes bourrasques venues du fleuve, Émile fit remarquer qu'il ne faisait ni plus beau ni plus chaud en campagne qu'à Montréal.

En frissonnant, il claqua des doigts pour appeler un cocher endimanché, qui donna un petit coup sur le dos d'une jument alezane, une race chevaline plutôt rare en dehors des villes.

— Beau cheval, fit Émile pour engager la conversation. On en voit pas souvent, des beaux comme ça.

— Un héritage de ma tante qui habitait à Québec... Besoin d'une voiture?

Le large sourire de bienvenue qui zébrait le visage du cocher fut vite remplacé par une moue de dépit, quand il apprit jusqu'où il devrait se rendre. Néanmoins, avec force soupirs, le petit homme aux mains noueuses accepta de les mener jusqu'à Sainte-Adèle-de-la-Merci.

— Même si c'est pas la porte d'à côté, ne manqua-t-il pas de souligner, soupirant de plus belle.

Comme la plupart des cochers ou des chauffeurs

de taxi, qu'on commençait à voir de plus en plus souvent, s'en plaignaient régulièrement, et bien qu'il ne soit pas venu dans le coin très souvent, Émile avait prévu le coup. Un billet d'un dollar, plié en quatre et passé d'une main à l'autre, avait clos la discussion sur le coût du transport, avant même que celle-ci ne commence pour de bon.

— Vous nous laisserez au magasin général, s'il vous plaît.

Ce fut le cheval qui répondit à Émile, en hennissant son approbation. Puis l'équipage se mit en route.

Anxieuse, imaginant mille et un scénarios, Lauréanne n'ouvrit pas la bouche de tout le trajet. Elle avait le cœur qui battait la chamade, ne sachant trop ce qui l'attendait à l'autre bout du chemin. Ni son père ni Gédéon Touchette, d'ailleurs, n'avaient pu donner de détails précis quant à l'état de santé de son frère.

— Que c'est que vous voulez que je vous dise, ma pauvre madame Fortin? Vous connaissez votre frère aussi ben que moi, non? Il parle pas, le Jaquelin, sauf quand vient le temps de passer ses commandes. On dirait qu'il garde tout son bagout pour ces moments-là. Ça fait qu'il a pas jasé sur son état de santé quand j'suis allé le chercher. De tout le trajet entre La Tuque pis Sainte-Adèle-de-la-Merci, il a pas enligné plus que trois mots, je pense ben. Comme son épouse, d'ailleurs. À l'aller comme au retour, la femme de Jaquelin Lafrance s'est contentée de regarder par la vitre du camion. C'est ben juste si elle marmonnait un « oui » ou ben un « non » de temps en temps…

Tout ce que je peux vous dire, rapport à votre frère, par contre, c'est qu'il a maigri, ben gros, pis qu'il a l'air raide.

— Raide ? Raide comment ?

— Je saurais pas le dire... Mettons qu'il a l'air pogné avec lui-même !

Voilà pourquoi, ce matin, une boule d'appréhension encombrait la gorge de Lauréanne et elle se contenta de tenir d'une main ferme le panier à pique-nique qu'elle avait déposé sur ses genoux, tout en faisant semblant de regarder le paysage. Une fois les sandwichs et une partie des petits gâteaux mangés dans le train, il restait encore une provision appréciable de friandises pour leurs neveux et nièces, comme demandé par Émile, qui déployait toujours des trésors d'imagination quand venait le temps de faire plaisir aux enfants. Il y avait aussi, emballées dans des serviettes de table, deux bouteilles de bière que le brasseur avait soutirées de sa réserve hebdomadaire, hier après-midi, afin de les boire en compagnie de Jaquelin.

— Une bonne bière fraîche, ça fait toujours du bien à son homme. Ça fera une sorte de cadeau, pour la convalescence de ton frère.

Alors Lauréanne tenait le panier tout contre son cœur, comme un trésor, et, de l'autre main, elle pétrissait celle de son mari, jouant avec son alliance du bout des doigts, dans un geste nerveux.

Arrivée à destination, Lauréanne sauta aussitôt en bas du fiacre, sans aide et sans remerciement, tant elle était pressée de se rendre chez Jaquelin. En le voyant, peut-être arriverait-elle à calmer cette appréhension qui la portait depuis le réveil.

Peut-être...

Le temps d'ajuster son chapeau d'une chiquenaude adroite, et sans hésiter, Lauréanne reprit la main de son mari pour l'entraîner vers la nouvelle maison des Lafrance.

— Pis Bérangère, elle? demanda alors Émile, sachant que l'épouse du marchand général était une très bonne amie de sa femme.

En effet, depuis toutes ces années que Lauréanne avait emménagé en ville, les deux amies échangeaient parfois jusqu'à cinq lettres par année, tellement elles étaient restées proches l'une de l'autre. Alors, quand l'ennui se faisait sentir, elles prenaient le crayon pour donner et demander des nouvelles. La demande d'Émile était donc légitime et, tout en parlant, le pauvre homme jeta un regard en diagonale vers le magasin général, où il aurait bien aimé fureter, comme il l'avait toujours fait quand ils se décidaient à venir à Sainte-Adèle-de-la-Merci.

— Plus tard, répliqua Lauréanne d'une voix catégorique, en tirant sur la main de son mari. On reviendra plus tard. J'suis sûre que Bérangère m'en voudra pas pantoute de l'avoir ignorée de même, à mon arrivée. Pour astheure, c'est Jaquelin que je veux voir. C'est pour lui qu'on a faite ce voyage-là. Pour lui, pour Marie-Thérèse, ben entendu, pis pour voir enfin leur maison.

Leur maison...

Malgré la réalité qui perdurait et l'entêtement que

mettait son père à la répéter à tout venant, aux yeux de Lauréanne, cette maison-là n'était plus vraiment la sienne. En effet, à partir du jour où le vieil homme s'était pointé sans préavis à Montréal, Lauréanne avait considéré que la maison de son enfance était devenue celle de Jaquelin. Pourquoi s'obstiner à voir les choses autrement? Dans le cœur de Lauréanne, en toute logique, il était tout à fait normal que les choses soient ainsi, puisque Jaquelin y travaillait et y habitait avec sa famille. Elle avait même tenté de raisonner son père, mais sans grand résultat.

— Veux-tu ben, toi! avait-il aussitôt répliqué. Mêle-toi donc de tes oignons, ma fille, pis tout le monde va mieux se porter! Sacrament que tu peux m'énerver, toi, des fois, avec tes grands principes. Pis en quoi ça peut ben te regarder que la maison soye à moi ou à Jaquelin? C'est pas de tes affaires!

Ces quelques mots n'avaient pas empêché Lauréanne de continuer de prendre parti pour son frère. Il aurait été inutile et dangereux pour elle d'insister et de clamer son point de vue sur les toits, soit, mais Lauréanne n'en pensait pas moins que la maison familiale des Lafrance appartenait d'ores et déjà à Jaquelin. Elle trouvait même injuste qu'il ait à payer un loyer, alors qu'Irénée, lui, ne payait pas un sou pour habiter chez son gendre. Ce fait était d'autant plus vrai, maintenant, que c'était son frère qui l'avait fait reconstruire à la suite de l'incendie, avec l'aide de Marie-Thérèse et de toute sa famille.

— On se dépêche, Émile, pressa-t-elle, tout en accélérant l'allure.

Suivant l'état d'esprit de Lauréanne, oscillant entre espoir, impatience et inquiétude, le panier à pique-nique se balançait en cadence au bout de son bras, alors que ses jupes virevoltaient librement autour de ses chevilles.

Malgré la mode qui avait la curieuse tendance à raccourcir l'ourlet des robes, Lauréanne n'arrivait pas à suivre la vague.

— Envoye, grouille ! J'ai hâte de voir Jaquelin !

Le temps était à la pluie. Déjà quelques gouttes parsemaient le bois sombre du trottoir, alors les gens autour d'eux pressaient le pas. Toutefois, plusieurs prirent le temps de se retourner vers cette femme qui marchait très vite, à la limite de la course, et dont les talons claquaient et résonnaient sur le trottoir de bois. Si certains d'entre eux la reconnaissaient pour l'avoir jadis côtoyée, ils levaient la main pour la saluer. Mais pour la plupart, Lauréanne Lafrance n'était qu'une étrangère remorquant derrière elle un gros homme, manifestement à bout de souffle. Elle suscitait des interrogations, de la curiosité, mais guère plus. Quant à Lauréanne, elle ne se souciait aucunement de l'image projetée. Même si cela faisait une éternité qu'elle avait quitté la paroisse, elle s'y sentait toujours chez elle, et si la bienséance dictait aux femmes de marcher d'un pas mesuré quand elles étaient en public, son cœur, lui, l'enjoignait de courir, de voler jusque chez Jaquelin, et c'est exactement ce qu'elle faisait en ce moment.

Lauréanne ne s'arrêta qu'une fois arrivée devant la maison, le souffle court et les jambes fatiguées.

— Il y a pas à dire, arriva-t-elle à articuler, une main sur la poitrine pour calmer sa respiration haletante, le père pourra pas se plaindre.

Elle embrassait l'ensemble de la maison d'un regard admiratif.

Du toit en bardeau doré, qui grisonnerait peu à peu au fil du temps, jusqu'à la longue galerie courant tout le long de la façade de la maison en planches de bois blanchies à la chaux, il semblait bien qu'on ait reconstruit la bâtisse à l'identique. Même les volets aux fenêtres étaient de ce gris anthracite dont son père disait qu'il faisait chic.

— C'est pas mêlant, on dirait la même maison, souligna-t-elle, agréablement surprise de voir un tel résultat... Je pensais jamais... C'est fou de dire ça, mon mari, mais j'ai l'impression que ça va permettre à mes souvenirs de retrouver leur place... C'est ben agréable, tout ça !

— Ben voyons donc, toi !

— Ben oui... Durant l'hiver, chaque fois que je pensais que la maison de mon enfance avait disparu pour de bon, ça finissait toujours par me rendre triste.

— Pis t'en as pas parlé ?

— Pour quoi faire ? Ça aurait rien changé au fait que la maison avait brûlé au grand complet. Pis v'là qu'à matin, j'ai vraiment l'impression de la retrouver, pis à cause de ça, je me sens un peu moins malheureuse. J'suis donc contente ! Viens, Émile, suis-moi, on va aller tout de suite frapper à leur porte.

Ce fut Marie-Thérèse qui leur ouvrit, écarquillant

les yeux dès qu'elle les eut reconnus. Échevelée, une main frottant machinalement le bas de son dos, la jeune femme était de toute évidence bien fatiguée, ce qui n'échappa nullement à Lauréanne. Non seulement sa belle-sœur était enceinte, ce qu'elle ignorait jusqu'à maintenant, mais elle semblait vraiment mal en point. Pourtant, Marie-Thérèse souriait.

— Ben voyons donc, toi, lança-t-elle joyeusement. Vous me direz toujours ben pas que vous arrivez direct de Montréal?

— En plein comme tu dis! On était debout avant le jour, tu sauras!

— Ben ça alors! Tu parles d'une belle visite, à matin! Rentrez! Après toute, vous êtes ici un peu chez vous.

L'enthousiasme de Marie-Thérèse n'était pas surfait. Au-delà de la fatigue qu'elle ressentait depuis son voyage à La Tuque en compagnie de Gédéon Touchette, voyage qu'elle avait trouvé interminable, elle était vraiment heureuse de voir sa belle-sœur. Ça la changerait avec plaisir du tourbillon fou d'adaptation, de déménagement et d'emménagement qui l'avait emportée depuis son retour à la maison.

Pourtant, les deux femmes se connaissaient à peine.

En effet, mariée à Jaquelin quelques années après le départ de Lauréanne pour la ville, Marie-Thérèse n'avait pas eu l'occasion de la rencontrer très souvent. Un Noël de temps en temps, quelques pique-niques en été, les inévitables funérailles, une noce ou deux...

En quatorze ans, quinze si on comptait le temps

des fréquentations de Jaquelin et Marie-Thérèse, les doigts des deux mains suffisaient amplement à faire le décompte des rencontres. Ce n'était pas beaucoup.

Néanmoins, Marie-Thérèse gardait un excellent souvenir de chacune des visites de Lauréanne. Elle avait été agréablement surprise de la qualité de son écoute, de leur facilité réciproque à se parler, à se confier, même, et elle se souvenait avec émotion de quelques beaux fous rires échangés, tout à fait libérateurs. Ce fut donc avec empressement que Marie-Thérèse ouvrit tout grand la porte.

Lauréanne remarqua aussitôt que les yeux de sa belle-sœur étaient cernés, comme quelqu'un qui manque sérieusement de sommeil. Néanmoins, la jeune femme s'entêtait à sourire.

— Rentrez, voyons, rentrez! C'est Jaquelin qui va être content de te voir, Lauréanne, pis vous aussi, Émile.

Marie-Thérèse s'écarta pour laisser passer les visiteurs, tout en portant le regard derrière elle. À voir trois têtes ébouriffées qui tournaient encore et toujours en courant autour de la table, elle lança:

— Doucement, les jeunes.

Parlant ainsi, Marie-Thérèse s'adressait à Conrad, Ignace et Angèle. En effet, comme espéré, les trois plus grands avaient été ravis du petit coin qui leur était réservé au bout du couloir de l'étage et ils en avaient vite pris possession. Depuis, ils y passaient tout leur temps libre, chassant allègrement les plus jeunes à la cuisine. En ce moment, Cyrille, Agnès et Benjamin étaient censés être en train de lire, ou de faire leurs devoirs. Chose certaine, on ne les entendait pas. Non, c'étaient les trois plus petits qui s'en donnaient ainsi à cœur joie, heureux de tous se retrouver sous le même toit, après tous ces longs mois d'attente et de visites occasionnelles. Marie-Thérèse avait l'impression que ça faisait une semaine qu'ils gambadaient ainsi, les uns après les autres, et si ce n'était de la grande fatigue de son mari, ces retrouvailles bruyantes l'auraient réjouie.

— Chut, les enfants ! exhorta-t-elle d'une voix à la fois décidée et apaisante. Votre père se repose un peu avant le dîner, pis je trouve que vous faites pas mal de bruit, en ce moment. Arrêtez de courir comme des chiens fous, pis venez donc voir qui c'est qui nous arrive de Montréal !

Quelques instants plus tard, alors que les visiteurs s'installaient autour de la table et que les plus vieux rappliquaient, attirés sans doute par le bruit des voix et quelques exclamations, Marie-Thérèse se tourna vers sa belle-sœur :

— Donne-moi deux minutes, Lauréanne, m'en vas aller voir si Jaquelin peut te recevoir. Il est dans notre chambre en train de se reposer, mais d'habitude, il dort pas vraiment à ce moment-ci de la journée. Comme les docteurs pis les bonnes sœurs de l'hôpital m'ont dit : ce qu'il faut à notre Jaquelin, pour astheure, c'est récupérer. C'est ça qu'il fait le plus souvent possible, comme de raison, mais malgré tout, faut pas s'attendre à un miracle. Ça risque d'être long… Mais c'est pas ça qui va t'empêcher de le voir, par exemple. Tu prendras le temps qu'il faut pour jaser avec lui. Ça devrait lui faire plaisir, pis pas trop le fatiguer. Après, toi pis moi, on ira faire le tour de la maison, juste avant de manger. Vous aussi, Émile, vous viendrez visiter la maison avec nous autres, si ça vous chante. J'ai ben hâte de toute vous montrer ça. Vous allez voir! J'ai un peu changé la manière des pièces, mais avec ce qui vient de nous tomber du Ciel, j'avouerais que je regrette pas mes décisions. Pas une miette, à part de ça, comme dirait matante Félicité. Mettez-vous à votre aise, tous les deux, pis toi, Lauréanne, attends-moi ici, je reviens tout de suite.

Un peu surprise, la sœur de Jaquelin vit Marie-Thérèse disparaître derrière une porte qui avait toujours été celle du salon, puisqu'à l'intérieur aussi, la présente maison ressemblait passablement à la précédente.

L'instant d'après, sur un signe de Marie-Thérèse, Lauréanne la rejoignait pour entrer dans une chambre obscure, aux rideaux tirés.

— J'suis vraiment désolée s'il fait noir de même, murmura Marie-Thérèse au moment où sa belle-sœur passait devant elle, mais c'est Jaquelin qui veut ça de même. Il prétend que la lumière du jour lui fait mal aux yeux, depuis son accident… Prenez tout votre temps pour placoter, vous deux, m'en vas aller voir au dîner en vous attendant.

Une fois son regard habitué à la pénombre, Lauréanne distingua enfin son frère, assis dans un coin reculé de la pièce, comme s'il voulait être oublié de tous. Amaigri, les joues creuses et les yeux enfoncés dans les orbites, Jaquelin Lafrance donnait l'impression d'être le frère de son propre père. Les jambes enveloppées dans une couverture faite de carreaux de laine cousus, il se berçait machinalement en fixant le vide devant lui.

Lauréanne fit quelques pas, le cœur lourd, tandis que Marie-Thérèse s'éclipsait discrètement en refermant la porte, priant le Ciel que cette visite réussisse à faire sortir son mari de sa torpeur.

Ce samedi-là, il y eut donc des retrouvailles émues entre un frère et sa sœur.

— C'est pas mal fin de ta part d'être venue, Lauréanne.

La voix de Jaquelin était rauque, et il s'exprimait avec un débit très lent, sans regarder directement sa sœur.

— C'était juste normal, tu penses pas? répondit Lauréanne d'une voix étranglée, incapable de détacher les yeux de ce visage vieilli qui ne ressemblait en rien au souvenir qu'elle avait de son frère.

— Ouais, peut-être...

Jaquelin hocha la tête.

— Moi avec, je serais allé te voir si t'avais eu un accident, déclara-t-il après une courte réflexion.

Sur ce, Jaquelin osa un regard oblique vers Lauréanne.

— Même si on se voit pas tellement souvent, je pense à toi pareil, tu sais, avoua Jaquelin, tout en ramenant les yeux devant lui.

— C'est comme pour moi. C'est vrai qu'on se voit

pas assez souvent pis que je pense à toi quasiment tous les jours. Faudrait que ça change.

Il y eut aussi un compte rendu succinct de l'hiver que Jaquelin avait passé aux chantiers.

— C'est pas faite pour moi, la vie dans le bois, expliqua-t-il de cette voix rauque un peu déconcertante. Même si, pour la première fois de ma vie, ça m'a donné l'occasion de me faire des amis, j'y retournerais pas. Vivre toutes empilés les uns sur les autres dans un dortoir qui pue la sueur pis les bas de laine en train de sécher; manger à moitié frette la plupart du temps; pis passer mes dimanches à jouer aux cartes, c'est non vraiment pas faite pour moi cette vie-là.

— T'as le droit de pas aimer ça, pis de la manière que t'en parles, je peux comprendre... T'as jamais été ben ben causant, mon pauvre Jaquelin. Tu te rappelles quand on était jeunes? Tu disais de toi-même que t'étais un loup solitaire.

L'ombre d'un sourire traversa le visage de Jaquelin.

— C'est vrai que j'ai déjà dit ça... Comment veux-tu que je dise autrement, j'étais toujours tout seul? À part toi, j'avais personne d'autre que le père avec qui jaser, pis comme il était pas du genre à placoter pour rien... Un loup solitaire... Tu vois, j'avais oublié que je disais ça, dans le temps... Mais une chose que j'avais pas oubliée, par exemple, c'est les paroles du *Minuit, chrétiens*... Te rappelles-tu, Lauréanne, quand tu me chantais ça?

En prononçant ces derniers mots, Jaquelin avait tourné la tête vers sa sœur et, présentement, il soutenait franchement son regard. De part et d'autre, ils avaient l'impression qu'une grande partie de leur enfance venait de s'inviter dans la chambre assombrie. Lauréanne se dépêcha de répondre, comme si elle avait peur que l'envoûtement attaché aux souvenirs disparaisse.

— Ouais, moi avec, je m'en souviens très bien, de ce temps-là. J'ai toujours aimé chanter, mais fallait que le père s'en aille, par exemple, pour que je puisse le faire à pleine voix... C'est loin, tout ça, mais on dirait que c'est hier... Il aimait donc pas ça qu'on chante dans la maison, hein, Jaquelin ? Il disait que c'était une perte de temps... Voir que ça a de l'allure de dire ça ! Pauvre son père ! Il a pas ben ben changé, tu sais ! Il passe une grande partie de ses journées à se plaindre d'une affaire ou ben d'une autre. Il arrête pas de me chialer dessus en prétendant que je dis des niaiseries, mais il laisse pas sa place, lui non plus, en fait de niaiseries...

— J'aurais jamais osé dire ça.

— Pense surtout pas que j'oserais le faire devant lui... Jamais dans cent ans ! Dis-toi ben que c'est toujours pareil entre lui pis moi : il parle, pis moi j'écoute, ou je fais semblant d'écouter... Mais avec toi, c'est différent. T'es le seul, je crois ben, à qui je peux dire une affaire pareille... Même mon Émile sait pas toutes les affaires de nos jeunes années, pis Dieu m'est témoin que c'est le meilleur des hommes ! J'sais pas trop pourquoi j'y en ai jamais parlé... Comme si j'étais gênée de raconter notre enfance.

Un fin silence se glissa entre Jaquelin et Lauréanne,

alors que les souvenirs s'enfilaient les uns à la suite des autres. Puis Lauréanne ajouta :

— Ouais, j'y pense souvent, à notre enfance, tu sais, pis j'suis sûre que la vie aurait été ben différente pour nous deux si notre mère avait vécu.

— Ça, répondit alors Jaquelin, d'une voix amère, il y a juste toi qui peux le dire, Lauréanne, parce que notre mère, moi, je l'ai pas connue... La seule chose que je me rappelle un peu, du temps où j'étais petit, c'est que, pendant un boutte, il y a eu une bonne sœur du couvent qui venait aider notre père à la maison... Sœur Saint-Magella... J'étais ben petit, mais jamais j'vas oublier son nom... Elle non plus, elle voulait pas qu'on chante dans la maison. J'ai juste à me fermer les yeux pour y revoir la face, en dessous de sa cornette, pis me rappeler qu'elle était pas ben fine... J'ai toujours pensé qu'elle aimait pas ça, les enfants...

Il y eut enfin des explications encore plus brèves sur l'accident.

— J'ai rien vu aller. Que c'est tu veux que je te dise de plus ? J'étais sur la rivière pis juste après, j'étais rendu à l'hôpital. Ce que je me rappelle, par exemple, c'est qu'il faisait ben beau, ce jour-là, pis que je me disais, juste avant de tomber dans l'eau, que j'avais ben hâte d'être revenu à la maison... Si j'avais su, j'aurais peut-être souhaité d'autre chose... J'suis revenu à la maison, comme je l'espérais, ça c'est ben certain, mais regarde-moi l'allure.

De sa main gauche, Jaquelin souleva la droite, qu'il laissa retomber sur sa cuisse.

— Que c'est que j'vas devenir, moi, astheure ? Tu le sais-tu, toi, Lauréanne, ce qu'un homme peut faire pour nourrir toute sa famille, quand il est privé de son gagne-pain ?

Alors, il y eut quelques larmes partagées, parce que les émotions refoulées étaient intenses et que, devant les sanglots de son frère, Lauréanne se sentait subitement fort malhabile, par manque d'habitude. Durant leur enfance, Irénée avait toujours interdit que Lauréanne console Jaquelin quand celui-ci recevait une remontrance ou une taloche.

— Arrête de t'apitoyer sur lui. C'est pas en le minouchant que tu vas m'aider à en faire un homme !

Lauréanne avait donc appris à se taire, puis à détourner les yeux pour se contenir. Il n'y avait que plus tard, quand le chagrin était passé et qu'ils se retrouvaient à l'abri des regards d'Irénée, que la jeune fille osait ouvrir les bras à son petit frère.

Aujourd'hui, elle aurait bien voulu le prendre dans ses bras, le serrer tout contre elle en répétant ce qu'elle avait toujours dit pour le réconforter :

— Tu vas voir, Jaquelin, ça va finir par s'arranger. L'avenir va finir par toute arranger.

Mais Jaquelin n'était plus un enfant démuni. Il était un homme blessé, mais aussi un homme marié et Lauréanne était consciente que si son frère avait envie de confier sa peine à une épaule, il ne choisirait probablement pas la sienne. Elle se contenta donc de poser une main sur son genou.

— Ça va aller, dit-elle alors bien simplement.

Mal à l'aise et rougissant, Jaquelin détourna la tête

en avouant, comme s'il avait besoin d'une excuse pour expliquer son attitude larmoyante :

— Une chance que le père est pas là, parce qu'il aimerait pas ça... Les larmes c'est comme les chansons, pis ça fait partie des niaiseries inutiles... Mais que c'est tu veux que je fasse ? J'ai l'impression d'avoir encore trop d'eau dans le corps, pis il faut que ça sorte d'une manière ou ben d'une autre. J'sais pas...

Pendant ce temps, à la cuisine, Marie-Thérèse allongeait la soupe aux légumes du dîner avec un peu d'eau fraîche, un pot de tomates en conserve et une bonne poignée de sel. Ça donnerait du goût. Et pendant qu'elle s'affairait ainsi devant le poêle, l'oncle Émile cherchait à s'attirer la sympathie de tous les jeunes, grands et petits confondus.

— Oh ! Entendez-vous ce que j'entends ?

Son gros index boudiné pointé vers la fenêtre et ses sourcils broussailleux bien froncés entre son front et son nez bourbon, Émile Fortin était plutôt intimidant. Oncle méconnu chez les Lafrance, il imposait le respect à cause de sa carrure, de son ventre proéminent, de son visage rubicond et de son crâne luisant comme les billes en cœur de pomme de Cyrille. De plus, il avait une voix de stentor qui, à première vue, ne semblait pas faite pour les mots doux.

En ce moment, le gros homme tendait l'oreille, une main en cornet sur le côté de sa tête. Les enfants étaient impressionnés par cette espèce de géant qui avait cependant le sourire facile. À sa demande répétée, un silence approximatif se fit dans la pièce.

— Pas de doute possible, c'est ben ce que je pensais !

nota alors Émile, de sa voix grave. C'est les cloches de l'église qu'on entend sonner l'angélus.

— Ouais, pis ?

Cyrille, lui, n'était pas vraiment intimidé par le gros homme. Après tout, Émile Fortin était son parrain, et s'ils ne se fréquentaient que de façon fort sporadique, ils échangeaient tout de même des lettres à l'occasion.

Et jamais, de mémoire de Cyrille, l'oncle Émile n'avait été pontifiant ou moralisateur.

De plus, sans jamais l'oublier, Émile Fortin lui faisait parvenir quelques billets dans une jolie carte, pour chacun de ses anniversaires. Aux yeux de Cyrille, c'était amplement suffisant pour se sentir à l'aise avec lui. Cependant, présentement, le jeune garçon semblait un brin décontenancé par les propos de son parrain. Il voulut donc en avoir le cœur net.

— Par ici, précisa le garçon sur un ton circonspect, les cloches sonnent de même tous les midis. C'est pas pareil en ville ?

Cyrille ne voyait pas en quoi le tintement des cloches pouvait être intéressant. À part le fait de savoir que l'angélus sonnait exactement à l'heure des repas, et que dans son cas, ça lui rappelait étrangement qu'il avait encore et toujours faim, il n'y avait rien de bien passionnant à entendre des cloches sonner. Bien au contraire ! Souvent, elles venaient interrompre ses jeux et Cyrille trouvait que c'était plutôt désagréable.

— Après toute, les cloches font juste nous dire que ça va être l'heure de dîner ou ben de souper, expliqua-t-il en lien avec ses pensées.

— C'est en plein ce que je voulais entendre, mon Cyrille. Ici, dans votre village, c'est comme en ville : à midi, quand les cloches sonnent, on mange. Moi, à la brasserie Molson, où je travaille, il y a aussi un long sifflet qui nous assourdit les oreilles pour nous rappeler que c'est l'heure d'aller manger. Il crie tellement fort, le saudit sifflet, qu'il enterre le bruit des cloches, qu'autrement, j'aime ben écouter. Sapré sifflet ! On peut vraiment pas le rater.

— Ouais, pis ?

— Comment pis ? Tu vois pas ? On fait comme vous autres, ciboulot, pis on va manger… Mais après, quand on a toute ben mangé ce qu'il y avait d'important dans notre sac, à quoi on a droit, tu penses ?

— À du dessert ! Quand il y en a.

Cette fois, c'était un petit rouquin qui venait de répondre. Tout en jambes, comme son père Jaquelin, et l'œil vif comme sa mère Marie-Thérèse, une mèche en épi retombait sur ses yeux d'un bleu d'azur. Il fixait Émile comme s'il quêtait une approbation. Ce qui ne tarda guère.

— T'as tout compris, toi, là.

Incapable de se souvenir avec précision des prénoms de chacun des enfants Lafrance, à l'exception de Cyrille, qui était son filleul, Émile décida donc d'y aller de prudence.

— T'es un petit vite, mon homme… T'as quel âge, toi ?

— Huit ans, monsieur… euh, mononcle… Pis, si vous voulez le savoir, je m'appelle Benjamin.

Ledit Benjamin bombait le torse, fier de voir qu'il

était assez important pour attirer l'attention d'un homme venu de la ville. Un étranger pour lui, certes, mais qui était tout de même son oncle, car c'était ce que sa mère avait dit en le présentant, tout à l'heure, et sa mère disait toujours la vérité.

— Même si on se voit pas tellement souvent, lui, c'est votre oncle Émile, avait donc précisé Marie-Thérèse avec un sourire éclatant sur son visage, un sourire comme elle n'en avait pas esquissé depuis fort longtemps. Émile Fortin, c'est le mari de votre tante Lauréanne, qui se trouve à être la sœur de votre père. C'est-tu assez clair, ça là?

— Un mononcle comme mononcle Ovila, mononcle Bernard, pis tous les autres? avait alors demandé Benjamin, sur un ton indécis.

— En plein ça, mon garçon. L'oncle Émile, c'est un peu comme votre oncle Ovila pis les autres, comme tu dis.

Cette précision, qui aurait pu paraître accessoire pour certains, était d'une importance éventuellement intéressante aux yeux de Benjamin, un petit futé de nature, qui cherchait toujours à tirer parti de tout ce qui traversait sa vie. Ce fut aussi ce trait de caractère qui le poussa à souligner, question de ne négliger aucun détail le concernant:

— À l'école, j'suis en troisième année, vous savez. Sauf pour le calcul, parce que là, j'suis assez bon pour que la maîtresse me mette en quatrième année.

Émile se montra intéressé par l'explication, qu'il accueillit d'un hochement de tête connaisseur et d'un sourire bon enfant, avant de s'exclamer:

— Oh, déjà en troisième et quatrième année! J'avais donc pas tort de dire que t'es presque un homme, Benjamin, constata-t-il avec tout le sérieux requis pour faire une telle affirmation. Pis t'as raison: quand on a tout mangé ce qu'il y a dans notre assiette, on a le droit d'avoir du dessert. Je sais pas trop si votre mère en avait prévu pour à midi, par exemple, mais je peux quand même vous annoncer sans me tromper que tantôt, il va y avoir du dessert pour tout le monde. Des desserts! Toutes sortes de desserts! Venez, les jeunes, approchez un peu pour voir ce que j'ai ici!

Et l'oncle Émile de déposer le panier d'osier sur la table, avec des précautions excessives.

Puis d'en ouvrir lentement le battant qui servait de couvercle, avec des gestes révérencieux.

Il jeta alors un regard à la ronde, pour faire durer le plaisir, tant le sien que celui des enfants, puis il plongea la main dans le panier.

Quelques cous se tendirent, alors que l'oncle Émile, avec une certaine ostentation, commençait à étaler sur le bois verni de la table la multitude d'assiettes et de bols qui attendaient au fond du panier, recouverts de napperons immaculés, fraîchement amidonnés.

Incapable de résister, même un Cyrille de treize ans, en principe presque un homme, s'était approché en douce.

Émile Fortin se redressa.

En ce moment, il était le plus heureux des hommes. Il avait toujours aimé les enfants, leurs mimiques et leurs réflexions!

— C'est votre tante Lauréanne qui a préparé tout ça, juste pour vous autres! lança-t-il tout guilleret, comme s'il avait besoin de le préciser. Regardez! Ici, dans l'assiette bleue, il y a du sucre à la crème!

Un premier napperon venait de disparaître.

— Pis là, c'est des bonbons clairs.

Aussitôt dit, un deuxième napperon s'envolait comme par magie.

— Et maintenant, regardez-moi donc ça! De la tire éponge, toute dorée pis pleine de trous! J'adore la tire éponge!

Émile s'amusait avec les napperons, les faisant virevolter comme la cape d'un prestidigitateur, avant de les faire disparaître dans le panier, au fur et à mesure qu'il en retirait les plats, sous les regards subjugués des enfants Lafrance. Jamais ils n'avaient tant vu de bonbons en même temps, sauf derrière le comptoir de Gustave Ferron, au magasin général, excepté que cette fois-ci, cette manne exceptionnelle s'étalait sur la table de leur cuisine!

Pendant ce temps, et sans l'ombre d'un doute, Émile Fortin s'amusait beaucoup de sa petite mise en scène.

Il s'amusait surtout du sourire gourmand des enfants.

— Il y a pas meilleure cuisinière que votre tante pour faire des bonbons, vous savez.

— C'est pas vrai, ça! Ma mère aussi, elle en fait des fois, des bonbons. Pis sont pas mal bons à part de ça!

Cette fois-ci, c'était Conrad qui était intervenu, le

petit Conrad, comme on le surnommait gentiment, tant il était gêné et préférait passer inaperçu.

Toutefois, en ce moment, devant ce qui ressemblait à une certaine injustice à l'égard de sa mère, le jeune garçon avait subitement décidé de mettre de côté son habituelle réserve.

Conrad jeta un regard en coin vers celui qu'il continuait d'appeler intérieurement « le visiteur ».

Décidément, le grand et gros homme lui faisait peur avec sa voix immense. Cependant, il avait l'air gentil, parce qu'il souriait tout le temps.

Tout un dilemme pour un gamin timide comme Conrad, surtout devant une telle avalanche de friandises, transportées depuis aussi loin que Montréal juste pour eux. Conrad se dit alors que ça valait peut-être la peine de se dégêner. Être un peu plus bavard que de coutume ne pouvait sûrement pas nuire.

— Mais les bonbons de matante Lauréanne aussi ont l'air ben bons, concéda-t-il en opinant du bonnet. Aussi bons que ceux de ma mère.

— Je doute pas un seul instant que ta mère est une bonne cuisinière, elle aussi, admit Émile sans la moindre tergiversation, tout en soutenant le regard de Conrad, qui se mit aussitôt à rougir comme un coquelicot. J'suis certain qu'elle fait, elle aussi, d'excellents bonbons. Mais est-ce que tu connais ça, toi, des boules au chocolat et à la noix de coco ? Pis du fudge avec des *peanuts* dedans ?

— Ben...

En ce moment, les joues de Conrad viraient à l'écarlate. Il jeta un regard en coin vers ses frères en quête d'une réponse. Avait-on déjà mangé du fudge, à la maison, et des boules au chocolat?

Rien n'était moins sûr!

Dans le doute, Conrad préféra s'abstenir de tout commentaire. Il esquissa un vague sourire qui pouvait passer pour une réponse, et il concentra son attention sur le panier, qui, grâce aux bons soins de leur tante Lauréanne, lui donnerait assurément un aperçu du ciel!

Le repas fut vite englouti, puis les enfants emportèrent leur trésor à l'étage pour en faire un inventaire minutieux.

— On mange pas tous les bonbons d'un coup.

Marie-Thérèse veillait au grain!

— On partage tout ça sans se chicaner, pis on fait ben attention au beau panier de matante Lauréanne. Ça serait pas mal dommage de le briser! Je compte sur toi, Cyrille, pour que ça se passe comme il faut!

Et, tandis que les enfants montaient en se bousculant, les adultes en profitèrent pour terminer leur repas calmement, alors que, penché sur son bol, Jaquelin tentait d'achever péniblement sa soupe, qu'il devait dorénavant manger de la main gauche.

Voilà ce qui le rendait raide aux yeux de monsieur Touche-à-Tout: Jaquelin Lafrance avait laissé l'usage de sa main droite au fond de la rivière et, depuis, il se sentait tout maladroit.

Puis ce fut le dessert pour tous les adultes. Au menu, du thé et les quelques petits gâteaux cuisinés par Lauréanne, ceux qui avaient échappé à la gourmandise de l'oncle Émile durant le trajet.

Tout au long du repas, Marie-Thérèse avait surveillé son mari d'un regard discret, mais attentif. Sans relâche, se promenant avec des bols et des assiettes dans les mains, elle était passée des enfants à son mari, de la dépense à son mari, du chaudron à son mari... Tendre une serviette de table, ramasser une cuillère échappée par inadvertance, glisser un morceau de pain beurré, verser de l'eau dans le gobelet.

Le regard de Marie-Thérèse ne pouvait tromper : amoureux jusqu'au fond de l'âme et des entrailles, il était noirci par l'inquiétude.

Lauréanne aussi, à sa manière, surveillait son frère du coin de l'œil. Son jeune frère, comme elle le disait parfois pour le taquiner, parce que, pour elle, Jaquelin resterait toujours un peu le gamin qu'elle avait eu l'impression d'élever en grande partie, puisqu'elle était l'aînée, et que le jour de ses neuf ans, en guise de cadeau, son père avait remercié sœur Saint-Magella pour ses bons services, alléguant que, désormais, sa fille serait assez grande pour voir à l'ordinaire de la maison. Les quelques confidences échappées tout à l'heure en avaient ravivé le souvenir et, curieusement, ils rendaient Jaquelin encore plus précieux à ses yeux.

— Je serai toujours là pour toi, mon Jaquelin. Oublie jamais ça, avait-elle dit quand, tout à l'heure, son frère lui avait finalement demandé de le laisser seul.

Ce serment, Lauréanne se l'était déjà fait à elle-même, de nombreuses années auparavant, tandis que, bien calée au fond du long divan, dans le salon de son enfance, ses deux pieds arrivant tout juste au bord du coussin, la petite fille avait recueilli le nouveau-né au creux de ses bras, confié par une sage-femme au regard voilé de larmes.

Lauréanne n'avait alors que cinq ans et sa mère venait de mourir en donnant naissance à son petit frère.

Ce midi, c'était encore l'enfant que Lauréanne voyait dans les gestes maladroits de Jaquelin.

De temps en temps, les yeux de Lauréanne bifurquaient vers Marie-Thérèse et son cœur se serrait. Si une certaine pudeur écartait les mots pour le dire, le silence s'infiltrant entre les banalités du quotidien était criant de vérité et de douleur.

Nul doute, sous le toit de la belle maison neuve des Lafrance se vivait un véritable drame.

Bien sûr, Jaquelin était revenu des chantiers en relative bonne santé, surtout après l'accident dont il avait été victime.

— Que Dieu soit loué pour ce retour de Jaquelin dans le monde des vivants, avait chuchoté Marie-Thérèse quand elle avait parlé de son mari, au moment de la visite de la maison.

Les deux femmes étaient alors dans la cordonnerie, tandis qu'Émile tenait compagnie à Jaquelin qui, malheureusement, avait refusé la bière offerte.

— Toutefois, avait précisé Marie-Thérèse en détournant les yeux, mon mari va probablement rester marqué à vie, à cause de sa chute dans les eaux glaciales de la rivière Saint-Maurice. Je sais pas s'il te l'a dit, mais paraîtrait qu'il doit se compter chanceux, ben chanceux, d'être comme il est.

— À vrai dire, Jaquelin a pas tellement élaboré sur ce qui s'en vient pour lui. Sauf qu'il a l'air ben découragé.

Sur ce, Marie-Thérèse avait poussé un long soupir.

— Ben moi, j'vas t'en parler. M'as te répéter ce que les docteurs nous ont dit, comment ils nous ont expliqué la chose, avait-elle alors avoué, toujours sur ce ton de confidence.

C'est alors que Marie-Thérèse avait déclaré que les deux médecins avaient parlé d'un véritable miracle devant cet homme qui avait si bien récupéré, et ils s'en félicitaient, comme s'ils y étaient pour quelque chose. Cependant, une des mains de Jaquelin refusait toujours de lui obéir, ce qui était surprenant.

— C'est un peu fou, mais quand les docteurs parlaient de ça, leur voix baissait, comme si c'était un secret ou une honte. Ça se peut-tu!

Néanmoins, les deux médecins au dossier, tant celui de l'hôpital de La Tuque qu'Amédée Gosselin, de Saint-Ambroise, demandé en consultation peu après le retour de Jaquelin, n'avaient pas cherché à cacher leur perplexité devant ce phénomène étrange.

— Habituellement, quand le manque d'oxygénation affecte une partie du cerveau, ça touche tout un côté, pas juste la main ou le pied… Même le visage est souvent frappé de paralysie et l'élocution devient difficile, avait précisé le docteur Gosselin. Mais pas pour vous, monsieur Lafrance… Dans votre cas, c'est comme si votre main était restée congelée, sans l'ensemble des habituels désagréments qui auraient dû accompagner ce genre d'incident.

Un peu pompeux dans sa manière et ses propos, le docteur Gosselin avait alors dévisagé à tour de rôle Jaquelin et Marie-Thérèse, pour finalement revenir à Jaquelin et fixer son regard sur lui.

— Malgré l'embarras que ça peut causer, mon pauvre monsieur, considérez-vous chanceux, dans votre malheur.

En entendant cela, Jaquelin avait brièvement fermé les yeux. Ces quelques mots, il les avait maintes fois entendus, lors de l'incendie de la maison, alors qu'ils s'en étaient tous sortis sains et saufs.

— Considère-toi chanceux, Jaquelin, il y a personne de mort.

Ce jour-là, Jaquelin n'avait eu aucune difficulté à souscrire à cette remarque. Aujourd'hui, la réalité était tout autre. Devant le médecin, il était donc resté de marbre, par crainte de voir sa frustration éclater trop bruyamment.

— Très chanceux ! avait surenchéri le docteur Gosselin, en reprenant sa trousse de cuir noir, tout usé par le passage des années. Ce qui veut dire qu'étant donné les circonstances, vous vous en tirez pas si mal. Vous auriez pu en mourir, vous savez, ou rester tellement plus diminué que cela... Ma foi, il ne reste plus qu'à vous habituer à tout faire de la main gauche et dites-vous bien que vous n'êtes pas le premier à qui ça arrive. Je vous le répète, monsieur Lafrance : vous vous en tirez pas si mal !

Ce à quoi Jaquelin avait rétorqué, dès que le médecin eut quitté la chambre et la maison:

— M'en vas y en faire, moi, des «pas si mal»!

Jaquelin fulminait et, pour tenter de se calmer, il marchait de long en large dans leur chambre à coucher. Il avait malmené une chaise au passage et même échappé un juron, lui qui n'avait jamais juré jusqu'à ce jour. De sa main gauche, il battait l'air, tandis que la droite restait pendue le long de sa cuisse.

— Comment penses-tu que j'vas arriver à travailler, avec juste une main? avait-il demandé à Marie-Thérèse, sans véritablement espérer une réponse.

De la main gauche, il soulevait son bras droit totalement inerte pour le laisser retomber contre sa cuisse.

— Regarde-moi l'allure! Il me reste juste une main, pis c'est la gauche, par-dessus le marché... Je le sais ben pas ce qu'on a pu faire au Bon Dieu pour en arriver là... Mais laisse-moi te dire que je commence à en avoir vraiment assez de tout ça... Pis le pire, c'est que je viens de payer un docteur pour me faire radoter ce que l'autre docteur de La Tuque m'avait déjà dit. P'tite misère... La vie va-tu continuer à être plate de même tout le temps?

Ce fut le seul discours un peu plus élaboré que Jaquelin avait prononcé depuis son retour des chantiers. Malgré tous les efforts déployés par Marie-Thérèse pour rassurer son homme, et tous les mots de consolation répétés du matin au soir pour le réconforter, Jaquelin n'avait pas desserré les lèvres, sauf pour échanger sur les banalités du quotidien.

Même l'annonce de l'arrivée prochaine d'un autre bébé n'avait suscité que peu d'intérêt de sa part.

— C'est bien, Marie... Un autre enfant... Je m'y attendais pas, mais c'est pas plus mal comme ça.

Devant ce peu d'enthousiasme et au ton détaché employé par Jaquelin, Marie-Thérèse en avait déduit que ces quelques mots indifférents laissaient sous-entendre qu'un jour, il faudrait bien le nourrir, lui aussi, et que lui, Jaquelin Lafrance, ne voyait pas comment il allait réussir ce tour de force.

La tristesse que Marie-Thérèse avait alors ressentie et la sensation d'abandon qui l'avait envahie lui avaient fait poser instinctivement la main sur son ventre, comme pour rassurer le bébé. Elle était bouleversée.

À cet instant bien précis, Jaquelin l'aurait frappée au visage que la douleur n'aurait pas été plus grande.

Quant aux autres enfants, c'est tout juste si le père avait répondu à leurs sourires, au moment où il était enfin revenu à Sainte-Adèle-de-la-Merci. Pourtant, ils trépignaient tous devant la fenêtre du salon de la tante Félicité, si heureux de le revoir. Toutefois, leurs mots de bienvenue avaient vite été étouffés par le regard sévère de Marie-Thérèse et leur course vers lui brisée en plein élan par un petit geste sec de sa main gantée.

— Votre père est fatigué, les enfants. Laissez-nous arriver, vous lui parlerez plus tard.

Ils attendaient encore ce moment de dialogue avec lui.

Dès le dimanche, avec la permission du curé, la

famille Gagnon avait aidé Marie-Thérèse à déménager dans la maison toute neuve.

— Peut-être que Jaquelin va enfin trouver une raison pour sourire, avait glissé la tante Félicité, entre deux cartons, qu'elle remplissait de victuailles. Elle est tellement belle, votre maison !

Malheureusement, Jaquelin s'était plutôt dépêché de s'enfermer dans la chambre, après avoir remercié sa belle-famille du bout des lèvres.

— Vous avez ben travaillé, tout le monde. Je vous en suis pas mal reconnaissant. Astheure, excusez-moi, mais j'suis fatigué. J'vas aller me reposer dans ma chambre. On se reverra un autre tantôt, promis.

L'invitation tardait toujours.

Le même jour, et malgré l'insistance de Marie-Thérèse, Jaquelin avait allégué être encore trop fatigué pour monter à l'étage afin de faire le tour du propriétaire.

— Plus tard, Marie. Plus tard.

Ce « plus tard » n'était toujours pas arrivé.

Depuis, Jaquelin passait le plus clair de son temps reclus dans la chambre, les tentures fermées, et il refusait systématiquement de visiter la nouvelle cordonnerie.

— Que c'est que ça me donnerait d'aller voir ce que t'en as faite ? Je peux même pas y travailler.

— Mais quand même ! Me semble que…

— Tais-toi, Marie. J'ai pas le cœur à ça.

Le ton était froid, cassant. Marie-Thérèse n'avait pas insisté.

Voilà comment, en quelques jours à peine, la jeune

femme avait vu s'envoler tous les espoirs entretenus au cours d'un hiver trop long.

Depuis, épuisée par le voyage à La Tuque, le récent déménagement et l'installation dans la nouvelle maison, Marie-Thérèse s'éclipsait régulièrement dans la cour pour verser quelques larmes sur ses attentes déçues, et sur un avenir qu'elle ne parvenait pas à imaginer. Elle angoissait à la simple perspective de voir arriver le jour où elle n'aurait plus rien à mettre sur la table, à l'exception des légumes et des quelques petits fruits poussant dans leur potager.

Ce matin, la venue de Lauréanne et de son mari lui était apparue comme une petite éclaircie dans l'univers sombre où elle avait été plongée à son corps défendant. C'est pourquoi, quand elle entendit Lauréanne lui demander si elle acceptait de venir saluer la tante Félicité avec elle, Marie-Thérèse sentit son cœur bondir de plaisir dans sa poitrine, comme par réflexe. Après avoir partagé tant d'heures et de confidences avec la vieille dame, Marie-Thérèse ne l'avait pas revue de toute la semaine et elle s'ennuyait de sa présence réconfortante, elle qui avait tant besoin, en ce moment, d'être rassurée.

Et puis, que ne donnerait-elle pas pour passer quelques instants hors des murs de cette maison dont elle avait tant rêvé et qui, aujourd'hui, était devenue pour elle le synonyme d'une si grande déception !

Elle tourna un regard chargé d'espoir vers sa belle-sœur, esquissa un pâle sourire d'envie, puis son regard s'éteignit.

— En temps normal, je t'aurais répondu oui,

sans hésiter. Tu dois ben t'en douter, non ? Ça aurait été une fichue de bonne idée, d'autant plus que je m'ennuie de matante comme c'est pas permis. Après avoir passé tout l'hiver chez elle, me semble que je la cherche partout ! Mais va falloir m'oublier, ça sera pas possible. J'vois pas comment je pourrais m'éloigner de la maison, avec les enfants pis Jaquelin, qui est malade... Mais empêche-toi pas pour moi, par exemple ! J'suis sûre que matante Félicité serait ben contente d'avoir de la visite. Vas-y avec Émile, tiens !

Au moment où Marie-Thérèse avait prononcé le nom de son mari, avec une espèce de tristesse dans la voix, ce dernier s'était brusquement levé de table. Le temps que Marie-Thérèse termine sa tirade, et il bouscula sa chaise, laquelle tomba à la renverse, mettant ainsi un terme aux explications de sa femme.

Sans dire un seul mot d'excuse, Jaquelin s'enferma dans sa chambre en claquant la porte. Marie-Thérèse sursauta et, aussitôt, ses yeux s'emplirent de larmes.

— Excusez-nous, fit-elle en reniflant... Faut le comprendre ! Jaquelin est pas trop d'adon par les temps qui courent, pis moi, ben, à cause de ça, ça m'arrive de pleurer comme une Madeleine sans que je comprenne pourquoi. Ça doit être la fatigue, je crois ben...

— Justement !

Lauréanne avait attrapé la balle au bond.

— Il est temps que tu penses un peu plus à toi, ma pauvre Marie-Thérèse. On le voit ben, va, que c'est lourd à porter tout ça.

— Ma femme a raison, pis inquiétez-vous pas pour la maison. J'suis là, moi, pour les enfants. Profitez-en !

Sans invitation d'aucune sorte, Émile s'était glissé dans la conversation et, ce faisant, il était tout sourire, tandis qu'il relevait la chaise tombée.

— Le plus beau, là-dedans, c'est que ça me dérange pas pantoute ! précisa-t-il, toujours aussi débonnaire.

— Vous êtes ben certain de ça, Émile ?

— Ben comment si j'suis certain ! Vous pouvez pas savoir à quel point ça va me faire plaisir de jouer à être un père pendant une couple d'heures… Envoyez, les femmes, dehors ! Allez vous aérer les esprits, ça va vous faire du bien. Moi, j'vas monter rejoindre les jeunes.

Sans plus se faire prier, quelques instants plus tard, les deux femmes quittaient la maison.

La pluie avait cessé, le soleil jouait avec les nuages, réchauffant le fond de l'air, et du trottoir montait une fine brume. Ce fut bras dessus bras dessous que Marie-Thérèse et Lauréanne remontèrent la rue à pas lents, sans ressentir le besoin de combler le silence entre elles. Déjà que de marcher ensemble, en direction de la petite maison de Félicité Gagnon, créait un lien.

S'il y avait un endroit dans toute la paroisse de Sainte-Adèle-de-la-Merci où les confidences seraient peut-être plus spontanées, les larmes plus douces à verser, les mises au point plus éclairées et les idées plus simples à partager, c'était assurément dans la cuisine de la tante Félicité.

Pour l'avoir déjà vécu, chacune à sa façon et

chacune en son temps, les deux femmes le savaient fort bien. Nul besoin d'en parler pour comprendre qu'elles étaient portées, l'une comme l'autre, par un même espoir, tandis qu'elles approchaient maintenant de la maison au toit de tôle noire.

Elles furent accueillies à bras ouverts.

— Enfin! Te v'là, toi!

Le sourire de la tante Félicité était éblouissant et sa voix, toute émaillée de soulagement.

— Imagine-toi donc que j'ai passé la semaine à me demander quand c'est que tu viendrais faire ton tour, ma belle Thérèse. Les derniers jours ont dû être ben remplis pour que je te voye pas le bout du nez!

— Vous pouvez pas si ben dire, matante.

— Remarque que c'était pas un reproche, loin de là! Je peux très bien comprendre toute ce que t'es en train de vivre, ma belle. C'est juste que je me suis ennuyée ben gros.

Sans cesser de parler, Félicité Gagnon avait ouvert les bras en haussant les épaules, dans un geste qui ressemblait à un mot d'excuse.

— J'aurais ben voulu aller te donner un coup de main, déclara-t-elle en même temps, mais j'ai pas osé vous déranger. Avec tout ce qui est arrivé ces derniers temps, je me suis dit que vous seriez plus à l'aise tout seuls, en famille. C'est pour ça que j'suis pas allée chez vous, ma pauvre Thérèse, pis, un dans l'autre, la semaine a passé sans qu'on se voye! Ça prenait ben la visite de Lauréanne pour te faire sortir de chez vous. De la grande visite de Montréal, on rit pus!

Tout en parlant, Félicité Gagnon avait fait entrer

les deux visiteuses. Elle avait rangé le parapluie qui n'avait pas servi, accroché les vestes de laine, et, maintenant, elle s'était tournée vers la sœur de Jaquelin.

— Comment c'est que tu vas, toi ? Ça fait un moyen bail que t'étais pas venue faire ton tour au village pis que...

— C'est vrai, interrompit Lauréanne. Ça doit ben faire une couple d'années qu'Émile pis moi, on était pas venus par ici. Mais vous savez ce que c'est : on y pense, pis on remet ça, parce qu'on a d'autres choses à faire. Pis on y repense encore une fois, pis il y a d'autres choses qui se présentent... C'est le temps aussi qui passe trop vite ! Mais là, avec l'accident de Jaquelin, je pouvais pas rester en ville sans venir le voir. Ça fait que me v'là, avec mon mari, ben entendu. C'est lui qui s'occupe des enfants, pendant qu'on est ici, Marie-Thérèse pis moi.

— La bonne idée ! Dans ce cas-là, vous avez ben quelques minutes à vous autres, non ? Venez, venez vous installer dans la cuisine, on va jaser ! Je viens justement de sortir des galettes du four. Elles sont encore toutes chaudes. Avec du thé, ça va être ben bon !

Inutile d'essayer de placer un mot de plus, la tante Félicité prenait sa revanche sur une longue semaine de solitude et de silence.

Tant que tout le monde ne fut pas assis à la table, qu'elle n'eut pas rempli sa belle théière en porcelaine et déposé ses plus belles tasses à portée de la main ; tant qu'elle n'eut pas mis une bonne provision de biscuits à la mélasse encore tout chauds à la disposition des visiteuses, Félicité Gagnon fut intarissable.

La semaine qui se terminait, aussi banale et silencieuse qu'elle avait pu l'être, y passa au grand complet.

Puis, à son tour, la vieille dame se laissa tomber sur une chaise.

— Finalement, pour passer le temps, j'aurai jamais tant cuisiné de toute ma vie, conclut-elle en expirant bruyamment. M'en vas avoir ben des petits plats pour toi, ma Thérèse. De ceux que tes enfants aiment, par-dessus le marché ! Bon ! On a assez parlé de moi, c'est à votre tour maintenant !

En prononçant ces derniers mots, la tante Félicité s'était retournée vers sa nièce, qu'elle se mit à dévorer des yeux.

— Pis, ma Thérèse, dis-moi donc ! Que c'est qui se passe de beau dans votre belle maison neuve ? Les enfants sont-tu heureux ? Pis Jaquelin s'est-tu montré content des décisions que t'avais prises sans le consulter ? J'ai pas arrêté de me poser ces questions-là de toute la semaine.

Alors que la tante Félicité s'attendait à une avalanche de détails tous plus heureux les uns que les autres, après tout, on parlait ici d'une fort belle maison et elle en savait quelque chose, Marie-Thérèse éclata en sanglots. Incapable de prononcer quoi que ce soit, la jeune femme reniflait bruyamment tout en essuyant ses yeux, qui n'arrêtaient pas de couler.

Félicité Gagnon et Lauréanne Lafrance, dite

maintenant Fortin, échangèrent un regard lourd de sous-entendus et d'inquiétude.

— Je pense que ça va pas aussi ben qu'elle l'espérait, glissa alors Lauréanne, persuadée qu'en donnant cette indication, elle ne devait pas être très loin d'une vérité qu'elle avait observée dès son arrivée chez son frère et qu'elle se sentait le droit de révéler.

Nul besoin d'en dire plus, la tante Félicité avait tout compris. Elle reporta aussitôt son attention sur sa nièce pour suggérer :

— C'est Jaquelin, hein, ma belle ?

Ce n'était pas vraiment une question et ce n'était plus vraiment à Lauréanne de poursuivre, même si elle avait très envie d'acquiescer. Le temps d'un second regard soutenu en direction de Félicité, puis la sœur de Jaquelin se tourna à son tour vers Marie-Thérèse, comme si elle voulait la rassurer, lui dire qu'elle serait là, au besoin.

D'un seul regard, Lauréanne comprit cependant que son intervention ne serait pas nécessaire. Il semblait bien que sa jeune belle-sœur n'attendait que cette invitation pour se confier. Même que Marie-Thérèse avait l'air soulagé d'être obligée d'entrer dans les détails. Elle cueillit ses dernières larmes avec le bout de ses doigts et renifla un bon coup, avant de planter son regard dans celui de sa tante Félicité. De toute évidence, une grande complicité existait entre les deux femmes et Lauréanne, qui en était en ce moment le témoin privilégié, tenta de se faire la plus discrète possible.

— Vous avez raison, matante, commença

Marie-Thérèse d'une voix chevrotante, c'est Jaquelin qui me cause du tourment, pis vous devez ben vous douter que c'est pas pantoute ce que j'espérais, hein?

Marie-Thérèse poussa un long soupir avant de poursuivre.

— Si vous saviez, matante, si vous saviez! J'ai l'impression que j'suis en train de tomber de haut, de ben ben haut... Pis avant que vous me posiez la question, je vous dirais que oui, ça me fait mal. À tout le moins, ça me rend triste de voir que Jaquelin s'intéresse pus à rien...

Marie-Thérèse inspira longuement, manifestement soulagée d'avoir fait cette confession.

— Mais c'est pas de sa faute, ajouta-t-elle précipitamment, devant le sourcillement de la vieille dame. J'suis sûre que, dans le fond de son cœur, c'est pas ce que Jaquelin voudrait, lui non plus.

— C'est ben certain que c'est pas ça qu'il voudrait, coupa alors Félicité de sa voix la plus ronchonneuse, parce qu'elle tolérait bien mal de voir sa nièce aussi bouleversée. Personne veut avoir des problèmes, c'est ben clair, pis ton Jaquelin est pas différent des autres. Mais c'est-tu une raison suffisante pour te faire de la peine, par exemple? Je pense pas, moi. T'aurais beau dire que c'est pas de sa faute, faut toujours ben que ça soye de la faute à quelqu'un quand ça va mal au point de faire pleurer les autres. Bonne sainte Anne, Thérèse, je te connais ben, pis je le sais, va, que tu serais pas malheureuse pour rien. Va falloir que tu m'expliques, ma belle, parce que moi, je comprends pas.

Marie-Thérèse esquissa un sourire sans joie, tandis

que Lauréanne, incapable de se retenir, se redressait sur sa chaise.

— Malgré tout le respect que je vous dois, Félicité, faudrait quand même pas varger trop fort sur Jaquelin. Il est déjà à terre, le pauvre homme.

— C'est vrai que ça doit être dur, j'ai jamais dit le contraire, mais me semble qu'il pourrait faire un effort, non ?

— C'est ben plus compliqué que ça en a l'air, matante, intervint alors Marie-Thérèse… Figurez-vous que Jaquelin a ben de la misère à se faire à l'idée que sa main droite est morte, pis pour ça, je suis pas capable d'y en vouloir. On serait choqué pis déçu à pas mal moins que ça, vous savez… Pauvre homme ! Pour astheure, la seule chose qui a de l'importance pour lui, c'est ça : sa main droite qui est morte… On dirait qu'il voit pus rien d'autre, mon pauvre Jaquelin… Ça fait que la seule affaire qu'il nous marmonne du matin au soir, c'est qu'il pourra pus jamais travailler.

C'était clair. C'était aussi un comportement que l'on aurait pu comprendre sans trop de difficulté. Néanmoins, la tante Félicité n'approuva pas d'emblée.

— Ah ouais ?

Et comme c'était dans sa nature d'être suspicieuse et de vouloir aller au fond des choses, elle ajouta :

— C'est juste ça qu'il a à dire, notre beau Jaquelin ? Qu'il pourra pus jamais travailler ?

— À peu près, nota alors Lauréanne, donnant ainsi raison à sa belle-sœur. Du moins, c'est ce que j'ai cru comprendre quand j'ai parlé avec lui. Le fait de pas pouvoir travailler affecte ben gros mon frère.

— D'accord, admit enfin la vieille dame après un bref instant de réflexion, c'est une manière de voir les choses. Moi avec, je peux comprendre que ça doit être pas mal dur à accepter, tout ça. Mais une fois que c'est dit, pis avant de trouver la solution qui nous échappe pour astheure, il reste toujours ben la maison... Que c'est qu'il en a dit, de la maison, ton mari ? Il y a quand même pas juste son travail, dans la vie, il y a tout le reste ! Ça fait que Jaquelin a ben dû te donner son opinion sur la maison, pis sur le bébé à venir ?

— Pantoute, matante, pantoute ! À peine un petit merci à mon père pis mes frères quand il est rentré chez nous pour la première fois, pis ça s'arrête là... Jaquelin a même pas voulu visiter la maison au complet, vous saurez. Pis pour le bébé, c'est à peine si Jaquelin m'a répondu quand je lui ai annoncé la nouvelle. C'est vous dire à quel point mon mari est pas vraiment avec nous autres, à quel point il est chaviré par son accident.

— Ouais, mettons !

Le doute suintait de chacun des mots prononcés par Félicité Gagnon, ce que Marie-Thérèse n'acceptait pas plus que Lauréanne.

— Comment mettons ? Voyons donc, matante ! C'est quoi toute cette méfiance-là ? Vous le voyez ben que Jaquelin est pas comme à son habitude. Vous le savez comme moi comment c'est qu'il voulait que toute soye pareil à avant. Je vous l'ai dit souvent

330

que pour Jaquelin, c'était ben important de montrer à son père qu'il pouvait continuer de lui faire confiance, malgré le feu, pis que pour ça, ben, fallait que la maison soye aussi belle que l'autre. Rappelez-vous! Je vous en ai parlé, je sais pas combien de fois. Même que durant les quelques jours qu'il a passés ici avant de partir pour les chantiers, Jaquelin arrêtait pas de dire à tout le monde que la nouvelle maison devait ressembler à l'ancienne. Vous devez ben vous souvenir de ça, non?

— C'est sûr que je me rappelle tout ça. Pis c'est vrai qu'on en a souvent parlé, toi pis moi, durant l'hiver... C'est un peu pour cette raison-là que je comprends pas ton mari! Pourquoi, d'abord, Jaquelin essaye pas de faire au moins un petit effort devant les beaux résultats que vous avez obtenus, ta famille pis toi? Bonne sainte Anne! Vous avez réussi! À mon avis, la maison d'aujourd'hui est encore mieux que celle qui a brûlé, pis toute ça avec des moyens limités. Vous avez travaillé comme des malades durant tout un hiver pour que Jaquelin pis Irénée soyent contents du résultat... Pis ton mari dit rien? Pourquoi s'être donné tout ce trouble-là si, à cause d'un accident bête, ça serait pus aussi important pour Jaquelin?

— Je vois ben où c'est que vous voulez en venir, matante, pis j'suis pas contre votre opinion, mais on dirait ben que c'est ça pareil! Comment je pourrais vous expliquer? Mettons, ouais, mettons comme vous dites, que la maison est pus pantoute la priorité de Jaquelin.

— D'accord! La maison est pus sa priorité, pis

après? Viens pas prétendre que toute s'arrête à l'accident. Voyons donc, toi! Ça a pas d'allure, ce que tu dis là. Accident pas accident, t'avoueras avec moi que c'est un peu surprenant qu'il dise rien devant la maison. Pis la cordonnerie, elle? Jaquelin a ben dû se dépêcher d'aller la voir, non? Ça avec, ça avait l'air ben important pour lui que ça soye beau pis invitant pour la clientèle.

— Parlons-en, de la cordonnerie!

Que d'amertume contenue dans ces quelques mots, que de déception après tant d'efforts! Le geste fut spontané et la tante Félicité tendit la main pour tapoter celle de Marie-Thérèse, qui poursuivait, les yeux dans l'eau.

— Jaquelin veut surtout pas voir la cordonnerie, matante. Il dit que ça servirait juste à y faire de la peine, pis que de la peine, il en a déjà ben en masse…

— C'est vrai que ça doit être dur pour lui de voir sa vie chambardée à ce point-là. J'y donne pas tort là-dessus…

Malgré ces derniers mots prononcés, il était difficile de dire si Félicité Gagnon ressentait la moindre empathie pour Jaquelin tant le ton employé était sévère, surtout quand elle précisa:

— Astheure qu'on sait tout ça, ma belle, qu'on admet que c'est dur pis que c'est pas juste, ce qui vous arrive, pis que le Bon Dieu pourrait ben vous lâcher un peu, Jaquelin pourrait au moins se dire qu'il est chanceux d'être encore en vie. Juste pour ça, il devrait être reconnaissant envers le Bon Dieu, justement, pis accrocher un petit sourire dans sa face.

Juste un tout p'tit ! Le moins qu'il pourrait faire, le Jaquelin, ça serait de te remercier, aussi, pour avoir faite les choses exactement comme il l'avait demandé. Me semble que déçu ou pas, Jaquelin devrait au moins apprécier ce que tout le monde a faite pour lui, pendant qu'il était parti aux chantiers.

Une telle affirmation, dite avec humeur et criante de vérité, n'appelait aucune réponse. Même Lauréanne se retint.

Un ange passa.

Ce fut Marie-Thérèse qui reprit un peu plus tard. Elle parlait d'une voix absente, d'une voix empreinte d'une infinie lassitude.

— Je comprends très bien toute ce que vous venez de dire, matante. Mais voyez-vous, je sais même pas si ces mots-là peuvent avoir du sens, à l'heure où on se parle... Être reconnaissant, dire merci... J'suis pas sûre pantoute que Jaquelin a envie d'être reconnaissant pour quelque chose qu'il est même pas certain de vouloir encore...

— Jaquelin voudrait pus de la maison ? Ben là, je te suis pas, ma Thérèse... Que c'est que tu veux dire par là ?

La jeune femme leva un regard douloureux vers Félicité.

— C'est pas compliqué, matante, fit-elle d'une voix étranglée, j'suis rendue à me demander si Jaquelin est content d'être encore en vie... C'est ça que je voulais dire. Comme vous voyez, on est ben loin de la maison pis de la cordonnerie... Vous trouvez pas, vous ?

Alors que Marie-Thérèse prononçait ces derniers mots, les larmes s'étaient remises à couler, silencieuses, plus dures et infiniment plus douloureuses que les sanglots bruyants de tout à l'heure.

— Pis j'exagère pas en disant ça, poursuivit Marie-Thérèse, entre deux inspirations tremblantes. Depuis qu'il est revenu, Jaquelin a pas vraiment l'allure de quelqu'un qui a envie de continuer à regarder en avant de lui. Ni ben loin, ni ben longtemps. C'est comme s'il voyait juste du vide devant lui. Ça doit faire peur, tout ça. Pourtant, même si ça m'arrache le cœur de le voir de même, je peux encore le comprendre. J'accepte aussi qu'il passe ben du temps à ressasser le passé. Parce que je le vois ben que c'est ça qu'il fait, mon Jaquelin. On dirait qu'il est en train de repasser par toute ce qu'on a vécu depuis l'automne dernier, pis ça lui donne le vertige. Peut-être que mon mari essaye de toutes ses forces de comprendre ce qu'on comprendra jamais, pis qu'il a pas le temps pour d'autres choses? C'est peut-être pour ça que dès qu'il ouvre la bouche, c'est pour se plaindre de quelque chose. Le feu, l'accident, l'hiver trop long... Ça revient tout le temps, ces mots-là, quand il se décide à parler. Peut-être que Jaquelin est en train de se dire qu'il y a rien d'autre à comprendre à part la fatalité, pis ça y fait peur... Moi avec, ça me fait quand même un peu peur, pis j'suis pas blessée comme lui. Que c'est qu'on peut faire devant la fatalité, hein, matante? Pas grand-chose, hein, à part l'accepter, pis je pense que Jaquelin est pas encore rendu là. Si jamais il y arrive un jour. Ça fait qu'il se plaint d'un peu toute pour oublier qu'il y a rien à comprendre dans ce qui nous arrive... Ouais, pour se lamenter sur le passé pis de ses conséquences, Jaquelin est encore capable de parler, mais pour le reste...

— Bon, tu vois ! Si Jaquelin est capable de parler de ce qu'il ressent, tout est peut-être pas perdu, trancha Félicité, soulagée d'avoir trouvé l'ombre d'une raison pour s'accrocher, parce que pour une des rares fois de sa vie, la vieille dame se sentait prise au dépourvu et cette nouvelle sensation lui était éminemment désagréable.

Mais comment accompagner un homme qui a perdu plus que tout ce qu'il pouvait perdre ?

Elle ne le savait pas.

Comment lui expliquer que la vie n'était pas finie pour autant et qu'elle valait encore la peine d'être vécue quand ce qui avait été son moteur venait de s'éteindre pour disparaître à tout jamais ?

Félicité ne le savait pas, non plus.

Mais comment la vieille tante aurait-elle pu le savoir, alors que Marie-Thérèse elle-même, habitée d'un amour inconditionnel pour son homme, semblait dépassée et démunie devant lui ?

Le silence qui pesait présentement sur la cuisine était lourd de questions sans réponses, lourd de souffrances.

Félicité Gagnon fixait Marie-Thérèse qui, tête penchée, semblait en intense réflexion. L'image lui arracha un long soupir.

Si elle ne savait pas encore comment aider Jaquelin, Félicité allait tout de même tenter de soutenir Marie-Thérèse à sa façon, le temps d'apprivoiser la situation dans tout ce qu'elle pouvait avoir d'angoissant. Après, quand les cœurs se seraient assagis et que le quotidien aurait imposé ses volontés, parce que la routine finissait toujours par prendre le dessus, on tenterait tous ensemble de trouver une solution.

Parce qu'il y avait toujours une solution, n'est-ce pas?

N'importe quelle solution, pourvu qu'elle laisse la porte entrouverte sur l'avenir. C'était ce que Félicité Gagnon se disait toujours: garder la porte de l'espoir entrouverte pour laisser passer un mince filet de lumière, permettant de deviner ce que la noirceur s'entête à nous cacher.

Exerçant alors une pression de sa main sur celle de sa nièce, la vieille dame reprit la parole.

— Si ton mari a gardé sa nouvelle habitude de parler, ma belle, vous allez pouvoir vous comprendre, pis...

— Non, non, matante, c'est vous qui comprenez pas ce que j'essaie de dire!

Marie-Thérèse avait haussé le ton comme on pousse un gémissement de douleur.

— Imaginez-vous pas que Jaquelin m'a toute dit ça d'une seule traite! Imaginez-vous pas qu'il brasse la vie pis ses idées noires à grands coups de belles phrases devant moi... Faut pas croire que c'est juste parce que Jaquelin est en colère qu'il est de même, pis que le jour où ça va y passer, tout va rentrer dans l'ordre sur un claquement de doigts. Imaginez-vous surtout pas que Jaquelin parle comme un moulin, depuis qu'il est revenu! Ça, c'était juste des accroires que je me suis faites, l'hiver dernier! J'ai probablement tout inventé ça, comme une manière d'espérer quelque chose de beau qui m'aiderait à passer l'hiver. Non, non! Jaquelin a pas changé tant que ça, matante. Tous ses bons mots pis ses promesses, il les a épuisés dans ses lettres, je crois ben. Au bout du compte, c'est un homme aussi renfermé qu'avant le feu qui m'est revenu. Si je veux savoir comment c'est qu'il vit ça par en dedans, faut que j'y arrache ses pensées les unes après les autres, pis quand j'arrive à le faire parler un peu, j'ai toujours l'impression de l'avoir dérangé. Comme avant l'incendie, quand il m'arrivait d'insister pour quelque chose. Pourtant, j'ai jamais douté du fait qu'il m'aime... Je vous le dis, matante: c'est à peine si on sent que Jaquelin est là, avec nous autres. Pis ce qui vaut pour moi vaut aussi pour les enfants, croyez-moi!

Tandis que Marie-Thérèse se vidait ainsi le cœur, Félicité secouait la tête avec véhémence, incapable de souscrire à tout ce qu'elle entendait, tellement cette nouvelle réalité ne ressemblait pas au Jaquelin qu'elle connaissait. Il avait toujours été un homme silencieux, certes, mais amoureux de sa femme et vaillant comme dix, personne ne pouvait en douter. C'était celui qui aurait donné sa vie sans hésiter pour sa famille. La preuve, c'était qu'il était retourné dans la maison en flammes pour sauver sa fille et qu'il avait remué ciel et terre pour la reconstruction, avant de partir pour les chantiers.

— Je veux surtout pas mettre ta parole en doute, ma belle, mais malgré toute la confiance que j'ai en toi, j'ai ben de la misère à te croire. Bonté divine! Ça se peut pas, ce que tu dis là! Que Jaquelin soye indifférent à la maison, c'est difficile à avaler, mais ça pourrait toujours finir par passer de travers. Mais les enfants, ça passe pas pantoute...

C'était comme si la tante Félicité venait de changer son fusil d'épaule et que, maintenant, elle mettait autant d'énergie à défendre Jaquelin qu'elle en avait mis à lui en vouloir, quelques instants auparavant, à cause de toute la peine qu'il infligeait à Marie-Thérèse.

— Il revient de loin, ton mari, faut surtout pas l'oublier, pis je peux comprendre que la maison aye un peu moins d'importance qu'avant, mais j'suis sûre que ça va finir par revenir. Par contre, qu'il soye indifférent aux enfants, ça, ça se peut pas. Vous devez être ben gros fatigués tous les deux, pis c'est de là que vient tout votre découragement. Voyons donc! Penses-y comme il faut, Thérèse! Jaquelin a toujours été tellement fier de sa belle famille. Ça peut pas revirer boutte pour boutte, d'un seul coup, ça là!

— Je sais ben! Mais c'est ça qui est ça, pareil... Faut croire que sa fierté de père a touché le fond de la rivière, elle avec, parce que l'homme qui nous est revenu a plutôt l'air d'un étranger. C'est ça, je pense, qui me fait le plus de peine. Me retrouver face à un étranger.

— Ben là, on se comprend, ma belle. C'est vrai que ça doit être pas mal dur à vivre, tout ça... Retrouver un homme aigri, déçu, alors que t'espérais tellement plus de vos retrouvailles... Ouais, je te crois... Même si ça sonne drôle à mes oreilles, une histoire de même, je te crois.

— Vous faites ben d'y croire, parce que ça ressemble vraiment à ça, renchérit Lauréanne... Moi avec, j'ai senti plein d'amertume, de découragement, pis de colère quand on a parlé ensemble, t'à l'heure, Jaquelin pis moi. Comme s'il en voulait à tout le monde ! Ça va peut-être avoir l'air bête de dire ça de même, mais j'avais l'impression de me retrouver devant le petit Jaquelin, celui qui était toujours un peu désemparé devant notre père, qui était jamais content de son travail. Aujourd'hui, le Jaquelin avec qui j'ai parlé avait le même air désemparé devant la vie qui a trop changé pour lui, pis trop vite... Ouais, à croire que l'homme qui est tombé dans l'eau est resté au fond de la rivière, comme sa fierté, pis c'est le petit gars qui en est ressorti. C'est pour ça, malgré toute ce qui s'est dit ici depuis tantôt, que moi, j'arrive pas à lui en vouloir d'être comme il est, en ce moment. Comment tu veux qu'un homme soye plein d'entrain devant l'avenir, devant sa maison, devant sa famille, quand il est même pus capable d'espérer la nourrir comme il se doit ? C'est important pour un homme, ça, nourrir les siens, d'autant plus pour un père de famille nombreuse. Il a pas tort, le pauvre Jaquelin, quand il dit qu'il pourra pus travailler. C'est vrai qu'il a besoin de ses deux mains pour faire son métier, pis c'est vrai aussi qu'il a besoin de son métier pour faire vivre sa famille.

— Ouais... Tant qu'à ça...

Tout doucement, le ton était en train de changer. Plus calme, il était rempli d'intériorité et de réflexions. Il y avait surtout que la tante Félicité ne semblait plus du tout en vouloir à Jaquelin, même si l'amertume ressentie par le mari venait ternir sa relation avec Marie-Thérèse et la rendait malheureuse.

Félicité Gagnon se redressa sur sa chaise. À elle d'essayer de voir comment elle pourrait aider sa nièce bien-aimée pour ainsi, par ricochet, finir par soutenir efficacement Jaquelin et tout le reste de la famille.

— Pis toi, ma Thérèse, comment tu te sens là-dedans, à part la peine pis la déception que tu vis ben malgré toi?

— Moi? Comment voulez-vous que je me sente, matante? J'ai peur, j'ai ben peur de l'avenir, c'est sûr. Encore plus qu'au lendemain du feu, je pense ben... Une maison brûlée, ça se reconstruit, on l'a vu, tandis qu'un métier perdu à cause d'une main morte, c'est autre chose... Une chance du Bon Dieu que j'ai pas pigé dans le salaire que Jaquelin a ramené des chantiers, parce que c'est astheure qu'on va avoir besoin de toutes nos cennes... Quand il y en aura pus, je sais ben pas ce qu'on va devenir.

Aux yeux de Félicité Gagnon, les problèmes financiers n'en étaient pas vraiment. Dans ce domaine, il y avait toujours matière à solution. Alors, la réponse de Marie-Thérèse ne la contenta pas. Voilà pourquoi elle répéta en précisant, pour bien se faire comprendre:

— Si c'est juste une question de gros sous, ton inquiétude, c'est pas grave. Dis-toi ben qu'on était là à l'automne, pis qu'au besoin, on va être encore là, crains pas… Il y a pas personne dans la paroisse qui va vous laisser crever de faim, surtout pas ta famille… Non, c'est pas vraiment ça que je veux savoir, ma Thérèse. Ce que je veux savoir, c'est comment tu te sens, toi, face à Jaquelin.

— Oh moi…

La question était délicate et la réponse le serait encore plus.

Comme si les deux mots échappés sans réfléchir faisaient foi de tout, disaient tout, Marie-Thérèse se sentit rougir comme une pivoine et elle se tut aussitôt après les avoir prononcés.

« Oh moi… »

Pourquoi parler d'elle ? Ce n'était pas elle qui était blessée, c'était Jaquelin, et ce dernier était son mari, l'homme à qui elle avait juré amour et fidélité.

« Jusqu'à ce que la mort vous sépare », avait dit le curé au matin du mariage.

La mort n'avait pas voulu de Jaquelin. Cependant, elle l'avait suffisamment approché pour qu'il en garde des séquelles, et l'on voulait savoir comment elle, Marie-Thérèse, se sentait vis-à-vis de tout cela ? Personne ne pouvait vraiment comprendre ce qu'elle éprouvait face aux événements, face à son mari. C'était dans l'oreille de Jaquelin que Marie-Thérèse aurait voulu s'épancher, sur son épaule qu'elle aurait voulu pleurer, mais lui semblait ne plus y attacher tellement d'importance.

Alors, pourquoi en parler ?

À bien y penser, Marie-Thérèse n'était pas du tout

certaine de vouloir lever le voile sur ses émotions. Après tout, était-ce si important ?

Ébranlée, embarrassée, la jeune femme tournait sa tasse entre ses mains, la fixant d'un regard vide. Elle était incapable de se décider à ouvrir la bouche. Les mots n'étaient pas au rendez-vous et elle se sentait terriblement mal à l'aise.

C'est alors que Lauréanne se permit d'intervenir encore une fois. Parce qu'elle était femme, elle aussi, et amoureuse de son mari, elle osa demander, sur un ton très doux, espérant ainsi ouvrir la porte des confidences qui soulagent :

— Comment tu t'es sentie en voyant Jaquelin sur un lit d'hôpital ? Moi, je pense que mon cœur aurait arrêté de battre si mon Émile avait eu un accident comme celui-là.

— C'est un peu ce qui s'est passé.

La réponse avait coulé de source. C'était facile de donner suite à cette question, puisqu'elle était éloignée des émotions à l'état pur.

Tout en répondant à sa belle-sœur, Marie-Thérèse avait esquissé un sourire un peu triste, nostalgique. Cependant, la question de Lauréanne avait aidé à entrouvrir la porte des mots, ouvert le chemin à ceux qui disent les choses sans être indiscrets.

— C'est certain qu'on se sent ben inutile devant la souffrance de quelqu'un qu'on aime, commença-t-elle en rougissant tout de même violemment, car elle était et resterait toujours une femme prude, très prude. Tu vois, Lauréanne, c'est difficile de trouver les bons mots pour parler de ces choses-là... Il y a une affaire qui est sûre, par exemple, c'est que j'aime ton frère. Ça, je le sais depuis longtemps, même avant nos noces, pis j'ai vite compris en le voyant sur son lit d'hôpital que ça avait pas changé. C'est quelque chose en moi qui pourra jamais s'éteindre, je crois ben. C'est peut-être la façon de le montrer qui va devoir être différente, par exemple. Ça, je le sais pas encore, pis le fait de pas savoir, c'est peut-être ça, finalement, qui me fait le plus peur.

Ce serait la confidence la plus intime que Marie-Thérèse ferait sur ses émotions les plus profondes, les plus intenses.

Elle prit une longue inspiration tout en soutenant le regard de Lauréanne pour qu'elle comprenne que ce qu'elle ressentait allait bien au-delà des mots qu'elle venait de prononcer.

Non, jamais Marie-Thérèse ne pourrait avouer la bourrasque de désir qui l'avait envahie à l'instant où elle avait aperçu Jaquelin sur son lit d'hôpital. On ne parle pas de ces choses-là. Alors, elle ne parlerait jamais de ce désir de lui, après tout ce temps d'absence, ni de l'envie violente des caresses que ses mains abandonnées sur la couverture lui avaient rappelées. Elle ne dirait rien non plus de ce besoin d'un peu de chaleur, peau contre peau. Ne confierait pas que la lourdeur du corps de son homme sur le sien lui manquait jusqu'à faire mal. Non, jamais Marie-Thérèse ne pourrait parler de toutes ces choses qui lui appartenaient et qu'elle n'avouerait jamais à personne. Il y avait eu aussi, enveloppant tout le reste, cette envie de murmurer à l'oreille de Jaquelin l'interminable attente, les heures d'insomnie, les larmes d'ennui dans l'oreiller. Jamais elle ne parlerait de ce besoin de jaser avec lui après l'amour, parce qu'elle avait osé croire la chose possible. C'était ce qu'elle avair cru deviner à travers les mots des lettres reçues durant l'hiver.

Maintenant, elle le voyait bien, cet espoir-là aussi était mort.

Non, Marie-Thérèse ne parlerait pas de cette intimité du corps et du cœur qui lui manquait terriblement, parce que, pour elle, il y avait de ces choses dans un couple qui devaient rester dans le couple.

— Mais on va s'en sortir, fit-elle dans un dernier murmure, au bout de ce long moment de recueillement, tandis qu'elle achevait ce monologue silencieux où le regard intense qu'elle avait tourné vers Lauréanne avait remplacé les mots qu'elle n'avait osé dire.

Lentement, le regard de Marie-Thérèse passa ensuite de Lauréanne à la tante Félicité.

— J'ose croire qu'à sa façon, Jaquelin nous aime encore, les enfants pis moi, poursuivit-elle. Ouais, vous avez peut-être ben raison, matante : avant que tout ça arrive, Jaquelin nous aimait vraiment. J'ai jamais eu de doute là-dessus. Ça fait qu'il doit ben nous aimer encore aujourd'hui. Me semble que ça peut pas mourir complètement, un sentiment comme celui que Jaquelin a toujours eu pour nous autres. Quand il va s'en rappeler, s'en rappeler vraiment, je me dis que ça devrait suffire pour le raccrocher à la vie. Ouais, ça se peut, quelque chose comme ça. Juste parce que Jaquelin nous aime pis que nous autres, on veut le garder ben vivant, ça devrait suffire. Le jour où Jaquelin va l'avoir compris, même si ça prend du temps pour y arriver, on finira ben, lui pis moi, par trouver une manière de vivre qui sera la nôtre. Une manière de vivre différente des autres familles, c'est ben possible, mais qu'on va aimer quand même, justement, parce qu'elle sera juste à nous autres... Pis peut-être ben que ce jour-là, Jaquelin va recommencer à sourire... Dans le fond, c'est toute ce que je demande au Bon Dieu : qu'on soye encore capables un jour, Jaquelin pis moi, de sourire ensemble aux mêmes affaires. Pour le reste, vous l'avez dit, matante : il y a plein de monde autour de notre famille pour nous donner un coup de main. Il me reste juste à essayer ben ben fort de jamais l'oublier.

QUATRIÈME PARTIE

Été 1923

CHAPITRE 9

À Sainte-Adèle-de-la-Merci, le lundi 25 juin 1923,
par une très belle journée d'été, ensoleillée,
mais pas trop chaude

———◆———

Dans la cour arrière de la maison des Lafrance,
sous le grand chêne, où Jaquelin s'était installé
dans un transatlantique offert par la famille de
Marie-Thérèse, à l'occasion de son anniversaire

La chaise était confortable et, depuis qu'il l'avait
reçue, Jaquelin en profitait dès que la température
le permettait. Ses larges rayures bleues et blanches
lui faisaient penser à l'océan qu'il ne connaissait pas
vraiment, mais dès qu'il fermait les yeux, Jaquelin
rêvait tout de même de voyage.

Pour occuper les longues journées d'été, c'était
ce qu'il avait trouvé de mieux à faire, le pauvre
Jaquelin : rêver et encore rêver. Alors il en abusait
sans la moindre réserve, parce que le temps d'un
rêve éveillé, il était encore capable de repousser les
pensées les plus noires.

Comme la brise si douce de cette matinée d'été parlait justement de vacances et d'évasion, les yeux mi-clos, Jaquelin essayait, en ce moment, de se remémorer la belle mappemonde affichée au couvent. Elle devait bien couvrir la moitié du mur de sa classe.

Un jour, Jaquelin Lafrance parcourrait le vaste monde.

Déjà, enfant, il se le promettait, planté bien droit devant l'immense carte du monde, l'examinant avec attention, essayant de lire certains mots plus difficiles que les autres. Il travaillerait très fort, et, une fois devenu grand et riche, il s'embarquerait sur un gros paquebot tout blanc et il ferait le tour du monde ! La chose était assurément possible, puisqu'il y avait des océans partout.

La Terre entière n'était qu'un vaste océan parsemé d'îles qu'on appelait des continents.

C'était en bonne partie grâce à cet espoir de voyage si Jaquelin avait traversé sans se plaindre les longues heures d'ouvrage réservées à l'enfant puis à l'adolescent, celui qui passait une grande part de ses journées penché sur les bottines des autres. S'il travaillait bien, plus tard, la cordonnerie serait à lui. Son père le lui avait dit, et, tout comme lui, à son tour, Jaquelin ferait des sous, beaucoup de sous. Alors, un bon matin, il partirait loin de chez lui et il pourrait ainsi, pour un temps, oublier le labeur qu'on lui imposait, jour après jour.

Voilà à quoi il rêvait, le jeune Jaquelin, perché sur son arbre.

Aujourd'hui, ses ambitions d'adulte étaient plus modestes.

Pourvu qu'il puisse se retrouver ailleurs que dans un camp de bûcherons ou une ville ridiculement appelée La Tuque, pourvu qu'il puisse s'évader de Sainte-Adèle-de-la-Merci, ne serait-ce que quelques jours, Jaquelin serait déjà content.

Certes, il aimait bien son village, il l'avait toujours aimé. Jusqu'à très récemment, il ne connaissait vraiment que lui et il s'en contentait fort bien. Cependant, depuis l'accident, Jaquelin ne voyait plus la nécessité d'y habiter à tout prix. Il ne voyait surtout plus la nécessité de loger dans une maison, par ailleurs fort jolie, mais qui abritait une cordonnerie encore et toujours fermée, parce que devenue complètement inutile.

Quelqu'un d'autre que lui pourrait en faire un bien meilleur usage. Jaquelin en était douloureusement conscient, comme il était tout aussi douloureusement conscient qu'après avoir décrié son métier, il s'en languissait maintenant, et depuis de trop longues semaines déjà.

Mais il était trop tard pour faire marche arrière, n'est-ce pas ?

Alors, se disait-il, il pourrait peut-être trouver du travail ailleurs, un travail qui ne demanderait qu'un bon jugement et l'usage d'une seule main. En ville, ça devait bien exister, un travail comme celui-là. Peut-être devrait-il en parler avec Émile, lui qui disait connaître Montréal comme le fond de sa poche.

Voilà à quoi il pensait régulièrement, Jaquelin,

sans avoir eu, jusqu'à maintenant, le courage d'entreprendre les démarches nécessaires qui le mèneraient à Montréal, ni même l'audace d'en discuter avec Marie-Thérèse.

Après tout, peut-être tenait-il à son village plus qu'il ne le croyait?

Mais d'un autre côté, si, pour gagner sa vie, il devait se rendre jusqu'à Montréal, ça lui permettrait sans doute de voir Lauréanne beaucoup plus souvent, ce qui, en soi, n'était pas désagréable du tout. Et cette fois-ci, nul besoin d'en parler avec Marie-Thérèse pour savoir qu'elle partagerait son point de vue.

Cette espérance d'arriver à se débrouiller pour faire vivre sa famille faisait aussi partie des rêves éveillés que Jaquelin Lafrance entretenait assidûment.

Malgré sa main inutile, Jaquelin continuait de cultiver l'espoir de s'en sortir un jour, parce qu'il avait une tête bien faite, son passage au chantier lui en avait donné la preuve, et, aujourd'hui, sa main gauche était de plus en plus forte, de plus en plus habile. Penser à la ville, l'imaginer avec toutes ses rues, ses avenues et ses ruelles, se figurer un logement suffisamment grand pour loger toute sa famille, c'était, aux yeux de Jaquelin, une façon comme une autre de commencer à apprivoiser le départ.

Pour un homme comme lui, plutôt discret et renfermé, enclin aux longues réflexions avant de passer à l'action, c'était une étape nécessaire. Jaquelin avait réussi à s'en convaincre assez facilement.

Il y pensait alors de plus en plus souvent, avec ténacité, avec rage parfois, arrivant ainsi à narguer les

pensées sombres qui surgissaient souvent à l'improviste, lui susurrant à l'oreille qu'il ne valait plus rien,
que, par sa faute, ou par vanité, alors qu'il se croyait
invincible, Jaquelin Lafrance n'était plus qu'un père
et un mari inutile.

De telles pensées laissaient Jaquelin pantelant et
désespéré, tandis que même la ville et ses infinies
possibilités perdaient momentanément la brillance
de leurs attraits.

C'est pourquoi, ces jours-là, il lui arrivait encore,
bien malgré lui, de caresser l'éventualité d'un
sommeil éternel qui le ravirait à tous ses soucis, et
qui soulagerait sa famille de la charge encombrante
qu'il était devenu.

N'est-ce pas qu'il était encombrant, Jaquelin
Lafrance, le cordonnier déchu ?

Inutile et encombrant...

On n'avait qu'à regarder les larges cernes sous les
yeux de Marie-Thérèse pour en être convaincu. Ce
que Jaquelin faisait, hélas ! trop souvent.

Ce matin, toutefois, il faisait trop beau pour les
pensées amères.

La brise était douce, le soleil juste assez chaud pour
être agréable, et Jaquelin avait été surpris de voir que
c'étaient plutôt quelques souvenirs qui l'attendaient
aujourd'hui sous le grand chêne.

Des souvenirs d'enfance, de jeunesse.

Des souvenirs de ce temps de l'insouciance, bien
que, dans son cas, la légèreté propre aux jeunes années
avait été alourdie par les nombreuses obligations et
l'accumulation des remontrances. Mais qu'importe !

C'était quand même l'époque bénie où il n'avait pas eu à se demander de quoi serait fait le lendemain, parce que le pain et le beurre étaient toujours dans l'assiette, et que le linge frais lavé embaumait dans le tiroir de sa commode. C'était l'époque regrettée où, quand le poids des exigences paternelles se faisait trop lourd, le jeune Jaquelin n'avait qu'à venir ici, dans la cour, pour grimper à son arbre et tout oublier.

Jaquelin leva la tête.

À travers les feuilles du chêne qui bruissaient plaisamment à ses oreilles, il aperçut la branche où il aimait tant s'installer à califourchon, les jambes pendant dans le vide. Que d'heures passées à surveiller les allées et venues dans la rue principale du village, tout en croquant à belles dents dans une pomme bien rouge. Que d'heures à imaginer une vie à tous ces passants qu'il ne connaissait parfois que de vue, puisqu'il vivait quasiment reclus chez lui.

Le geste fut machinal et Jaquelin abaissa les yeux sur sa main inerte, posée sur ses cuisses.

Serait-il capable aujourd'hui de monter dans l'arbre avec un seul bras ?

La réflexion méritait bien qu'on s'y attarde, ne serait-ce que pour occuper le temps.

Jaquelin haussa imperceptiblement les épaules, se cassa le cou une seconde fois, et, tout en clignant des yeux, il tenta d'évaluer la hauteur de l'arbre et le nombre de branches qui le séparaient de la cime.

Il esquissa un sourire narquois.

C'est qu'il avait beaucoup grandi, cet arbre !

Cependant, Jaquelin y était monté si souvent

qu'il eut l'audace de croire qu'il pourrait y arriver, même avec un seul bras pour se hisser de branche en branche.

Oh! Il n'irait pas jusqu'à tenter l'aventure, la témérité étant parfois mauvaise conseillère, il en savait quelque chose! Cependant, il n'était pas timoré pour autant. Quiconque avait eu à affronter Irénée Lafrance tout au long de sa vie n'avait peur de rien d'autre, n'est-ce pas?

Jaquelin analysa donc sérieusement le trajet menant du sol à la plus haute branche du chêne, puis il décida avec sagesse qu'il serait éminemment plus agréable de faire durer le plaisir. Il se contenterait donc d'imaginer que la chose pouvait être encore possible, malgré ses trente-sept ans bien sonnés et sa main morte, car c'était ainsi que Jaquelin appelait intérieurement sa main droite : la main morte, celle qui l'avait laissé tomber, celle qui avait gâché sa vie.

Les mâchoires de Jaquelin se contractèrent, et, lentement, pour éviter d'être emporté par une vague de colère, il ramena son regard devant lui, en s'obligeant à ne voir que la cour.

Autour de lui, plus rien ne rappelait l'incendie.

La maison avait repris sa place, solide, telle que son père l'avait construite, sur les mêmes fondations de pierres des champs, qu'on avait, toutefois, consolidées avec du mortier.

L'hiver s'était occupé de dépoussiérer les framboisiers couverts de suie, et, ce matin, les plants ondulaient joliment dans la brise, couverts de petites fleurs blanches, prometteuses de fruits rouges et sucrés.

Le potager, juste derrière lui, commençait à donner des signes de vie, puisque Cyrille s'était chargé de le biner et de le semer, sous les directives pointues de Marie-Thérèse, déjà un peu trop ronde, au début du mois de juin, pour y voir elle-même. Même que les plants de fèves vertes et jaunes avaient déjà commencé à produire leurs cosses, avec un bon mois d'avance.

Quant à la corde à linge, elle était encore et toujours tendue au beau milieu du terrain, là où Irénée lui-même l'avait jadis installée, à mi-chemin entre la maison et le chêne, pour que le linge puisse battre librement au vent, sous les chauds rayons du soleil.

À croire qu'il ne s'était rien passé du tout durant la nuit du 31 octobre 1922.

Pourtant...

C'était bien cette nuit-là que la vie de Jaquelin Lafrance avait commencé à prendre l'eau, comme un vieux bateau fatigué qui gîte à bâbord.

En partant pour les chantiers, quelques jours plus tard, il avait bien cru avoir réussi à colmater la fuite pour ainsi redresser la barre de leur vie familiale. Il n'en fut rien du tout.

Jaquelin Lafrance allait-il finir, au bout du compte, par sombrer complètement, entraînant sa famille avec lui?

Il l'ignorait encore, n'osait se poser la question avec trop d'insistance, craignant peut-être la réponse.

Chose certaine, Jaquelin se sentait responsable de tout ce bardassage, même s'il savait fort bien qu'il n'y était pour rien dans l'incendie, et que l'accident sur l'eau n'était, ma foi, qu'un banal accident sur l'eau. Le grand Joachim lui-même l'avait prévenu, au premier matin de la drave :

— Un jour ou l'autre, ben des hommes se retrouvent à la flotte, mon Jaquelin. Sois prudent, mais dis-toi ben, en même temps, que c'est pas juste une question de prudence, c'est aussi une question de chance, je dirais ben.

De toute évidence, Jaquelin Lafrance n'avait pas été chanceux.

Il n'en restait pas moins que c'était pour cette raison, que c'était à cause de ce lourd sentiment de culpabilité, qu'il refusait obstinément d'en parler, même avec Marie-Thérèse, surtout avec Marie-Thérèse. Ne lui avait-il pas promis soutien et protection, au matin du mariage, ce dont, manifestement, il n'était plus capable de s'acquitter ?

Était-ce à cause de cela, à cause de cette sensation de défaite et celle, plus lourde encore, d'abandon devant ses responsabilités, que Jaquelin se montrait si lointain avec les siens et que les rapports entre eux ne tenaient plus qu'aux banalités du quotidien ? Comme s'il était gêné devant sa femme et ses enfants...

Jaquelin s'ébroua.

Ça y était !

La ronde infernale des pensées accusatrices était repartie de plus belle et Jaquelin se mit à respirer bruyamment, tout en secouant la tête pour abrutir toutes ces mauvaises idées qui s'empilaient dans son esprit. Il jonglait même avec l'hypothèse de retourner à l'abri des regards dans le refuge de sa chambre quand, du coin de l'œil, il aperçut Agnès qui sortait de la maison, précédée d'un lourd panier rempli de vêtements mouillés.

Aucune idée sombre ne put résister à ce retour brutal dans l'univers des souvenirs. Le processus fut d'un naturel tout à fait désarmant et Jaquelin s'y laissa prendre.

La ressemblance était trop saisissante pour ne pas y être sensible.

Même bras frêles, même chevelure mordorée flottant dans son dos, même geste des épaules projetées vers l'arrière pour faire contrepoids au panier beaucoup trop lourd pour ses bras de onze ans, Agnès marchait à pas chancelants vers la corde à linge, comme jadis Lauréanne l'avait fait.

L'espace d'un instant, Jaquelin eut de nouveau six ou sept ans, et, devant lui, ce n'était plus sa fille Agnès qui se dirigeait vers la corde à linge, mais bien sa sœur Lauréanne, chaque fois qu'arrivait le lavage du lundi.

Jaquelin en retenait son souffle.

Le goût des pommes juteuses lui remonta à la bouche et la sensation d'un gland bien lisse contre la paume de sa main lui fit frotter deux doigts ensemble. Ce qu'il avait pu être bête en jouant à la mouche du coche, alors qu'il s'amusait à taquiner Lauréanne avec tous ces petits glands qu'il lui lançait malicieusement, quand venait l'automne !

Jaquelin n'avait que six ans. Il ne pensait qu'à s'amuser, qui aurait pu lui en faire le reproche? De toute façon, jamais il n'aurait pu aider sa sœur qui était de corvée chaque semaine. Il était beaucoup trop petit et trop frêle pour cela.

Mais Jaquelin, le père, lui, ne pouvait-il pas aller au-devant de sa fille?

Et d'abord, qu'est-ce qu'Agnès faisait là, à s'arracher le dos en trimbalant ce panier trop lourd pour elle? se demanda Jaquelin en fronçant les sourcils.

Les nuages sombres de ses précédentes pensées étaient déjà très loin.

Temps présent et souvenirs se rejoignirent si bien en lui que Jaquelin ne se posa aucune autre question. Il était déjà debout.

— Eh, Agnès, attends-moi! Je m'en viens t'aider, ma fille.

Agnès leva les yeux, aperçut son père qui venait vers elle, et aussitôt, un grand sourire soulagé éclaira son visage. Sans plus de façon, elle laissa tomber le panier à ses pieds.

Ils travaillèrent à trois mains, le père et la fille, en silence, et, quand le linge fut bien accroché, quand soleil et vent combinés purent commencer à faire leur besogne, Jaquelin demanda:

— Veux-tu ben me dire, Agnès, où c'est que Cyrille est encore passé? Me semble que c'est les vacances pour tout le monde, non? Ton frère devrait pas être ben loin. Il aurait pu venir t'aider! Pis comment ça se fait que c'est toi qui étends le linge, à matin?

— Parce que moman est occupée à autre chose...

La réponse avait fusé avec aplomb.

— Elle fait du fromage, je pense ben! Ça sent le petit caillé partout dans la maison. Quand j'ai vu le panier à côté de la porte, je me suis dit que ça lui ferait une belle surprise si le linge était tout étendu quand elle va avoir fini de presser pis d'emballer son fromage dans le papier ciré. C'est moman qui me l'a dit, l'autre jour: le bébé commence à prendre beaucoup de place pis elle trouve ça fatigant... Pis pour Cyrille, c'est pas compliqué, popa: il peut pas m'aider, vu qu'il est parti depuis hier chez mononcle Anselme. J'avais pas le choix de me débrouiller tout seule si je voulais faire une surprise à moman.

— C'est ben que trop vrai! Ton frère est parti pour la semaine.

Jaquelin parlait sur un ton résigné, contrit, pensif, regardant machinalement vers l'ouest, comme si, au-delà du toit du moulin à scie qu'on apercevait depuis la cour, et au-delà de la petite colline juste derrière, il aurait pu voir son fils travaillant aux champs. Ce matin, Cyrille s'activait chez le frère de sa femme et Jaquelin l'avait oublié.

À travers tout le reste, le bras en moins, l'humeur capricieuse et l'énergie défaillante, depuis l'accident, il arrivait aussi à Jaquelin Lafrance d'oublier des tas de choses.

— Tu vois, Agnès, murmura-t-il dans un soupir, tant pour sa fille que pour lui-même, j'avais oublié que ton frère va passer une partie de l'été chez ton oncle Anselme... Ça m'arrive souvent d'oublier les choses...

— Je le sais...

Agnès haussa les épaules avec nonchalance.

— C'est pas tellement grave, popa, vu qu'on est là, nous autres, pour vous rappeler les choses que vous avez oubliées.

L'analyse était pertinente et sécurisante. Bien sûr, Agnès avait raison : ils étaient là, tous, pour l'aider.

À ces mots, Jaquelin secoua la tête, esquissa un sourire tellement discret qu'il fut presque invisible, puis il revint à sa fille.

— C'est gentil de me dire ça, Agnès. C'est vrai que vous êtes là, faudrait pas que je l'oublie, ça avec... Tu vas voir, ma fille : l'oubli pis la fatigue perpétuelle, ça devrait me passer avec le temps. C'est ça que les docteurs disent. Ça prend beaucoup de temps, par exemple. C'est ça, je crois ben, qui m'impatiente le plus... Pis pour ton frère, c'est juste une bonne affaire qu'il soye en train de travailler. À son âge, faut s'occuper les mains pis l'esprit, pis ici, à part aider ta mère, Cyrille aurait un peu perdu son temps. C'est ben fin de la part de ton oncle d'avoir pensé à lui comme ça.

Quand la tante Félicité avait souligné que la famille trouverait moyen de les aider, elle n'avait pas eu tort. Ainsi, devant la léthargie de son beau-frère, sans rien lui reprocher, cependant, Anselme, un des frères de Marie-Thérèse, avait proposé à Cyrille de venir lui prêter main-forte pour faire les foins.

— Pis j'vas te payer, mon garçon, c'est ben certain ! avait dit l'oncle Anselme, celui que les enfants reconnaissaient comme étant l'oncle qui faisait toujours des blagues. Une piasse par semaine si tu travailles dans le sens du monde, pis un coup de bâton si t'as pas d'allure !

Sur ce, Anselme avait lâché un grand rire tonitruant pour montrer qu'encore une fois, il s'amusait aux dépens de son interlocuteur.

— Mais si j'suis content de toi, par exemple, avait-il enchaîné plus sérieusement, je devrais être bon pour t'occuper de même jusqu'à la fin de l'été. Après les foins, c'est le tabac qui commence. Une terre à tabac, c'est de la grosse ouvrage, mais t'es presque un homme, astheure. Tu devrais pouvoir me donner un bon coup de main. Si t'es d'accord, t'arriverais le dimanche avant le souper, pour qu'on prépare la semaine ensemble durant la soirée, pis tu repartirais le samedi midi, pour venir voir ta famille, comme de raison, pis pour faire ton lavage. Ta tante Géraldine a pas à voir à tes affaires, elle en fait assez pour toutes nous autres. Par contre, elle a déjà monté un lit pour toi dans le grenier. Que c'est que t'en dis, le jeune ?

Passer par le fils pour rejoindre le père, c'était ce qu'Anselme avait trouvé de mieux pour aider la famille de sa sœur.

Comme escompté, Cyrille avait accepté la proposition avec enthousiasme et Anselme était reparti chez lui le cœur content. Quant à Cyrille, c'est en criant pour retrouver sa mère qu'il était retourné à l'intérieur de la maison, tout excité.

— Moman, moman... Où c'est que vous êtes ? J'ai une bonne nouvelle à vous annoncer !

En effet, à toutes sortes de mimiques, à quelques

soupirs ou à certaines remarques échappées par inadvertance, le jeune garçon avait déduit depuis un petit moment déjà que sa mère s'inquiétait d'un éventuel manque à gagner. C'était visible au point où les trois plus vieux en avaient souvent parlé entre eux, assis autour de la petite table sous la fenêtre, au bout du corridor de l'étage des chambres.

— Pourquoi popa reste toujours assis à rien faire ? soupirait régulièrement Benjamin, qui, du haut de ses neuf ans, maintenant, avait bien de la difficulté à cerner la situation. On dirait, depuis qu'il a perdu sa main droite, qu'il est pus capable de rien faire pantoute... Ça se peut-tu, ça, Cyrille ?

— On dirait ben... Mais mets-toi à sa place, Benjamin ! En perdant sa main, popa a perdu aussi son métier... Pis je dirais, à le voir aller, que c'est pire de perdre un métier que de perdre une main.

— Ah ouais ? Tu penses vraiment ça, Cyrille ?

Tout en parlant, Benjamin avait tendu les deux bras devant lui et il examinait attentivement ses mains, qu'il bougeait dans tous les sens en faisant gigoter ses doigts.

— Pas sûr, moi, que j'aimerais ça, perdre une main, avait-il observé à voix haute, en ramenant ses deux mains bien à plat sur la table. Sont pas mal utiles toutes les deux, tu sauras.

— T'es ben drôle, toi ! C'est certain, ça, qu'on a besoin de nos deux mains, sinon le Bon Dieu nous aurait pas faites de même, avait alors rétorqué Cyrille. Mais je pense pareil que perdre une main, c'est pas si pire que ça, rapport que t'en as une autre pour la remplacer. Faut juste apprendre à s'en servir comme deux pour régler le problème. Mais un métier, par exemple, t'en as pas deux, pis quand tu le perds, faut que t'essayes d'en trouver un autre, t'as pas vraiment le choix. Tout le monde a besoin d'un métier, dans la vie. Mais on dirait ben qu'en trouver un deuxième, c'est pas mal dur à faire. On a juste à regarder notre père pour le comprendre.

— Ouais... C'est vrai qu'il fait pas grand-chose, popa, depuis qu'il est revenu des chantiers. Que c'est qu'on va devenir, d'abord, si jamais popa trouvait pas un autre métier ? Parce que moi non plus, j'ai pas ça, un métier, pour aider les parents.

— C'est sûr qu'on a pas de métier, Benjamin, on est trop jeunes. Mais va falloir trouver quelque chose quand même pour pouvoir les aider. Je sais pas trop quoi, ni comment ni où, mais va falloir trouver. En attendant, je pense qu'on pourrait prier. Ça pourrait pas nuire, en tout cas. Pis peut-être, si on le demande ben fort, que les lumières du Saint-Esprit vont finir par éclairer notre père pis l'aider à se trouver un autre métier.

La proposition de l'oncle Anselme était arrivée au lendemain de cette dernière discussion, et Cyrille l'avait vue comme une réponse à ses prières.

Rien n'aurait pu mieux arriver que ce métier tombé du Ciel.

Contre toute attente, Cyrille venait de se dénicher un emploi, comme ils en avaient discuté, Benjamin et lui. Il serait fermier, le temps d'un été, et, par le fait même, il serait l'homme de la situation, en attendant que les choses finissent par se placer.

Ce fut donc légèrement imbu de lui-même que Cyrille, sac au dos, avait quitté la maison familiale, la veille en fin d'après-midi.

— Quand je serai pas là, essaye donc de me remplacer avec moman, avait-il glissé à l'oreille d'Agnès au moment de son départ. Tu dois ben voir, toi avec, que notre mère est fatiguée sans bon sens!

La pauvre Agnès avait acquiescé d'un signe de tête un peu vague. Bien sûr qu'elle voyait que leur mère était fatiguée. Quand cette dernière grognait et tempêtait pour un oui ou pour un non, c'était qu'elle était vraiment à bout de nerfs. Mais on le serait à moins, avec tout ce qu'il y avait à faire dans la maison, surtout avec les petits dans les jambes, parce qu'ils couraient partout depuis qu'ils s'étaient retrouvés. Il y avait aussi ce gros ventre qui rendait leur mère plus lente et moins agile. Visiblement, cet état de choses l'impatientait. Toutefois, la pauvre Agnès ne voyait pas vraiment ce qu'elle pourrait faire de plus pour la soulager. La gamine s'était donc torturé les méninges jusqu'au moment où elle avait aperçu le panier d'osier près de la porte de la cuisine.

Compléter le lavage commencé par sa mère, ça devait bien être quelque chose qui s'approchait d'un métier, non?

Sans hésiter, Agnès avait donc empoigné les deux anses du panier pour l'apporter dans la cour. Tirant et poussant la lourde manne, la soulevant par moments et la traînant à d'autres, la gamine était arrivée jusqu'au bord de l'escalier menant au parterre.

Cyrille serait assurément heureux d'apprendre que sa jeune sœur avait trouvé quelque chose pour aider leur mère. Agnès avait très hâte de tout lui raconter. L'entreprise avait été toutefois nettement plus difficile qu'elle ne l'avait cru de prime abord, mais elle avait serré les dents. Elle avait même réussi à descendre le panier toute seule avant que son père ne vienne l'aider, et, présentement, elle admirait le résultat de ses efforts, les poings sur les hanches et le menton bien haut.

Les serviettes ondulaient mollement dans la brise, et le blanc des chemises, que sa mère passait religieusement au bleu à laver avant le dernier rinçage, était si intense sous le soleil qu'il faisait cligner des yeux.

Agnès était très fière d'elle-même.

D'accord, son père l'avait aidée, mais n'empêche que c'était elle qui avait eu l'idée. Et tant pis s'il n'y avait pas de salaire en échange de son travail. Les quelques instants de repos que pourrait prendre sa mère valaient bien les quelques sous qu'elle n'avait pas gagnés.

— Merci, popa, eut-elle cependant la décence de dire, tout en tournant la tête vers Jaquelin. Maintenant, vous pouvez retourner vous asseoir. J'aurai pus besoin de vous. Quand le linge est sec, il est moins pesant, je devrais être capable de me débrouiller tout seule.

Le ton avait un petit quelque chose de suffisant

qui arracha un sourire à Jaquelin. Il détourna la tête pour le camoufler.

— C'est ben d'adon, ma fille.

Une lueur amusée brillait dans la prunelle de Jaquelin, qui était, pour une première fois depuis fort longtemps, totalement concentré sur l'instant présent, sans envie de voir plus loin et sans besoin de regarder derrière. L'instant présent était d'une douceur à lui rafraîchir l'âme et Jaquelin Lafrance voulait en abuser comme il abusait de ses rêves, parfois.

Était-ce de découvrir une jeune personne pleine de ressources qui le rendait si réceptif à Agnès, alors qu'il avait entretenu durant tout un hiver le souvenir d'une enfant paniquée, criant après sa poupée dans la maison en flammes?

Ou était-ce plutôt cette journée remplie de souvenirs et de surprises qui le rendait à ce point détendu?

Difficile à dire.

Quoi qu'il en soit, Jaquelin se sentait merveilleusement léger, et ce fut pour cette unique raison qu'il ajouta, sur un ton pince-sans-rire :

— C'est une journée parfaite pour rester assis à rien faire, t'as ben raison, ma fille. Juste surveiller le linge qui sèche sur la corde, c'est ben en masse pour occuper son homme.

Cela faisait une éternité qu'Agnès n'avait pas entendu une telle phrase dans la bouche de son père. Une de ces phrases qu'il lançait du temps d'avant l'incendie, avec ce petit air moqueur qu'il se réservait pour de très rares occasions.

En effet, au fil des ans, cela n'était pas arrivé très souvent que Jaquelin affichât une humeur taquine. Toutefois, c'était peut-être cette rareté qui donnait tant de poids et d'importance au souvenir.

À son tour, Agnès revisita alors quelques anecdotes quasi oubliées et, lentement, elle retrouva quelques-uns de ces moments de grâce, en famille, quand, sur un ton à la fois narquois et détaché, Jaquelin Lafrance décochait une phrase ambiguë qui la laissait interdite, parce que les mots étaient parfois difficiles à comprendre et qu'ils suscitaient de curieux regards entre ses parents, comme s'ils s'amusaient ensemble aux dépens de leurs enfants.

Alors, en ce moment, son père se moquait-il d'elle ou était-il sérieux?

Quand, de temps en temps, cela se produisait, et que Jaquelin lançait ses phrases moqueuses, Agnès avait toujours eu beaucoup de difficulté à saisir si son père disait vrai ou s'il riait d'elle. Mal à l'aise, elle rougissait, détournait les yeux, et, souvent, elle quittait la pièce, sans jamais avoir su si son père se voulait drôle ou s'il riait vraiment d'elle ou des autres enfants de la famille.

Puis il y avait eu l'incendie, et plus jamais, depuis, elle n'avait vu son père sourire avant ce matin.

L'incendie...

C'était à cause de l'incendie, aussi, si toute leur vie avait basculé dans l'inconnu en quelques heures à peine.

Agnès y avait laissé sa poupée Rosette. Elle avait

vu disparaître sa maison, emportant dans sa fumée une grande part de son enfance.

Par la suite, Agnès avait connu la promiscuité chez la tante Félicité, alors qu'elle s'était sentie coincée entre ses trois frères. Elle avait détesté tous ces mois à dormir sur des paillasses tout contre eux.

Mais par-dessus tout, il y avait eu son père qui était parti au loin, tellement loin qu'Agnès n'avait pas trouvé le nom du chantier sur la mappemonde, accrochée au mur de la classe.

Même le nom de la rivière n'y était pas indiqué.

La Windigo…

Alors, Agnès en avait voulu à son père de les avoir abandonnés pour s'en aller vivre dans un endroit qui n'existait pas vraiment.

L'hiver avait paru si long qu'Agnès en avait oublié le temps d'avant, la famille d'avant, les rires d'avant…

Puis un jour, sa mère avait dit que l'attente tirait à sa fin, puisque l'hiver se transformait en printemps.

— La saison des chantiers achève, les enfants! Écoutez! On l'entend dans le chant des oiseaux. Ça veut dire qu'un beau matin, on va voir votre père nous arriver, là-bas, au bout de la rue principale, pis ce jour-là, notre vie va reprendre comme celle d'avant.

Alors Agnès avait recommencé à croire que l'impossible serait enfin possible. Leur père reviendrait, ils retourneraient vivre tous ensemble dans une maison toute neuve, et la vie reprendrait enfin comme avant, avec, en plus, vers le milieu de l'été, l'arrivée d'un bébé tout neuf qu'elle pourrait aimer comme elle avait jadis aimé sa poupée. Maman le lui avait promis.

— À ton âge, Agnès, c'est ben certain que tu vas pouvoir m'aider avec le bébé. Tu vas voir que c'est pas mal mieux qu'une poupée !

— Pis on fait quoi, moman, pour s'occuper d'un bébé ?

— Inquiète-toi pas, ma grande, j'vas toute te montrer ça.

Depuis, Agnès surveillait le tour de taille de sa mère, espérant la venue de ce petit enfant comme on rêve d'une grande fête.

Contre toute attente, leur mère avait dit vrai et leur père était revenu, à quelques semaines de là, en avril.

Néanmoins, la promesse de sa mère s'était arrêtée à cela, car plus rien de la vie d'avant n'avait repris sa place.

Si la maison neuve était fort jolie, et confortable, et qu'ils y habitaient comme promis, leur père, lui, ne semblait pas vraiment vouloir y vivre. C'était ce qu'Agnès avait constaté, depuis le printemps, quand elle réfléchissait à sa famille et qu'elle écoutait attentivement ses frères en discuter entre eux. La vie d'aujourd'hui, chez les Lafrance, n'avait rien à voir du tout avec celle d'avant le feu.

Mais voilà que ce matin…

Agnès jeta un regard en coin vers son père. Quand elle vit que ce dernier l'observait en souriant vaguement, elle se sentit rougir.

— Allez, popa, allez vous asseoir, fit-elle une seconde fois, tout en pointant la chaise avec l'index.

Vous allez vous fatiguer sans bon sens à rester deboutte, comme ça, au grand soleil.

— Oh moi !

Jaquelin semblait s'amuser, mais, en même temps, il semblait réfléchir profondément. C'est pourquoi il y eut un bon moment de silence avant qu'il ne précise :

— Tu sais, moi, des soleils pis des lunes, j'en ai vu passer des tas, pis j'suis encore deboutte, malgré tout. C'est toi qui devrais venir t'asseoir avec moi en dessous du grand chêne, parce que t'es encore jeune, ma fille, pis qu'à ton âge, on sait jamais ce que la vie nous réserve... Ouais, dans la vie, on sait jamais ce qui peut arriver. De bon comme de mauvais. Ça fait qu'il faut toujours être prêt à toute, pis ça, ben c'est en réfléchissant qu'on peut y arriver.

À ces derniers mots qui s'adressaient autant à sa fille qu'à lui-même, Jaquelin redevint songeur. Son visage se referma, son regard se perdit sur l'horizon, et il y eut un autre silence, qu'Agnès n'osa interrompre. Puis, brusquement, dans un sursaut de bonne humeur, Jaquelin hocha vigoureusement la tête et ses yeux se remirent à pétiller.

— Envoye, viens, ma fille ! ordonna-t-il joyeusement. De toute façon, on sera pas trop de deux pour surveiller le lavage. Des fois que nos guenilles décideraient de s'en aller faire un tour chez le voisin ! As-tu déjà pensé à ça, toi ? On serait ben mal pris sans nos chemises.

Cette fois-ci, la blague était trop grosse pour ne pas la voir, et Agnès continua de rougir de plus belle.

Mais que se passait-il ce matin avec son père ?

Qui donc était cet homme tout joyeux qu'elle ne connaissait pas vraiment? Était-ce bien le même Jaquelin Lafrance, capable d'une petite blague à l'occasion, soit, mais qui était surtout un père avare de paroles? Sauf en de très rares occasions, son père avait été d'abord et avant tout un homme sévère, intransigeant, malgré le regard de bonté qu'il posait régulièrement sur ses enfants.

La bonne humeur de ce matin était peut-être le gage d'un retour à la normalité, pourquoi pas?

Étourdie par ce trop-plein de questions sans réponses, ébranlée par un débordement d'espoir entretenu depuis si longtemps, Agnès emboîta le pas à son père, sans plus réfléchir, et elle tenta de suivre le rythme imposé par les longues jambes de Jaquelin. Aidée par toute l'espérance qu'elle mettait dans le geste, Agnès arriva au grand chêne en même temps que son père et, dans l'instant, ils se retrouvèrent tous deux à l'ombre.

Jaquelin s'installa sur son transatlantique tout neuf, et Agnès se laissa tomber à ses pieds, assise en tailleur dans les hautes herbes. Puis elle attendit que son père veuille bien reprendre la parole.

Malheureusement, il n'y eut que le bruit du vent dans les feuilles de l'arbre, comme si Jaquelin avait épuisé tous les mots à dire pour la journée.

Agnès attendit un moment, puis un autre. Il n'y avait toujours que la brise chatouillant les feuilles et quelques oiseaux qui s'apostrophaient. Déçue, la fillette pencha la tête et, arrachant un brin d'herbe, elle le porta machinalement à sa bouche, se disant qu'elle aurait mieux fait d'aller à la cuisine voir si sa mère n'avait pas besoin d'aide, quand soudain :

— De quoi est-ce qu'on pourrait jaser, Agnès ? J'aime ben le silence, tu dois le savoir, mais j'aime ben aussi être au fait de ce qui se passe dans la tête de mes enfants. Là, en ce moment, à quoi tu penses, ma fille ?

Agnès ouvrit tout grand les yeux.

— À quoi je pense, moi ?

— Oui, toi...

Jaquelin fit mine de chercher autour de lui.

— Ouais, ça doit être à toi que je parle, rapport que je vois personne d'autre autour d'ici.

— Ben... Je sais pas trop à quoi je pense, pis je sais pas plus de quoi on pourrait parler, popa... J'ai pas l'habitude de ça, moi, parler pour parler... Peut-être des vacances qui viennent de commencer ?

— C'est vrai, les vacances viennent de commencer. Tu vois, une autre affaire que j'avais oubliée.

À ces mots, Agnès échappa un long soupir et la question qui allait avec.

— Pourquoi c'est faire que vous oubliez beaucoup de choses depuis que vous êtes revenu, popa ?

— C'est un « pourquoi » difficile à comprendre, pis je sais pas trop quoi te répondre... C'est peut-être que ma mémoire est restée coincée au fond de la rivière, quand j'suis tombé dans l'eau.

Depuis l'accident, Jaquelin avait vraiment l'impression que c'était toute sa vie qui était restée dans l'eau glacée de la Saint-Maurice.

Toutefois, l'image de son père au fond d'une rivière

était surprenante, un peu angoissante, et elle fit peur à Agnès, d'où cette question spontanée :

— Parce que vous êtes allé jusque dans le fond de la rivière, popa ? Vraiment dans le fond ? Vous avez dû avoir peur !

— Ben là…

Oui, Jaquelin avait eu peur. Durant l'instant où il avait senti qu'il perdait pied, oui, il avait eu très peur, mais Agnès n'avait pas besoin de le savoir. Surtout pas elle. Partant de là, tout ce que Jaquelin voulait, en ce moment, c'était de dédramatiser la situation, car une chose qu'il n'avait pas oubliée, qu'il n'oublierait jamais, c'étaient bien les cris de détresse et de panique que sa petite fille avait poussés lors de l'incendie.

Cette nuit-là, sa fille avait eu peur pour toute une vie.

Quand il était ressorti de la maison, tenant Agnès dans ses bras, tout contre lui, toussant et crachant la fumée qu'il avait respirée, Jaquelin s'était juré qu'il serait toujours là pour protéger sa fille. Alors, ce qu'il avait de mieux à faire, en ce moment, c'était de calmer l'angoisse qu'il entendait dans la voix d'Agnès et rien d'autre.

— Je peux pas te répondre comme ça, commença-t-il tout hésitant.

Puis, soudainement éclairé, il ajouta, avec une assurance certaine dans la voix :

— Non, je peux pas te répondre, Agnès, même si je le voulais, rapport que je m'en souviens pus.

La gamine fronça les sourcils et poussa un second soupir, long comme un jour sans pain.

— C'est ben embêtant, tout ça !

— Comme tu dis, Agnès : c'est ben embêtant tout ça. Le plus embêtant, par contre, c'est peut-être ma main qui est restée gelée. Plus encore que ma mémoire, je dirais.

— C'est vrai que ça doit être malcommode, avoir juste une main qui veut bouger comme du monde...

— Tu penses ça, toi ?

— C'est sûr. On a pas deux mains pour rien. Ça, c'est Cyrille qui l'a dit, l'autre jour. Pis j'suis d'accord avec lui. Mais il dit aussi qu'on peut toujours apprendre à faire les choses avec une seule main.

— Ben, regarde-moi donc ça... Cyrille t'a déjà dit ça, lui ?

— Ouais... C'est-tu vrai, popa, qu'on peut apprendre à se débrouiller avec juste une main ?

— Certaines choses peuvent se faire avec une seule main, c'est vrai. Regarde moi ! J'ai quand même appris à manger avec une seule main. Mais il y a d'autres affaires, par exemple, qui ont besoin des deux mains, pis ça, vois-tu, j'en suis ben certain.

— Ouais, peut-être... Pis dans les choses qu'on peut pas faire avec juste une main, il y a le métier de cordonnier, hein, popa ?

La lucidité de sa fille troubla Jaquelin.

— T'as tout compris, Agnès, admit-il cependant, oubliant presque qu'il s'adressait à une enfant de onze ans. On peut pas être cordonnier sans avoir l'usage de ses deux mains. Une pour tenir la bottine pis l'autre pour la réparer. Ou encore, une pour tenir l'aiguille pis l'autre pour enfiler le fil...

— Je comprends... Ouais, astheure, je comprends que c'est pour ça que la cordonnerie reste fermée, depuis qu'on est rendus dans la nouvelle maison.

— C'est pour ça.

— Ben, c'est dommage, popa, parce que le village aurait ben besoin de quelqu'un pour réparer les vieilles bottines. Ça fait loin d'aller jusqu'à Saint-Ambroise, juste pour faire remplacer une semelle. Pis ça prend quelqu'un, aussi, qui sait faire les souliers neufs.

— Là, je t'arrête, Agnès, parce que les souliers neufs, on peut les acheter déjà toutes faites. Pas besoin d'un cordonnier pour ça. Mais pour réparer les vieux chaussons, les godasses, les bottines, pis les mocassins, pour faire des trous dans les ceintures, pis rafistoler les sacoches des femmes, là, t'as ben raison, ça prend un cordonnier!

— Pour les souliers neufs, c'est vrai ce que vous venez de dire, popa, rétorqua Agnès du tac au tac, entièrement prise par la discussion, mais c'est pas au magasin général qu'on peut trouver des beaux souliers. Pas aussi beaux que ceux que vous faites, en tout cas. Ce que monsieur Ferron garde dans son magasin, c'est juste des grosses bottines pesantes, noires ou brunes. Avec des lacets qui sont pas de la même couleur, des fois. Je les aime pas, les souliers du magasin général. Même dans le gros catalogue de monsieur Touche-à-Tout, j'ai jamais vu des souliers aussi beaux que ceux que vous m'avez déjà faites.

Vous vous rappelez, popa, mes beaux souliers ? Ceux qui étaient blancs, en cuir toute doux, que je mettais juste l'été ? J'ai jamais vu d'autres souliers aussi beaux que ceux-là, vous saurez, avoua-t-elle finalement avec une pointe de déception dans la voix.

— C'est gentil de dire ça, Agnès, même si c'est un peu inutile.

— Je le sais ben que c'est inutile, enchaîna Agnès, qui se méprenait sur le sens des paroles de son père. Faut pas que je regrette les souliers que j'ai perdus dans le feu, vu qu'ils me feraient même pus parce que j'ai grandi. C'est moman qui me l'a dit, l'autre jour.

— Elle a ben raison, ta mère... Moi-même j'en reviens pas de voir comment c'est que t'as grandi, durant l'hiver... C'est ben certain que les souliers que t'as mis durant les deux étés passés te feraient pus aujourd'hui. Malheureusement, je pourrai pas te faire de souliers neufs, ma pauvre Agnès.

— Je le sais, popa. Pis je le sais, avec, que c'est pas de votre faute... Mais ça me rend quand même un peu triste... Pis vous, popa, c'est-tu de pas pouvoir faire des souliers neufs qui vous rend triste de même depuis que vous êtes revenu à la maison ?

— T'as raison, Agnès, c'est un peu ça qui me rend triste, comme tu dis. Triste pis en colère parce que j'avais un bon métier, que je l'aimais ben, pis qu'as-theure, je peux pus le faire.

À expliquer leur nouvelle réalité à sa fille, Jaquelin avait l'impression d'en faire le tour pour lui aussi, mais, pour une fois, sans aucune agressivité. La présence d'Agnès imposait cette retenue.

— Ouais… Je comprends ce que vous dites, poursuivit alors la jeune fille, le regard sérieux. C'est comme pour Rosette, qui a fondu dans le feu, pis mes souliers en peau d'agneau : je les aimais beaucoup, pis le feu me les a enlevés. Vous, c'est un métier que vous aimiez beaucoup, pis c'est la rivière qui vous l'a enlevé.

— On pourrait dire ça comme ça, oui. T'as les yeux clairs, ma fille.

— Ben c'est de valeur, tout ça… Par contre, moi, j'vas avoir un petit frère ou une petite sœur bientôt, pis moman a dit que c'est moi qui vas m'en occuper souvent. Comme ça, je m'ennuierai pus pantoute de ma poupée, pis j'vas moins penser à mes souliers. Vous, popa, vous êtes pas capable de trouver un autre métier pour que vous soyez un peu moins triste à cause de la cordonnerie qui reste toujours fermée ?

— Que c'est que t'en penses ?

— Ben là, c'est difficile à dire… Si vous, vous le savez pas, comment c'est que moi, je pourrais le savoir ? Je connais pas ça, les métiers pour les pères, moi. Pis je sais pas trop ce qui saurait vous faire plaisir.

— Moi, je le sais !

Jaquelin et Agnès sursautèrent et levèrent les yeux vers la corde à linge, avec un synchronisme exemplaire.

De loin, par la fenêtre de la cuisine et tout en pressant son fromage, Marie-Thérèse avait assisté à ce moment de complicité entre Jaquelin et leur fille. Il avait suffi d'un sourire fugace aperçu sur le visage de son mari, pour que tout l'espoir du monde rejaillisse dans son cœur.

Enfin! Jaquelin, son Jaquelin, semblait de retour.

Retenant son souffle, elle avait eu les larmes aux yeux quand elle avait vu son homme tendre le bras pour aider à porter le panier, puis pour aider à étendre les draps, et enfin pour aider à épingler les chemises.

Il en faisait des choses avec un seul bras, son Jaquelin!

Alors Marie-Thérèse, rassurée, s'était dit que l'idée qu'elle avait eue n'était peut-être pas si folle qu'elle en avait l'air.

Dès que tout le fromage avait été pressé, emballé, et placé dans la glacière, elle était sortie de la maison, aussi vite et discrètement que le permettait son gros ventre.

Trop occupés à jaser, ni Jaquelin ni Agnès ne l'avaient vue approcher.

Intimidée comme souvent elle l'était quand elle voulait parler à son homme, Marie-Thérèse s'était arrêtée, et, cachée derrière un drap, elle avait assisté à une partie de la conversation entre son mari et sa fille.

Ils en avaient des choses à se dire, ces deux-là, et c'était tant mieux.

Les larmes aux yeux et le cœur tout fou, Marie-Thérèse en avait conclu que le moment d'intervenir était peut-être enfin venu. Cela faisait des jours et des jours qu'elle l'espérait. Lorsqu'elle avait entendu la question que Jaquelin avait adressée à Agnès, elle n'avait pu se retenir plus longtemps.

— Moi, je le sais, ce qui ferait plaisir à ton père, Agnès, répéta-t-elle, tout en écartant le drap. Mais avant de t'en parler à toi, faudrait peut-être que j'en parle avec lui.

Deux regards curieux et surpris se posèrent simultanément sur elle.

— T'étais là, toi ?

— Vous étiez là, moman ?

La jeune femme esquissa un sourire, incapable de se laisser aller à un véritable rire, sachant que la vie de sa famille allait probablement se jouer dans les quelques instants à venir.

Il suffisait que Jaquelin dise non pour que tout soit à refaire et Marie-Thérèse ne savait pas si elle aurait le courage de reprendre la réflexion à zéro.

Elle prit donc une longue inspiration, priant le Ciel de lui venir en aide, et ce fut le cœur battant la chamade qu'elle se lança en acquiesçant :

— Oui, j'étais là ! Je vous ai vus, tous les deux, depuis la fenêtre de ma cuisine, pis ça m'a donné envie de venir vous rejoindre. Il fait si beau aujourd'hui ! Mais vous aviez l'air de si bien vous entendre, vous deux, que j'ai pas eu le cœur de vous déranger... Jusqu'à maintenant. Asteure que c'est faite, j'aimerais ben ça, Agnès, que tu retournes dans la maison pour voir aux petits. Ils sont dans la cuisine en train de grignoter les restants de fromage qui flottent dans le petit lait. Donne-moi un moment avec ton père, pis j'vas aller vous rejoindre. Ça devrait pas être trop long.

Habituée à obéir sans poser de questions, Agnès était déjà debout.

— C'est beau, moman! J'vas m'occuper des petits.

— T'es ben serviable, ma grande, je l'apprécie. Pis en passant, merci ben gros pour le lavage. C'est pas mal fin d'avoir pensé à étendre tout ça! Ça va ménager mon dos.

Comme les compliments ne pleuvaient pas chez les Lafrance, Agnès ne sut que répondre. Rougissante, elle tourna les talons, et se mit à courir vers la maison. Ce ne fut qu'une fois arrivée devant la porte qu'elle hésita une fraction de seconde avant de lancer par-dessus son épaule:

— Pis occupez-vous pas du linge sur la corde, moman. M'en vas le rentrer t'à l'heure, quand il va être sec.

Sur cette promesse, la porte s'ouvrit, en grinçant, puis se referma, en claquant, et la brise reprit possession de la cour et du chêne.

Jaquelin et Marie-Thérèse restèrent silencieux durant un court moment, chacun perdu dans ses pensées, puis Marie-Thérèse déclara, sur le ton de celle qui ne sait trop si ce qu'elle fait est la bonne chose à faire:

— J'aimerais ça te parler, Jaquelin. Ça fait un boutte que j'y pense sans trop savoir comment le dire... Mais avant, faudrait que tu me promettes une chose.

— Comment veux-tu que je promette de quoi que je connais même pas?

— À ça, je peux juste te répondre que tu pourrais me faire confiance.

— Ouais, c'est sûr que je peux te faire confiance. Je l'ai toujours faite, pis j'ai jamais été déçu.

— Bon, tu vois ben! Astheure, promets-moi que tu vas dire oui, pis que tu vas me suivre sans rouspéter, sans te mettre en colère.

À ces mots, Jaquelin se sentit blêmir.

— Je pense que je te vois venir, toi là.

— Ça se peut, oui. Pis après? Que c'est que ça change au fait qu'il va ben falloir, un jour ou l'autre, que tu te décides à briser la glace, pis que tu viennes voir la cordonnerie?

Parlant ainsi, Marie-Thérèse entendait son cœur battre jusque dans sa tête, quand soudain, la voix de Jaquelin la rejoignit alors qu'il admettait dans un souffle:

— Je le sais, Marie. Je le sais donc qu'il va falloir que je me décide... Il y a des jours où je pense juste à ça, tu sauras. Mais que c'est tu veux que je te dise? Ça me fait peur, Marie. Tu peux pas savoir à quel point ça me fait peur, tout ça... Peur de regretter le passé, je crois ben. Peur d'être tellement en colère après toute ce qui nous arrive depuis un boutte que j'vas avoir envie de fesser dans les murs, comme mon père, pis ça, je le veux pas... En même temps, elle est ben correcte, ton idée. C'est toi qui as raison, Marie, je le sais... T'as ben raison quand tu dis qu'il va falloir que je me décide...

Jaquelin regarda autour de lui. La brise soulevait les draps et faisait chanter les feuilles du chêne. L'ancien cordonnier esquissa un sourire, puis le ravala aussitôt, quand il se demanda s'il y avait en lui suffisamment de courage pour aller jusqu'au bout.

Marcher sur des billots qui flottent, c'est une chose qu'un homme peut faire sans avoir peur ; regarder sa vie bien en face, c'est une tout autre chose.

— Aujourd'hui, il fait beau, commenta-t-il d'une voix sobre. C'est une journée pour être heureux pis tout a commencé dans ce sens-là avec Agnès. Ça faisait longtemps que je m'étais pas senti bien de même. C'est probablement pour ça que j'arrive à parler, à matin… Je me sens comme les jours où je m'installais à la table du dortoir pis que je t'écrivais. Les mots venaient tout seuls pis à matin, c'est un peu pareil… À matin, ça doit être le Bon Dieu qui nous a envoyé une belle journée de même pour nous dire que malgré toute, Il nous aime bien. C'est Lui qui t'a envoyée, toi, avec ton idée de cordonnerie… Pourquoi pas ? De toute façon, aujourd'hui, demain ou la semaine prochaine, ça va être le même calvaire pour moi. Aussi ben que ça soye aujourd'hui… M'en vas te suivre, Marie. Je me dis qu'avec toi, ça devrait être moins pire.

Tout en parlant, Jaquelin s'était relevé.

Malgré la main qui n'obéissait plus, il n'avait rien perdu de sa prestance et Marie-Thérèse le trouva beau, aussi beau qu'au premier jour de leurs fréquentations.

Se plaçant à côté de lui, la jeune femme tendit sa main droite pour que son mari puisse la saisir avec sa gauche, et, ensemble, d'un même pas, ils se dirigèrent vers la porte de côté, celle construite expressément pour les clients parce qu'elle donnait directement dans la cordonnerie.

Quand Marie-Thérèse ouvrit la porte, elle sentit Jaquelin se raidir contre son épaule.

Allait-il changer d'avis ?

Inquiète, intimidée encore plus que tout à l'heure, Marie-Thérèse leva la tête vers son mari. Quand elle vit une eau tremblante au bord de ses paupières, elle sut qu'elle avait pris la bonne décision et qu'il ne se sauverait pas.

— C'est ben beau, Marie, fit enfin Jaquelin d'une voix enrouée, tout en avançant d'un pas dans la pièce.

— C'est pour toi, mon homme, si j'ai faite ça beau de même.

Jaquelin n'écoutait plus. Du regard, il fit le tour de la pièce ensoleillée, avança lentement, comme on entre dans une église. Il se rendit à l'établi et, du plat de la main, il en toucha le bois bien sablé. Il reconnaissait là la touche de son beau-frère Ovila. Puis Jaquelin tendit la main pour caresser le bois verni des outils, installés au mur, et il remarqua, dans un coin, la chaise pour les clients.

Les larmes, maintenant, coulaient sans retenue.

— J'ai jamais rien vu d'aussi beau, Marie. La cordonnerie que t'as faite est belle à vouloir vivre dedans ! Même les murs ont la couleur du soleil. Ouais... Pis dire qu'une belle cordonnerie de même aurait pu être à moi.

— Mais elle est à toi, Jaquelin. À qui tu voudrais qu'elle soye ?

— Ben voyons donc, Marie ! Comment veux-tu que ?...

Avec une douceur infinie, Marie-Thérèse posa la main sur les lèvres de son mari pour l'obliger à se taire.

— Chut... Laisse-moi finir, Jaquelin. Astheure que t'as vu la place pis que tu l'aimes, laisse-moi t'expliquer comment je vois ça. Après, quand j'aurai fini de parler, tu me diras ce que t'en penses.

Alors Marie-Thérèse parla. Elle, si timide de nature, se fit violence. Elle s'accrocha au souvenir qu'elle gardait de la dernière nuit passée dans les bras de son mari et de toutes ces lettres échangées au cours de l'hiver, où les mots écrits avaient si facilement, lui semblait-il, remplacé ceux que les époux n'osaient jamais se déclarer. Elle puisa à même l'amour puissant qu'elle ressentait pour cet homme le courage d'expliquer ce qu'elle avait mis tant de temps et de soins à concevoir.

— À deux, mon homme, on devrait y arriver, commença-t-elle, mal à l'aise. Pourquoi pas ? J'avais l'idée depuis un boutte, mais je me disais que c'était trop fou. C'est quand je t'ai vu étendre le drap avec Agnès que je me suis dit que ça serait peut-être possible, que c'était peut-être pas si fou que ça, mon idée. À nous deux, on va y arriver, je le sais.

— Pourquoi t'en as pas parlé avant, Marie ?

— Est-ce que j'aurais pu en parler avant ? Je pense pas, moi, parce que toi, t'étais pas prêt à ça. Tu voulais pas parler d'avenir, mon pauvre Jaquelin, pis quand tu parlais du passé, c'était dans ce qu'il nous avait laissé de plus difficile, de plus laid, pis là, c'est moi qui voulais pas vraiment en parler. Rappelle-toi! Tu voulais même pas venir voir la cordonnerie. Pas pantoute! T'as même pas visité toute la maison. Pendant des semaines, tu t'es promené de notre chambre à la cuisine, pis de la cuisine à notre chambre en ruminant des vieilles affaires.

— Ouais, c'est vrai... J'étais comme pas là.

— T'étais pas là, c'est le bon mot... Pis moi, ben, j'avais peur que tu nous reviennes jamais. Il a fallu une journée belle comme un rêve, je pense ben, pis l'impression d'avoir vu un sourire traverser ta face pour que je me décide à faire le premier pas. J'avais le sentiment que t'étais mieux, aujourd'hui, sinon, t'aurais jamais pris toute ce temps-là pour Agnès. Je me suis dit que si j'en profitais pas, je risquais de jamais rien dire.

— Je vois ce que t'essayes d'expliquer... T'as pas eu tort, Marie. C'est vrai que je me sens bien, à matin. N'empêche que c'est particulier ce que tu me proposes là. J'suis pas sûr pantoute que ça peut marcher.

— Donne-moi une chance, Jaquelin. Donne-nous une chance. Si je me trompe, pis qu'on arrive pas à travailler ensemble, promis, je t'en parlerai pus jamais, pis on essayera de trouver d'autre chose. Mais faut quand même essayer. Des fois que ça marcherait.

— Ouais, des fois que ça marcherait...

Du bout du doigt, Jaquelin frôlait le bois verni des alènes, le tranchant des ciseaux. Étirant le bras, il apprécia la douceur des pièces de cuir que Marie-Thérèse avait empilées sur un coin de l'établi.

— Pis les outils sont placés juste comme je les veux, remarqua-t-il à mi-voix, le cœur battant d'espoir.

— J'ai essayé de toute me rappeler comme il faut... Si tu savais comment j'avais hâte que tu voyes tout ça ! C'est monsieur Touchette qui m'a aidée à choisir les lanières de cuir pis le gros fil. Je me disais qu'il devait quand même connaître ça un peu, depuis le temps qu'il remplit tes commandes ! J'espère juste que tout est ben correct.

— À première vue, tout a l'air d'avoir pas mal de bon sens, Marie. L'essentiel est là, c'est sûr... C'est pas mal fin de la part de monsieur Touchette d'avoir pris le temps de t'aider, pis d'avoir pris le temps de venir me chercher aussi, précisa Jaquelin avec une indéniable gravité dans la voix. Je l'ai pas assez remercié.

— Tu pourras te reprendre, mon homme, rassura Marie-Thérèse. Il est jamais trop tard pour dire les affaires gentilles.

— T'as ben raison...

L'émotion qui étreignait Jaquelin était d'une intensité à couper le souffle. C'était un peu comme s'il venait au monde une seconde fois et l'envie de pleurer, de poser sa tête sur l'épaule de Marie-Thérèse, l'emporta sur sa timidité habituelle. Durant un long moment, tout contre celle qui avait juré d'être là pour le meilleur et pour le pire, Jaquelin Lafrance commença enfin à faire la paix avec lui-même et avec la vie.

— Je comprends, astheure, pourquoi tu voulais

que je vienne voir, reprit-il enfin quand les larmes furent taries... T'as dû travailler sans bon sens.

— Oh, j'étais pas toute seule ! Mon père pis Ovila ont toujours été là pour moi, pas trop loin. Quand j'hésitais, on prenait le temps d'en discuter. On prenait les choses une après l'autre pis au bout du compte, je pense qu'on a ben faite ça...

— C'est sûr que vous avez ben faite ça...J'aurais pas faite mieux.

— Ben tant mieux si t'es content... Astheure que je sais ça, je peux-tu te poser une autre question, Jaquelin ?

— Si tu veux...

— Pourquoi hier t'as passé la journée enfermé dans notre chambre, comme si t'étais un étranger, pis qu'à matin, j'ai eu la drôle d'impression de retrouver mon mari ?

— Pourquoi à matin ? Je le sais pas trop, Marie. Le soleil, je crois ben, le grand chêne pis une couple de souvenirs qui étaient là, en moi, quand je me suis réveillé. Pis il y a Agnès, aussi. C'était juste une petite fille que j'avais laissée en partant pour les chantiers. C'était une petite fille aussi fragile que sa poupée que j'avais arrachée aux flammes. Ouais, à l'automne, notre petite Agnès était encore une enfant, pis là, tout d'un coup, j'ai eu l'impression de voir la femme qu'elle va devenir un jour. La petite fille avait disparu. Ça m'a serré le cœur. C'est là, je crois ben, que j'ai compris que ma famille était pas restée figée en attendant que je revienne, pis qu'elle allait continuer d'avancer sans moi si je me décidais pas à faire quelque chose de ma vie… Je me suis dit qu'il était peut-être temps de sortir de ma tristesse pis de ma colère envers la vie, parce que j'étais en train d'en perdre des bouttes… Tu te rappelles, Marie, au lendemain de l'incendie? Juste avant de partir, je t'avais dit qu'au-delà d'une maison perdue, on avait eu la grâce de garder toute notre famille avec nous autres. Je t'avais dit que le bien le plus précieux qu'on avait, toi pis moi, c'étaient nos enfants. Je le pensais, tu sais. Pis je le pense encore, même si ça paraît pas trop. J'étais juste en train de l'oublier. J'étais en train de passer à côté de ma famille sans regarder toute ce qui restait de beau à regarder. C'est ça que je me suis dit, t'à l'heure, en accrochant le linge avec Agnès. Tout ça aurait pu m'être enlevé. C'est ben pire, tu sauras, qu'une main de perdue.

Il n'y avait rien à ajouter.

Lentement, à sa façon, Jaquelin Lafrance commençait enfin à sortir de la rivière et Marie-Thérèse venait de comprendre que l'eau glacée n'aurait eu raison, finalement, que de sa main droite.

La jeune femme se fit lourde contre l'épaule de son homme, de ce geste amoureux qu'ils gardaient pour l'intimité.

— T'aurais pu mourir, Jaquelin, murmura-t-elle d'une voix rauque. J'aurais pu me retrouver toute seule à élever notre famille. Mais le Ciel a pas voulu ça de même. Dieu soit loué! Il nous éprouve, c'est sûr, mais en même temps, Il nous laisse le meilleur, parce qu'Il nous a laissé nos enfants. À toi pis moi, astheure, de redonner au centuple, comme monsieur le curé le dit dans ses sermons.

Jaquelin buvait les mots de Marie-Thérèse. Il avait la sensation bien tangible de s'abreuver à une fontaine d'eau fraîche après une pénible traversée du désert.

— On va essayer, Marie, promit-il avec ferveur. On va essayer de toutes nos forces de travailler ensemble. Après tout, j'ai ben appris à bûcher pis à scier le bois à deux. Pour un homme habitué de faire son métier tout seul, c'était déjà pas pire. Alors, ça me fait dire que je devrais arriver à travailler avec toi sans trop de problèmes.

— C'est sûr qu'on va y arriver. De mon côté, je devrais être capable d'apprendre ben des affaires. J'suis pas trop gauche, pis à l'école, j'apprenais vite.

— J'ai pas de doute là-dessus! Pis c'est Agnès qui va être contente! T'à l'heure, elle me parlait justement de ses souliers blancs.

— Ouais, les souliers qui ont passé au feu... À moi aussi, elle en a parlé. Pis plus qu'une fois, à part de ça.

Ce fut ainsi qu'Agnès retrouva ses parents. Enlacés dans un rayon de soleil, ils discutaient à voix basse.

— Ah, c'est là que vous êtes, vous deux! Je vous cherchais partout.

Normalement, Marie-Thérèse aurait dû tressaillir et Jaquelin, s'écarter d'elle.

Il n'en fut rien.

Les deux époux échangèrent un regard et, sans avoir besoin d'en discuter, ce fut Jaquelin qui se tourna vers Agnès pour répondre.

— Oui, ma fille, c'est ici qu'on est, ta mère pis moi. Pis toi, que c'est que tu fais là ? T'as besoin de quelque chose ?

D'être ainsi confrontée à ce qui ressemblait à un moment entre amoureux, du moins pour le peu qu'elle en savait, Agnès vira au rouge écarlate et, tout en reculant d'un pas, elle bafouilla :

— Euh, non... J'ai pas vraiment besoin de quelque chose. Je voulais juste savoir où c'est que vous étiez, pis vous dire aussi que les petits ont faim... Les miettes de fromage frais leur ont ouvert l'appétit, on dirait ben.

— On arrive.

C'était bien la première fois que Jaquelin prenait spontanément la parole pour un détail comme celui d'un repas à venir. Jusqu'à maintenant, ces petits riens du quotidien avaient toujours fait partie du domaine de Marie-Thérèse, et Jaquelin s'était toujours fait un devoir de le respecter.

Tout comme la cordonnerie avait toujours été la chasse gardée de Jaquelin et que Marie-Thérèse l'avait, elle aussi, toujours respectée.

De toute évidence, ce matin, bien des choses semblaient vouloir changer sous le toit de la maison neuve des Lafrance.

— Ouais, on arrive, ma fille, répéta Jaquelin avec assurance. Dis aux petits de patienter un peu, ça sera pas long. Mais avant, j'aurais peut-être quelque chose à te proposer... Quelque chose qui devrait te faire plaisir.

D'un regard soutenu, Jaquelin sollicita la permission

de Marie-Thérèse, qui avait vite compris ce que son mari voulait dire par ces quelques mots. Ils venaient tout juste d'en parler ensemble. S'y mettre à deux pour le bonheur d'un de leurs enfants était peut-être la meilleure chose à faire pour voir s'ils s'entendaient bien dans le travail, comme ils s'entendaient si bien pour tout le reste. Marie-Thérèse accorda donc cette permission sans la moindre hésitation, en hochant doucement la tête. Alors Jaquelin afficha un grand sourire, comme on pousse parfois un grand soupir de soulagement, et il demanda :

— Que c'est que tu dirais, Agnès, si ta mère pis moi on essayait de te faire des souliers neufs ? Serais-tu contente ?

La gamine posa un regard incrédule sur ses parents. Est-ce qu'on était en train de se moquer d'elle, ici ? Pourtant, malgré les sourires, son père et sa mère avaient l'air tout à fait sérieux.

— Vous deux ? demanda-t-elle sur un ton suspicieux. Vous feriez des souliers ensemble ?

— Et pourquoi pas ?

— Ben coudonc ! J'ai jamais vu ça, un cordonnier à deux têtes, mais c'est une pas mal bonne idée, je pense ! Ouais, c'est une bonne idée, surtout si c'est pour me donner des souliers neufs.

À suivre…

NOTE DE L'AUTEUR

Il y a un an, je ne savais pas que Jaquelin et Marie-Thérèse existeraient un jour. Toutefois, malgré la peur de l'inconnu, j'avais déjà décidé que mes écrits allaient prendre une nouvelle direction. J'en avais envie, vraiment, même si j'avais la sensation désagréable de me jeter dans le vide. Il faut dire, cependant, que je craignais qu'en poursuivant sur ma lancée, je me mettrais à radoter! À trop en dire, parfois, on dilue l'intention. J'ai donc choisi en toute liberté de tourner la page! Pour un écrivain, c'était de mise, n'est-ce pas? Dieu sait pourtant que je les aimais sincèrement, tous ces personnages qui m'avaient accompagnée au fil des jours, durant de si nombreuses années déjà.

De Cécile à Alexandrine, de Raymond à Jacob, de Brigitte à Gilberte, d'Antoine à Ernest, de Jeanne à Charlotte, de Thomas à Célestin... Et que dire de ma belle grosse Pauline, si humaine, si drôle, par moments, tandis qu'elle tente de cacher sa tristesse?

Vous en souvenez-vous?

Que de gens merveilleux, d'histoires différentes et de témoignages de vie poignants!

Abandonner tous ces personnages que j'avais vus naître et grandir devant mon regard d'écrivain a été déchirant. Les voir s'éloigner de moi, sans même se retourner pour une dernière complicité, a laissé un grand vide, je vous l'avoue. Comme un immense vertige qui me donnait envie de pleurer.

C'est à ce moment que Jaquelin s'est manifesté pour une toute première fois. Silencieusement, discrètement, à sa manière bien personnelle, un peu distante, mais combien tangible et attirante. Peut-être attendait-il tout bonnement que je sois seule pour me rendre visite ? Ça lui ressemblerait assez d'agir ainsi. Je l'ai donc laissé s'approcher...

À moins que ce soit moi qui aie fait les premiers pas, par désir de sentir une présence rassurante quand je me suis retrouvée, un bon matin, toute seule devant l'ordinateur. Ici, c'est à moi que ça ressemblerait d'aller au-devant des gens, même ceux que je ne connais pas, et je ne me souviens pas très bien qui, de Jaquelin ou de moi, a osé un premier geste, un premier mot. Mais quelle importance ? J'ai beau travailler en solitaire, et tenir à cette solitude comme à la prunelle de mes yeux, il n'en reste pas moins que j'ai vraiment besoin de sentir quelqu'un à mes côtés, durant ce lent processus de création. C'est un peu contradictoire, je le sais, mais que voulez-vous que j'y fasse ? Ça fait partie de mes nombreuses incohérences. On en a tous, n'est-ce pas ? Alors je me répète : quand je m'installe pour travailler, il y a vous, chers lecteurs, et il y a aussi tous mes personnages. C'est vous tous qui me tenez compagnie, jour après jour. Ça me sécurise et me donne l'étincelle nécessaire pour avoir envie de continuer.

Quoi qu'il en soit, Jaquelin et moi avons appris à

nous connaître et, dès que ce fut fait, il m'a présenté son épouse, Marie-Thérèse. J'ai vite saisi que cette femme-là avait une importance capitale dans sa vie. On n'a qu'à regarder les yeux de Jaquelin quand il les pose sur elle pour tout comprendre. Finalement, et sans grande hésitation de sa part, c'est Marie-Thérèse qui a ouvert tout grand la porte des confidences sur leur vie à deux. Une vie bien simple, je l'admets, mais combien riche en amour, comme on le souhaiterait tous, et truffée d'espoir, comme on serait tous en droit de le désirer.

Aujourd'hui, des liens solides se sont tissés entre eux et moi, et je me surprends à les aimer tout autant que mes anciens personnages. J'espère bien sincèrement avoir le privilège de les garder longtemps dans ma vie, tout comme j'espère, du plus profond de mon cœur, qu'ils ont su se tailler une petite place dans votre quotidien avec le premier tome de cette série.

Quand nous les avons quittés, au terme de ce tome 1, le ciel semblait vouloir s'éclaircir au-dessus du village de Sainte-Adèle-de-la-Merci, surtout pour la famille Lafrance, qui venait de vivre, coup sur coup, un terrible revers et un grand malheur. Qu'à cela ne tienne, Marie-Thérèse veillait! Sur une proposition audacieuse de sa part, du moins pour l'époque, la cordonnerie va enfin rouvrir ses portes, en dépit du nouvel handicap de Jaquelin.

Le commerce aura été fermé en tout et pour tout durant huit mois. C'est à la fois assez court dans le temps, compte tenu de l'importance de l'incendie, mais aussi très long pour ceux qui ont à vivre l'incertitude qui en découle. N'empêche que les habitants de Sainte-Adèle-de-la-Merci semblent fort aise de cette réouverture. Je les vois sourire quand ils passent devant la maison et qu'ils remarquent l'écriteau annonçant que la cordonnerie va enfin reprendre du service.

Agnès, quant à elle, trépigne de joie à l'idée d'avoir des souliers neufs.

— C'est une très bonne idée de commencer par me faire des souliers pour voir si vous êtes capables de travailler ensemble, tous les deux, a-t-elle commenté pour ses parents, avec le plus grand sérieux. Comme ça, même si ça marche pas, votre projet, ben moi, j'vas au moins avoir mes souliers neufs!

L'idée de travailler à deux est excellente, j'en conviens. Néanmoins, je n'arrive pas à me réjouir totalement avec eux. Oh! J'essaie de me faire discrète, de ne rien laisser voir de cette inquiétude que je n'arrive pas à maîtriser complètement. Je ne voudrais surtout pas me faire reprocher d'être un éteignoir. C'est pourquoi, en dépit de mes doutes, il arrive que je leur fasse de petits sourires de connivence ou d'approbation quand ils en parlent entre eux devant moi. Malgré cela, en dépit de toute ma bonne volonté, mon regard s'entête à glisser vers le gros ventre de Marie-Thérèse, et je ne peux m'empêcher de me demander ce qu'ils feront quand le bébé sera là. C'est tout de même exigeant, un nouveau-né, je suis bien placée pour le savoir, j'en ai eu neuf! Comme en cette fin du mois de juin 1923, la délivrance n'est plus très loin, je me pose de sérieuses questions quant à la faisabilité de ce projet qui, autrement, aurait peut-être été une belle solution pour Jaquelin.

Dans les faits, cependant, ils n'ont que six petites semaines pour savoir si l'idée a du bon, et cela c'est si Marie-Thérèse se rend à terme.

Ils auront à peine le temps de s'accoutumer à travailler ensemble qu'il leur faudra déjà trouver une autre solution, même si on souhaite de tout cœur qu'elle ne soit que temporaire.

Alors, je m'inquiète pour eux. Comment Jaquelin arrivera-t-il à se débrouiller tout seul, quand Marie-Thérèse aura à s'occuper du bébé, à l'allaiter, à le langer? Sans compter qu'il y a toujours six autres enfants à la maison! La tante Félicité, malgré sa belle générosité, ne pourra remplacer la mère sur tous les tableaux. Alors oui, je m'inquiète, et, malheureusement, je n'ai aucune alternative à leur proposer pour l'instant. Il y a bien des détails entourant la naissance d'un enfant que seule une mère peut régler, et, malheureusement, ce n'est pas moi qui vais pouvoir changer la nature des choses.

Je vais donc m'en remettre à eux. S'ils ont su reconstruire la maison dévastée par le feu, s'ils ont trouvé une manière d'agir qui pourrait éventuellement les aider à s'en sortir, et surtout si Marie-Thérèse et Jaquelin éprouvent toujours l'un pour l'autre cet amour privilégié que rien ne peut détruire, alors je crois que je peux leur faire confiance.

Toutefois, je vais rester tout près d'eux. Juste au cas où ils auraient besoin d'un petit coup de main…

Voulez-vous m'accompagner? Je m'apprête justement à retourner à Sainte-Adèle-de-la-Merci.

Achevé d'imprimer chez
Imprimerie Norecob
en août 2017